世界と日本の最新ニュースが
一目でわかる!

2025⇒2026年版

【図解】まるわかり
時事用語

絶対押えておきたい、

最重要時事を完全図解!

【巻頭カラー】
目でみてわかる
ニュースの大疑問

ニュース・リテラシー研究所：編著

新星出版社

データで見る2024年衆議院選挙

与党過半数割れ 「政治とカネ」に厳しい民意

選挙結果

自民党は公示前から56議席減らして191議席で、公明党と合わせた与党で過半数（233議席）を下回った。立憲民主党は公示前より50増の148議席を獲得。国民民主党も28議席に積み増しした。

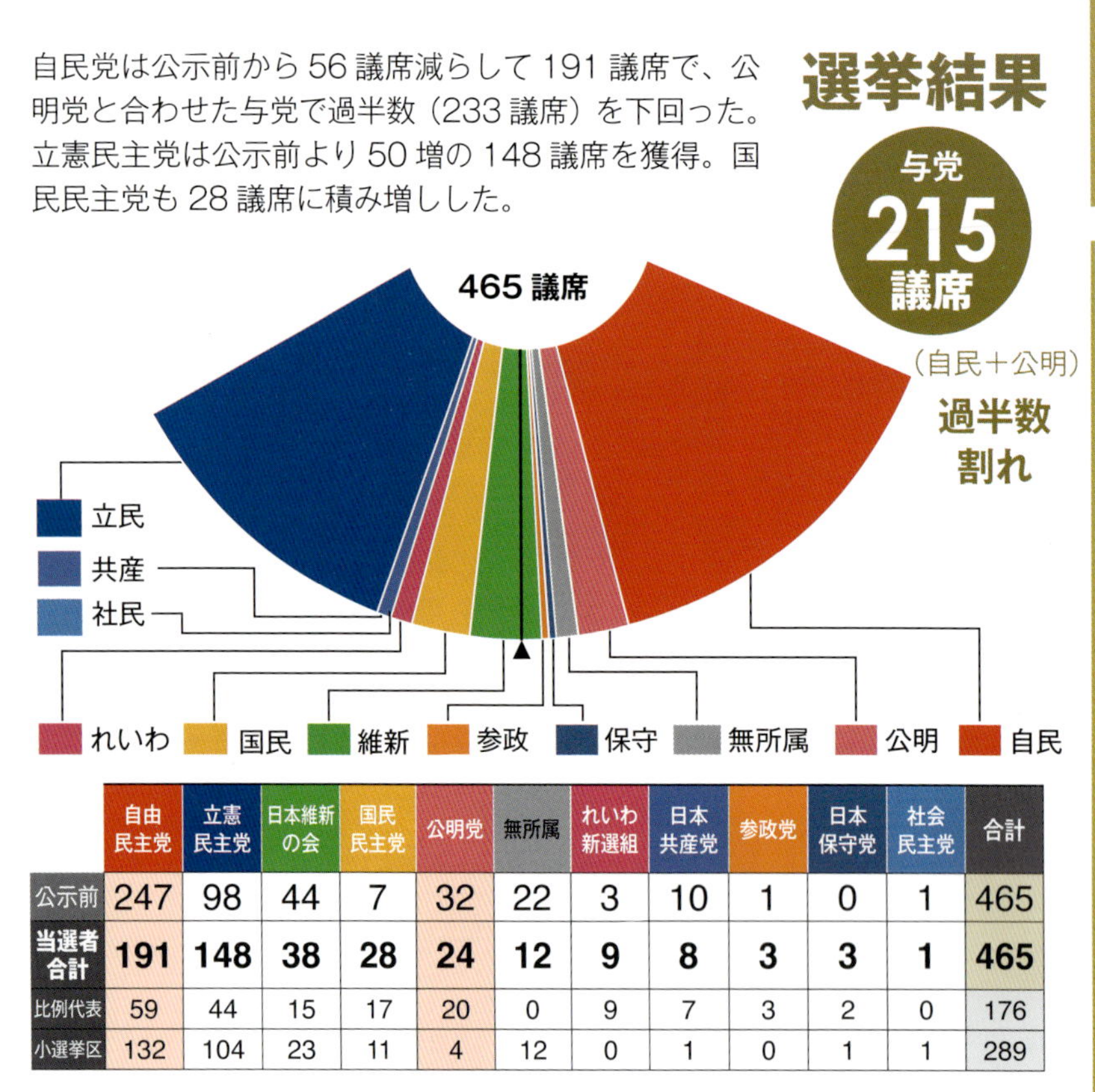

	自由民主党	立憲民主党	日本維新の会	国民民主党	公明党	無所属	れいわ新選組	日本共産党	参政党	日本保守党	社会民主党	合計
公示前	247	98	44	7	32	22	3	10	1	0	1	465
当選者合計	**191**	**148**	**38**	**28**	**24**	**12**	**9**	**8**	**3**	**3**	**1**	**465**
比例代表	59	44	15	17	20	0	9	7	3	2	0	176
小選挙区	132	104	23	11	4	12	0	1	0	1	1	289

DATA 01 「裏金」議員候補の選挙結果

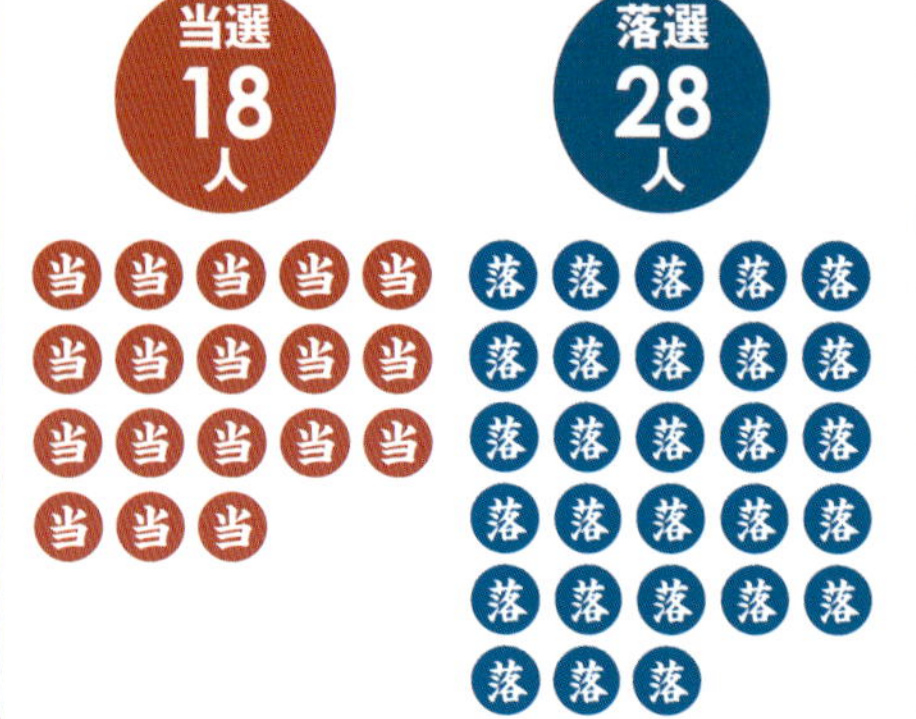

自民党派閥の政治資金パーティーをめぐる「裏金」に関与した議員85人のうち、今回の衆院選に立候補したのは46人。このうち3人が無所属、9人が自民党非公認での出馬となり、公認された候補も比例での重複立候補が見送られた。結果は18人が当選（うち無所属1、非公認3）し、28人が落選した。

2024年10月27日に行われた第50回衆議院議員選挙は、与党・自民党にとって厳しい結果となった。自民党の獲得議席は191議席で、公明党と合わせても過半数の233議席を下回る。派閥の政治資金パーティーをめぐる「裏金」問題や、旧統一教会との関わりをめぐる問題への国民の怒りが結果に現れた。選挙期間中、非公認にした裏金候補の政党支部に政党交付金2千万円を配布していたことも批判を招いた。

政権批判の受け皿となったのが立憲民主党と国民民主党。また、れいわ新選組も議席を増やした。一方、日本維新の会と日本共産党は議席を減らした。

与党の過半数割れで、今後の政権運営は難しいものになる。強権的な姿勢で強引に政策をすすめるのではなく、与党と野党による十分な話し合いが重要だ。

自民党本部の開票センターで、厳しい表情で腕組みをする石破茂総裁（2024年10月27日、共同通信社）

DATA 02 比例代表選挙の政党別得票数

自民党
得票率
26.7
%

自民・維新 減少
立民 横ばい
国民・れいわ
が伸ばす

投票用紙に政党名を書いて投票する「比例代表選挙」の結果は、政党への支持率が反映される。今回の選挙で自民・公明が比例票を減らし、国民民主とれいわが大きく票を伸ばした。立憲民主党の比例票は意外に伸びていない。

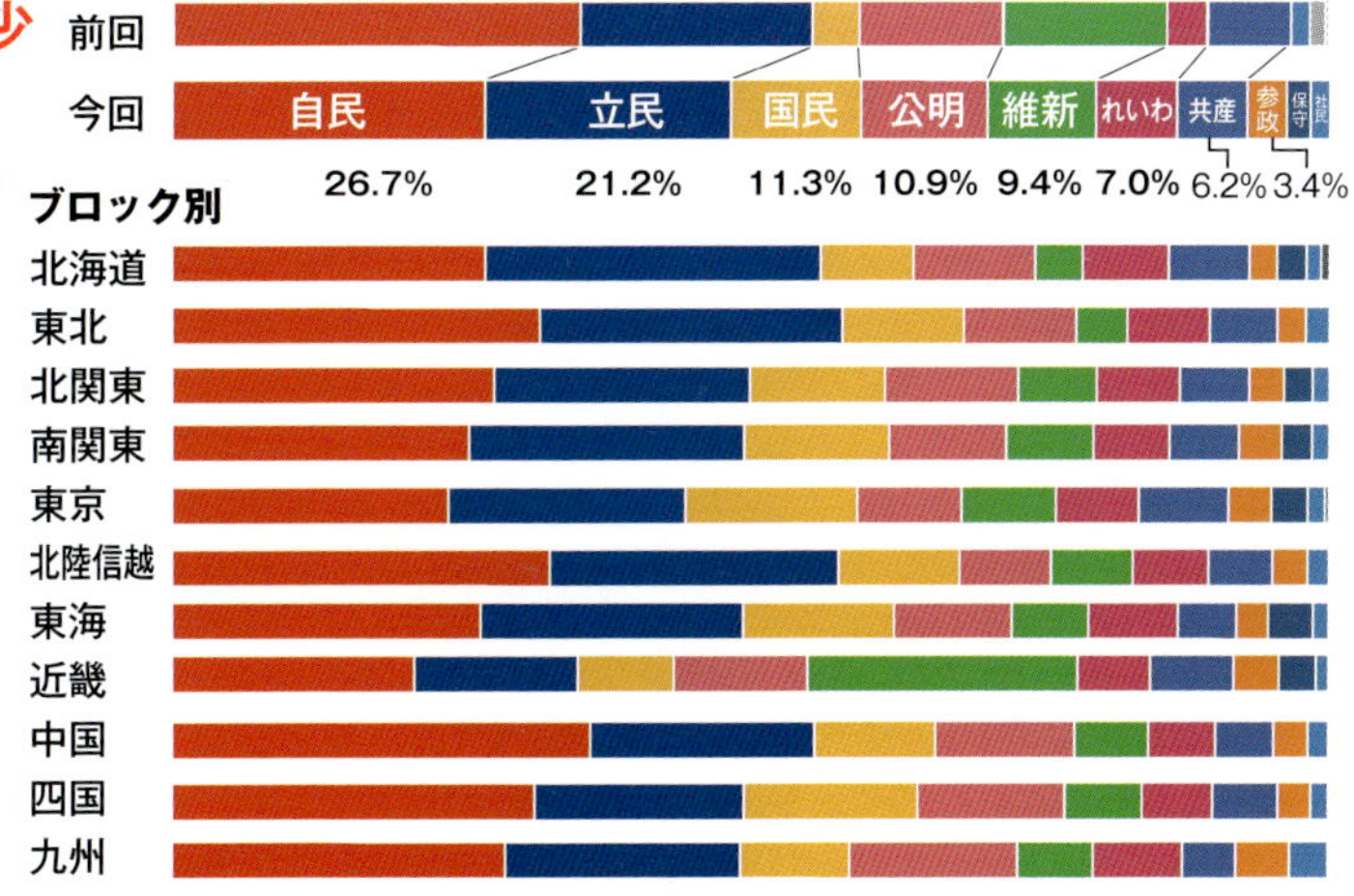

DATA 04 一票の格差

有権者が最も少ない鳥取1区と最も多い北海道3区の一票の格差は最大2.06倍。通常、2倍を超えると「違憲状態」と判断される。今回の衆院選ではアダムズ方式が採用され、小選挙区の「10増10減」で実施された。

区切り見直しも
格差拡大

鳥取
1区
1票

北海道
3区
0.485票

DATA 03 立候補男女比

女性候補者の割合は23.4%で、前回を上回ったもののまだまだ少ない。当選した女性議員は73人で過去最多となったが、全体の15.7%に過ぎない。

女性活躍は
どこに？

立候補者：1,344人

男性	女性
76.6%	23.4%
1,030人	314人

DATA 05 投票率の推移

投票率
53.85
%

戦後3番目の
低投票率

投票率は53.85%で、戦後3番目に低い結果となった。国民の選挙への関心の低さは危機的な状況といえる。都道府県別では山形県が最も高く60.82%、広島県がもっとも低く48.84%。

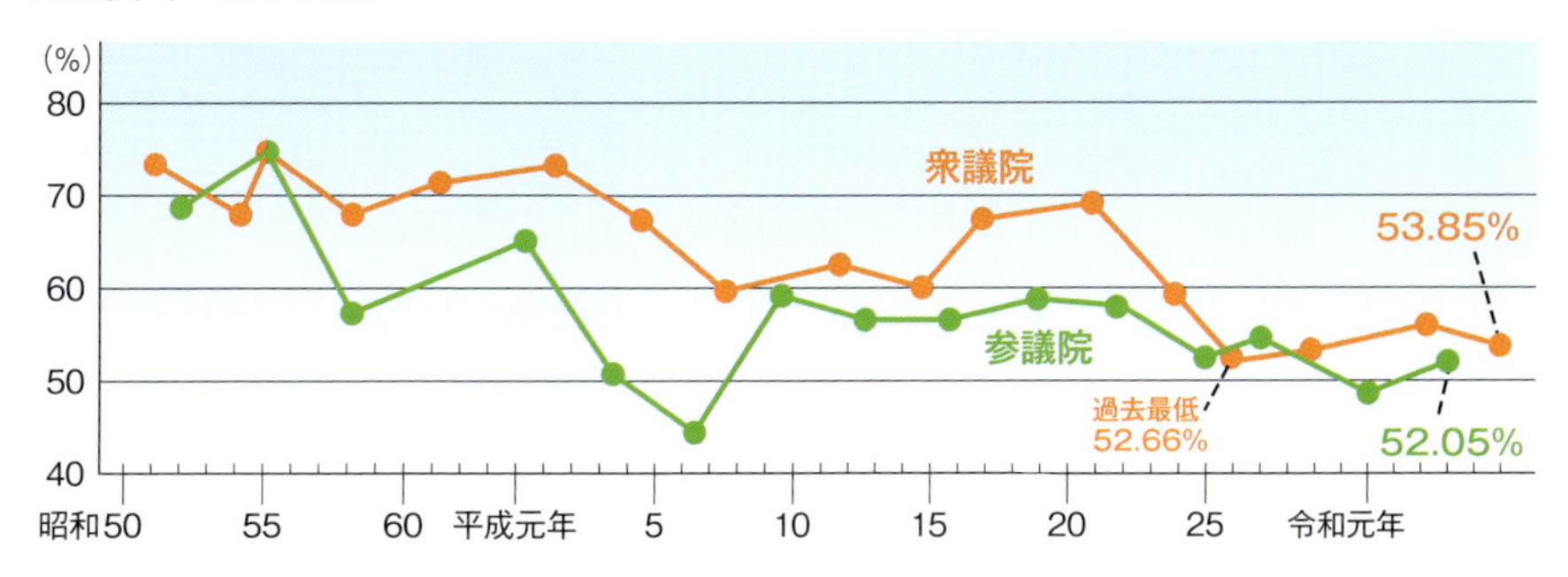

目でみてわかる
ニュースの大疑問02
What's happening in the world?

地図で見るニュースの最前線

世界から注目を集めるニュースの現場はここだ

ガザ地区

面積 365km²
人口 222万人

レバノン
シリア
地中海
テルアビブ
ガザ地区
ヨルダン川西岸地区
パレスチナ自治政府が統治
エルサレム
イスラエル
エジプト
ヨルダン
サウジアラビア

パレスチナのガザ地区は周囲を分離壁で封鎖され、「天井のない監獄」とも呼ばれる。2023年10月、同地区を実効支配するイスラム武装組織ハマスは、イスラエル側に大規模な攻撃を仕掛けた。イスラエルはこれに圧倒的な武力で反撃し、ガザ地区に侵攻した。パレスチナ人の死者数は4万人を超えるが、その多くは女性と子供だ。停戦のめどはいまだにたっていない。

5km
エレツ検問所
ガザ市
地中海
ガザ地区沖はイスラエル軍が海上封鎖
ガザ地区
ネツァリム回廊
ガザを南北に二分するイスラエルの道路。
アル・マワシ人道エリア
ハンユニス
ラファ
イスラエル
エジプト
フィラデルフィ回廊
ガザとエジプトの境界の緩衝地帯。ハマスの物資搬入の拠点とされる。
ラファ検問所
ケレムシャローム物資検問所
openstreetmap.org

イスラエル軍のガザ侵攻は、南部での地上作戦へ。ガザ地区南部の都市ハンユニスからアル・マワシ方面へ避難するパレスチナの人々（2024年8月）。

写真：Xinhua/ABACA/共同通信イメージズ

バブ・エル・マンデブ海峡

幅 32km

アラビア半島の先端とアフリカ大陸の間にあるバブ・エル・マンデブ海峡は、紅海を出入りするすべての船舶の出入口だ。2023年以降、イエメンの反政府勢力フーシ派は、イスラエルと闘うハマスを支援するため、この海峡を通過する船舶への攻撃を繰り返している。このため、紅海からスエズ運河を抜ける航路を避け、アフリカ大陸の喜望峰を回る船舶が世界的に増加している。

写真：EUNAVFOR ASPIDES

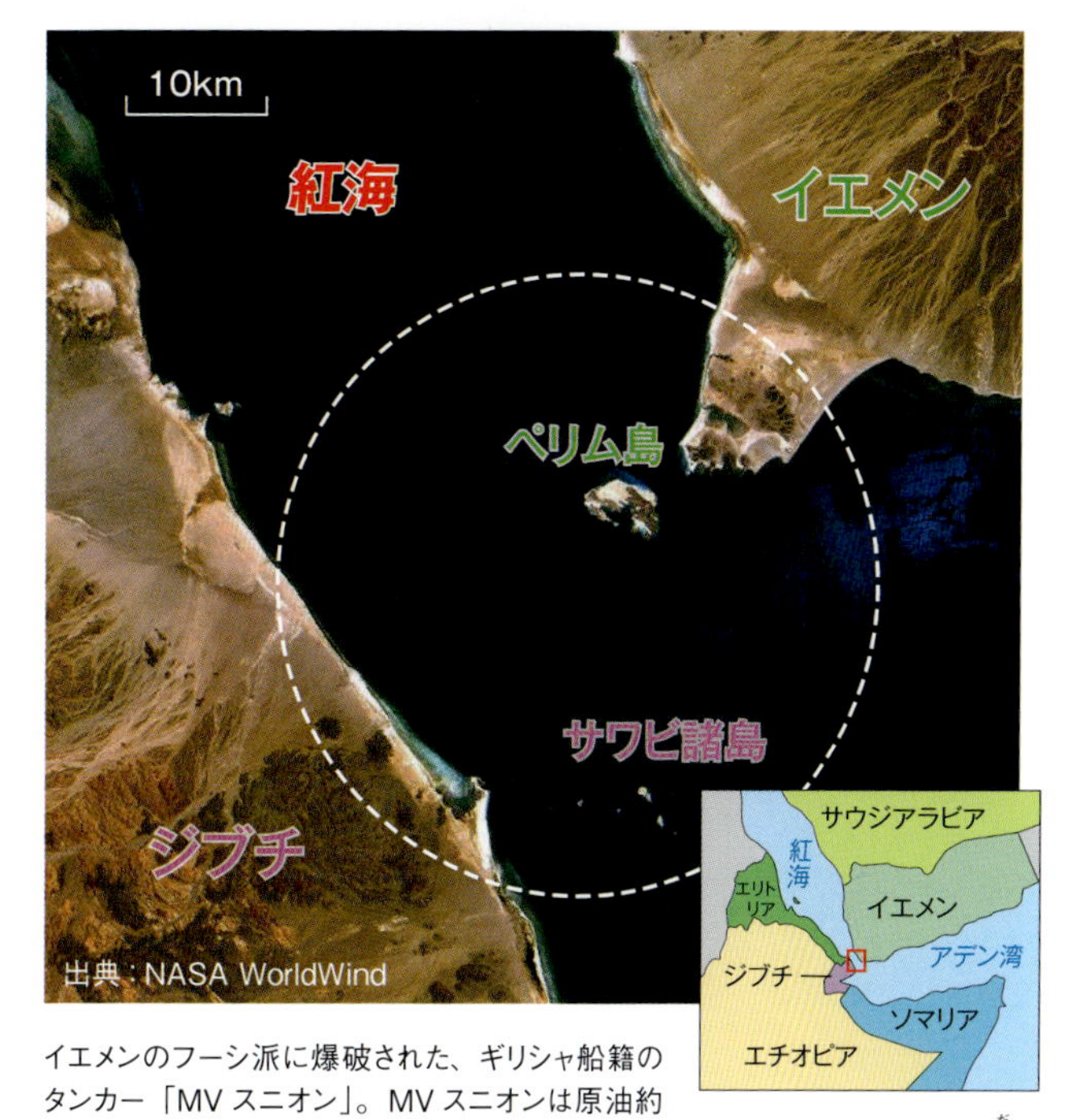

イエメンのフーシ派に爆破された、ギリシャ船籍のタンカー「MV スニオン」。MV スニオンは原油約15 万トンを積み、イラクからギリシャへ向け、紅海を航行中にフーシ派によって拿捕されていた。原油流出による環境汚染も懸念されている（2024 年 8 月）。

能登半島地震

発生日時 2024年1月1日16時10分

最大震度 震度7　死者 426人

5km

震源地 ×

日本海

珠洲市

輪島市

能登町

穴水町

志賀町

七尾市

出典：国土地理院「デジタル標高地形図」から作成

2024 年 1 月 1 日の夕方、石川県の能登半島をマグニチュード 7.6、最大震度 7 の大きな地震が襲った。日本海沿岸に津波が発生したほか、各地で土砂災害や火災、家屋の倒壊などの被害が出た。死者 426 人、全壊・半壊した家屋2万7千棟以上にのぼる。元日に起きたため、帰省中や観光中の人も多く被災した。

地震で倒壊した輪島市の「朝市通り」（写真：m.Taira /PIXTA）

目でみてわかる
ニュースの大疑問03
What's happening in the world?

パリ2024大会 日本人選手の活躍は？

日本人選手は45個のメダルを獲得

PARIS 2024 オリンピック競技大会

2024年7月26日～8月11日

参加国・地域数	207	競技種目数	32競技329種目
参加人数	10,500人	主競技場	スタッド・ド・フランス

湯浅(ゆあさ) 亜実(あみ) 選手

ストリートダンスの新競技「ブレイキン」では、湯浅亜実選手（ダンサーネーム「B-Girl Ami」）が金メダルを獲得した。

２０２４年７月、夏季オリンピック競技大会がフランスのパリで開催された。オリンピックは4年に1度だが、前回の東京大会が新型コロナウイルスの流行で1年延期されたため、3年振りの開催だ。

２００以上の国と地域から1万人以上の選手が参加し、17日間に32競技３２９種目が実施された。日本からは４０９人の選手が参加。柔道、レスリング、体操をはじめ、今大会唯一の新種目であるブレイキンやフェンシングなどで活躍し、海外開催では過去最多となる45個のメダルを獲得した（金20、銀12、銅13）。

オリンピック憲章は「平和な社会の推進」という理念を掲げている。そのためウクライナへ侵攻中のロシアとベラルーシについては国としての参加は認められず、中立の立場を表明した選手のみが個人資格で参加した。一方、ガザに侵攻中のイスラエルは国として参加した。

鏡(かがみ) 優翔(ゆうか) 選手

「レスリング女子フリースタイル 76 キロ級」決勝。鏡優翔選手がケネディ・ブレイズ選手（アメリカ代表）を破り、金メダルを獲得した。レスリング女子日本代表チームは、全６階級でメダルを獲得する快挙(かいきょ)。

北口(きたぐち) 榛花(はるか) 選手

「女子やり投(なげ)」決勝。65m80の投(とう)てきで、金メダルを獲得した北口榛花選手。東京五輪12位からの雪辱(せつじょく)を果たした。

●各国のメダル獲得数

		金	銀	銅	合計
1	アメリカ	40	44	42	126
2	中国	40	27	24	91
3	日本	20	12	13	45
4	オーストラリア	18	19	16	53
5	フランス	16	26	22	64
6	オランダ	15	7	12	34
7	イギリス	14	22	29	65
8	韓国	13	9	10	32
9	イタリア	12	13	15	40
10	ドイツ	12	13	8	33

日本人選手の獲得メダル数
（種目ごとの内訳）

獲得数	競技名	金	銀	銅
11	レスリング	8	1	2
8	柔道	3	2	3
5	フェンシング	2	1	2
4	体操競技	3	0	1
4	スケートボード	2	2	0
2	卓球	0	1	1
2	バドミントン	0	0	2
1	ブレイキン	1	0	0
1	陸上競技（女子やり投）	1	0	0
1	競泳	0	1	0
1	近代五種	0	1	0
1	スポーツクライミング	0	1	0
1	セーリング	0	1	0
1	飛込	0	1	0
1	馬術	0	0	1
1	ゴルフ	0	0	1

PARIS 2024 パラリンピック

パラリンピックは4年に1度、オリンピックと同じ年・同じ場所で開催される障害者を対象にした国際スポーツ大会だ。2024 年8月から9月にかけて開催されたパリ大会では、170 の国と地域から約 4400 人の選手が参加した。

日本からは 175 人の選手が参加し、41 個のメダル（金 14、銀 10、銅 17）を獲得した。

車いすラグビー 日本代表

「車いすラグビー」は、足や腕などに障害のある選手たちが専用の車椅子で対戦する。1チームは4人の男女混合で構成される。パリパラリンピックでは、日本代表チームが金メダルを獲得した。

写真：共同通信社

目でみてわかる
ニュースの大疑問04
What's happening in the world?

知っておきたい世界の国のリーダーたち

各国の首脳 WHO'S WHO？

アメリカ合衆国

ドナルド・
トランプ 大統領

2024年の選挙で民主党カマラ・ハリス氏に勝利し、大統領に返り咲いた。スローガンは「Make America Great Again」

日本

いしば しげる
石破 茂 首相

2024年10月に首相に就任したが、その後の総選挙で与党は議席を減らし、苦しい政権運営を迫られている。

世界の人口【トップ20】

順位	国名	人口
1	インド	14億5093万5791人
2	中国	14億1932万1278人
3	アメリカ	3億4542万6571人
4	インドネシア	2億8348万7931人
5	パキスタン	2億5126万9164人
6	ナイジェリア	2億3267万9478人
7	ブラジル	2億1199万8573人
8	バングラデシュ	1億7356万2364人
9	ロシア	1億4482万0423人
10	エチオピア	1億3205万9767人
11	メキシコ	1億3086万1007人
12	日本	1億2375万3041人
13	エジプト	1億1653万8258人
14	フィリピン	1億1584万3670人
15	コンゴ	1億0927万6265人
16	ベトナム	1億0098万7686人
17	イラン	9156万7738人
18	トルコ	8747万3805人
19	ドイツ	8455万2242人
20	タイ	7166万8011人

（国連「世界人口推計2024年版」より）

世界のGDP【トップ20】

順位	国名	名目GDP（百万US$）
1	米国	27,357,825
2	中国	17,662,041
3	ドイツ	4,457,366
4	日本	4,212,944
5	インド	3,572,078
6	イギリス	3,344,744
7	フランス	3,031,778
8	イタリア	2,255,503
9	ブラジル	2,173,671
10	カナダ	2,140,086
11	ロシア	1,997,030
12	メキシコ	1,788,897
13	オーストラリア	1,741,882
14	韓国	1,712,793
15	スペイン	1,581,151
16	インドネシア	1,371,171
17	オランダ	1,117,101
18	トルコ	1,108,453
19	サウジアラビア	1,067,583
20	スイス	885,141

（IMF2023年統計より）

2024年には、世界各国で新しいリーダーが誕生した。アメリカでは4年に1度の大統領選が行われ、共和党のドナルド・トランプ候補が民主党のカマラ・ハリス副大統領に勝利し、大統領に返り咲くことが決まった。イギリス総選挙では労働党が保守党に勝利して、14年ぶりの政権交代が実現した。

一方で、ロシアやインド、中国など、10年以上にわたる長期政権が続く国々もある。日本では岸田文雄氏に代わり、自民党総裁選で勝利した石破茂氏が首相に就任したが、自公政権自体は長期にわたって続いている。

中国（中華人民共和国）

習 近平（しゅうきんぺい） 国家主席

2013年に就任。中国の国家主席の任期はこれまで2期10年が限度だったが、憲法を改正して任期制限を撤廃し、10年を超える長期体制をみずから準備した。

北朝鮮（朝鮮民主主義人民共和国）

金 正 恩（キムジョンウン） 総書記

2011年、父・金正日の死により北朝鮮最高指導者の地位を継承。3代にわたり独裁的な権力を維持している。

韓国（大韓民国）

尹錫 悦（ユンソンニョル） 大統領

検事時代に前政権と対立し、2022年に保守派政党から大統領選に立候補して当選。就任後元徴用工問題を解決し、悪化していた日韓関係が大きく改善した。

台湾（中華民国）

頼清徳（らいせいとく） 総統

2024年に台湾独立派の民進党から立候補して当選。国会では野党の国民党が過半数を占めており、厳しい政権運営を迫られている。

インド

ナレンドラ・モディ 首相

2024年の総選挙で与党が勝利し、2014年以来3期連続で政権を握る。ヒンドゥー至上主義を掲げ、国内少数派のイスラム教徒に差別的。強権化を懸念する声もある。

トルコ共和国

レジェップ・タイイップ・エルドアン 大統領

2014年に大統領就任。検閲を強化し、反対勢力を弾圧する強権的な統治を行う。独自の外交政策は新オスマン主義と呼ばれる。

イスラエル国

ベンヤミン・ネタニヤフ 首相

右派政党リクードの党首で、通算15年にわたり首相をつとめる。ガザへの非人道的な攻撃が国際的に批判されている。

英国（グレートブリテン及び北アイルランド連合王国）

キア・スターマー 首相

イギリス労働党党首。2024年の総選挙で労働党が与党・保守党に大差で勝利して首相に就任。14年ぶりの政権交代を果たす。

ドイツ連邦共和国

オラフ・ショルツ 首相

2021年に退任したメルケル氏に代わり首相に就任。中道左派の連立政権を樹立するが、ドイツ国内では極右政党の勢力が増している。

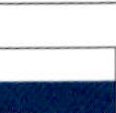

ロシア連邦

ウラジーミル・プーチン 大統領

通算20年にわたる長期政権を樹立。ウクライナに侵攻し、子どもをロシアに強制移送した疑いで国際刑事裁判所から逮捕状が出ている。

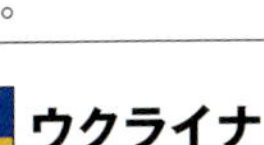

ウクライナ

ウォロディミル・ゼレンスキー 大統領

2019年に大統領に就任。ロシアによる侵攻に対して国民総動員令に署名し、18～60歳の男性の出国を禁止。ロシアとの戦いを続けている。

イタリア共和国

ジョルジャ・メローニ 首相

2022年にイタリア初の女性首相となる。極右政党の党首で就任前は反EU的な立場を示していたが、ウクライナ支援ではEU各国と足並みを揃える。

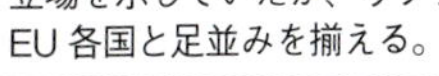

カナダ

ジャスティン・トルドー 首相

2015年からカナダ首相をつとめる。中道左派の自由党を率いる。父親のピエール・トルドーも元カナダ首相。

フランス共和国

エマニュエル・マクロン 大統領

2017年に大統領就任。2024年の総選挙では極右勢力の台頭を防ぐため左派連合と共闘するが、首相には中道右派のバルニエ氏を任命。

ベネズエラ（ベネズエラ・ボリバル共和国）

ニコラス・マドゥロ 大統領

2013年にチャベス政権を引き継いで大統領に就任し、独裁的な統治を行う。2024年の大統領で勝利したものの、不正選挙が疑われている。

サウジアラビア王国

ムハンマド・ビン・サルマン 皇太子・首相

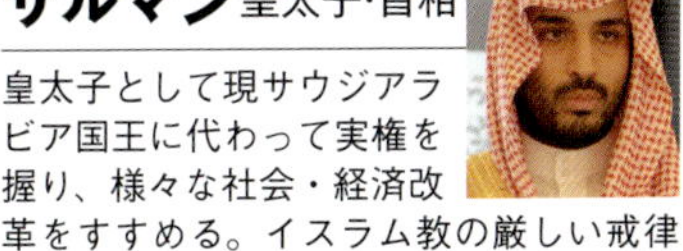

皇太子として現サウジアラビア国王に代わって実権を握り、様々な社会・経済改革をすすめる。イスラム教の厳しい戒律も解禁されつつある。

南アフリカ共和国

シリル・ラマポーザ 大統領

2018年に大統領就任。2024年の総選挙では与党ANCの議席が過半数割れしたため、野党と連立政権を組んで再任された。

オーストラリア連邦

アンソニー・アルバニージー 首相

2022年の総選挙で労働党が保守連合に勝利して首相に就任。2023年に先住民アボリジニの地位を明記する憲法改正の国民投票を実施するが、改正は否決された。

日本の領土問題について知りたい

離島の領土を守ることは、漁業権や海底資源の採掘権を守ることだ

❶北方領土(ほっぽうりょうど)

主要な島	択捉島、国後島、色丹島、歯舞群島
総面積	5,036km²（千葉県の広さに匹敵）
領有権を主張	日本、ロシア（実効支配）

北方領土とは、根室(ねむろ)半島の沖合(おきあい)にある択捉島、国後島、色丹島、歯舞群島の4島のこと。第二次世界大戦前には日本人1万人以上が住んでいたが、日本の敗戦直後にソ連（現ロシア）に占領され、現在もロシアが実効支配を続けている。1956年の日ソ共同宣言で、平和条約の締結(ていけつ)後に色丹・歯舞の2島を返還することが明記された。日本は「4島一括返還」を前提に交渉してきたが、ロシアは「返還後に米軍が駐留する」として拒(こば)んでいる。2022年3月、ロシアはウクライナ侵攻による経済制裁を発動した日本に対し、平和条約交渉を中断。日露間の対話は停滞している。

国後島　写真：a_katto / PIXTA

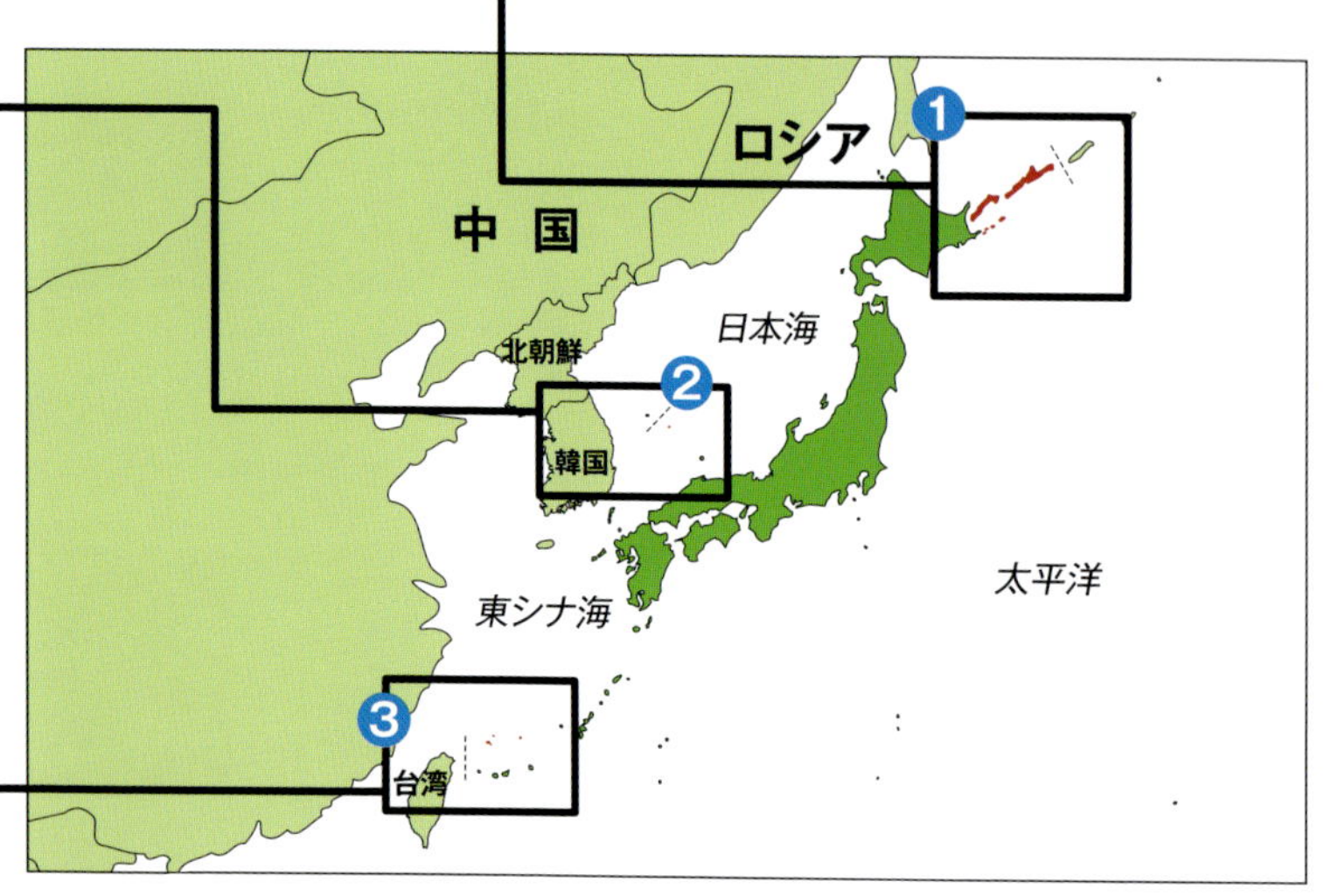

相手国のトップ（2024年10月現在）

❶プーチン（ロシア大統領）

2000年大統領就任、その後首相を務めた後、2012年再度大統領に就任。2020年7月、憲法を改正して大統領任期を大幅に延長できるようにした。

（写真：kremlin.ru）

❷尹錫悦(ユンソンニョル)（韓国大統領）

2022年、文在寅(ムンジェイン)大統領の任期満了による大統領選で当選。親日派で知られ、大胆な対日融和姿勢を見せるが、その反面で支持率は低迷している。

（写真：大韓民国大統領府）

❸習近平(しゅうきんぺい)（中国国家主席）

2012年に中国共産党総書記、2013年に中国国家主席就任。国家主席の任期を撤廃し、個人崇拝を助長。人権抑圧と言論弾圧を強めている。

（写真：U.S. Department of State）

②竹島

主要な島	西島（男島）、東島（女島）
総面積	0.21km²
領有権を主張	日本、韓国（実効支配）、北朝鮮

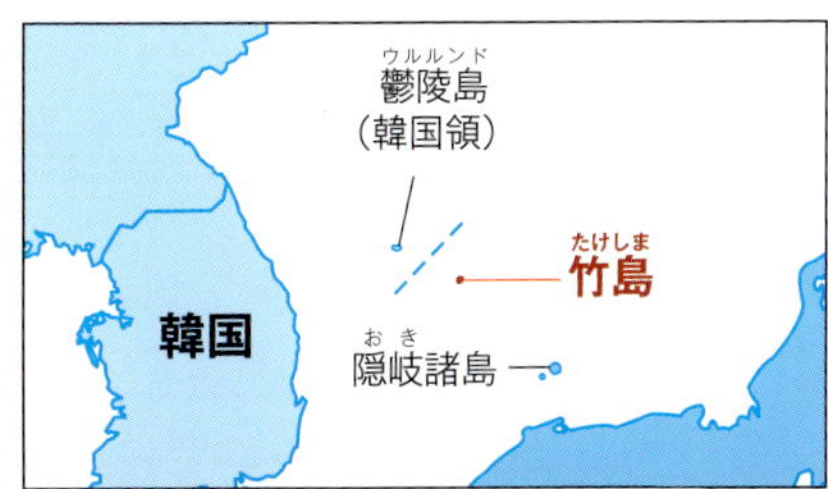

竹島　写真：Yonhapnews/ニューズコム/共同通信イメージズ

竹島は、日本海に浮かぶ総面積0・21平方キロ（東京の日比谷公園とほぼ同じ）の小さな島。韓国名は「独島（トクト）」。日本は1905年に竹島を島根県に編入した。その後日本は韓国を併合したが、第二次世界大戦後に独立した韓国は竹島の領有権を主張した。1952年、韓国は李承晩ラインを設定して竹島を韓国領に取り込み、その後武装した兵士を送り込んで竹島を占拠した。以後、現在に至るまで実効支配を続けている。2012年には、李明博大統領（当時）が竹島に上陸し、日韓関係が大幅に悪化した。2022年から現職の尹錫悦大統領は、日韓関係の改善に力を入れているが、領土問題では譲らない姿勢だ。日本は領土問題を国際司法裁判所に提訴することを提案しているが、韓国側は拒否している。

③尖閣諸島

主要な島	魚釣島、久場島、大正島、南小島、北小島など
総面積	5.53km²
領有権を主張	日本（実効支配）、中国、台湾

尖閣諸島　写真：共同通信イメージズ

尖閣諸島は沖縄県石垣島の北西方にある島々の総称。1895年に沖縄県に編入して以降、アメリカの沖縄占領期間をのぞき、日本が実効支配を続けている。中国、台湾が領有権を主張しはじめたのは、1960年代後半に行われた海洋調査で、周辺の海域に石油資源が埋蔵されている可能性が報告されてからで、中国側の領海侵犯が後を絶たない。2012年には、政府は3島を20億5千万円で購入し国有化した。中国側はこれに激しく反発し、日中関係は悪化。大規模な反日デモが中国各地で起こった。近年は、中国空軍機が日本の防空識別圏を通過したり、中国海警局（日本の海上保安庁にあたるが、軍の指揮下にある）の公船が尖閣諸島の接続水域や領海に侵入している。さらに2024年9月には、中国海軍の空母が与那国島と西表島の間の接続水域を通過するなど、緊張が高まっている。

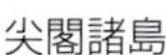

KEYWORD

南シナ海領有権問題
南シナ海に位置するパラセル諸島（西沙諸島）は、もともとベトナムが領有していたが、1974年に中国が占領し、現在も実効支配を続けている。また、スプラトリー諸島（南沙諸島）をめぐっては中国、フィリピンなど6か国が領有権を主張し対立している。

防空識別圏
領空とは別に、国防上の理由で定めた監視空域で、各国が独自に設定している。自国への領空侵犯を未然に防ぐため、防空識別圏に無断で侵入した航空機には、緊急発進（スクランブル）により警告や威嚇が行われる。

接続水域
領海に接続する一定範囲の公海で、沿岸国が国内法を履行するために一定の権限を行使できる海域。国連海洋法条約により、領海の基線の外側24海里（約44km）までと決められている。

いまさら聞けない最新IT・ビジネス用語

いま注目のキーワードまるわかり

生成AI

与えられた指示にしたがって、新しい文章や画像、動画などを作成するAIを生成AIという。生成AIは、大量のテキストや画像などのデータを読み込んでそのパターンを学習しており、それをもとにして、人間が作ったかのような自然な文章や画像を作成する。OpenAIが開発したChatGPTをはじめ、高性能な生成AIが近年次々に開発され、様々な分野への活用が期待されている。

メールの作成
得意先に送る「お詫び」のメールを作成して。

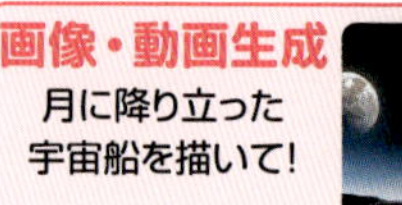

文章の作成
「地球温暖化の対策」に関するレポートを作成して。

画像・動画生成
月に降り立った宇宙船を描いて!

会話・相談
名古屋の観光名所を教えて?

プログラムの作成
Python(パイソン)言語でプログラムを作って。

多言語の翻訳
文章を英語と中国語に翻訳して!

アイディアの創出
Webサービスの新しい企画を考えて。

etc.

メタバース

メタバースとは、「メタ(超)」と「ユニバース(宇宙)」を組み合わせた造語で、インターネット上に構築された仮想空間のこと。利用者はアバターと呼ばれる自分の分身を使って仮想空間に入り込み、他の利用者と交流したり、イベントやゲームに参加したりできる。ネット空間に広がる新たなフロンティアとして注目されている。

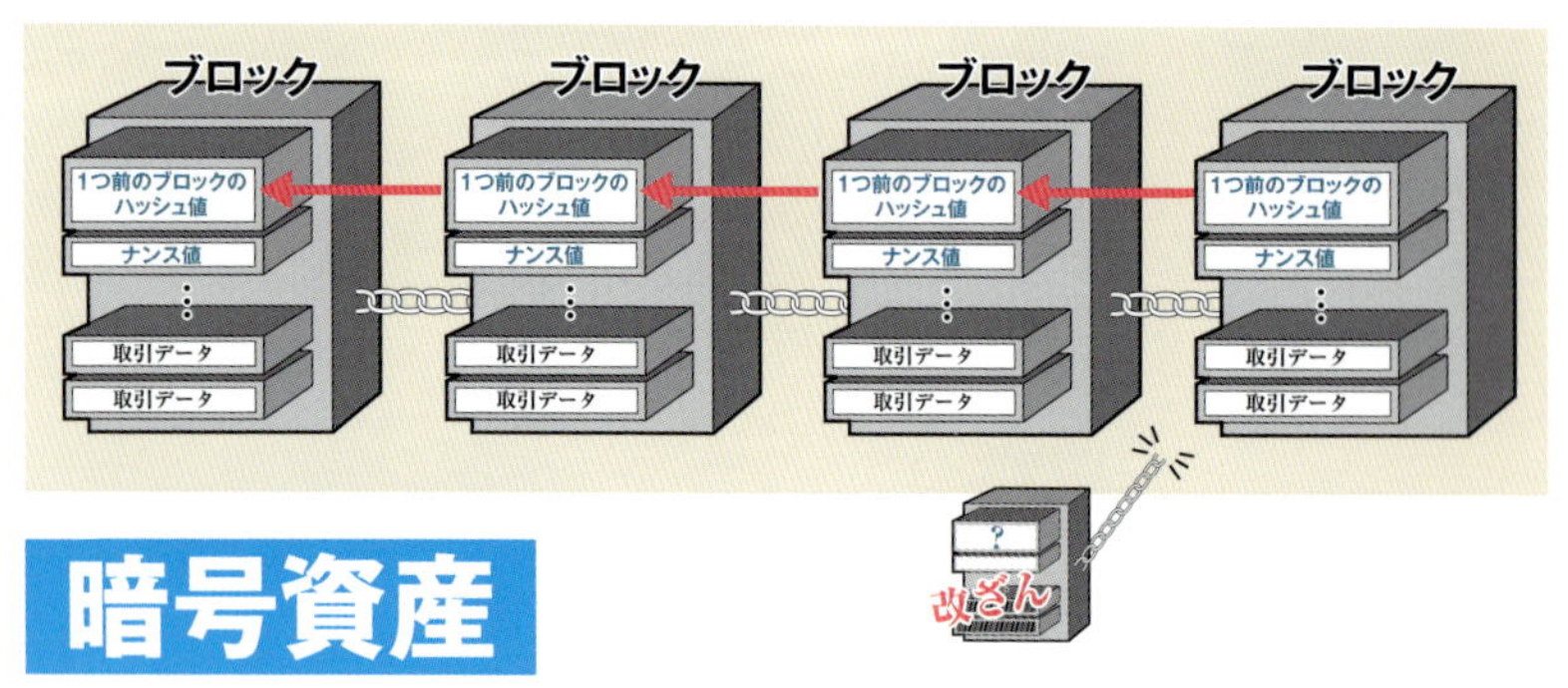

暗号資産

インターネット上でやりとりできる仮想通貨などの財産的価値のこと。取引所で日本円などの法定通貨と交換し、代金の支払いなどに利用できる。ブロックチェーンと呼ばれる取引情報を記録した台帳がインターネット上に記録されており、特定の管理者がいなくても流通する仕組みが注目を集めた。ビットコインが代表的で、それ以外の暗号資産はまとめてアルトコイン(代替コイン)と呼ばれている。

Web3.0

【Web1.0】インターネット黎明期（1990年代）に登場したWebは、少数の発信者が不特定多数の受信者へ情報を送る一方通行のコミュニケーションが主流だった。

【Web2.0】2000年代に入ると、YouTubeやTwitterをはじめとしたSNSが普及し、利用者は相互に情報を発信できるようになる一方、一部の巨大IT企業にサービス利用者が集中する寡占状態が生まれた。

【Web3.0】こうした時代を経た次世代のWebサービスとして提唱されているのがWeb3.0だ。基本的なコンセプトは分散化（非中央集権）で、具体的にはブロックチェーン技術を取り入れた新しいサービスを指すことが多い。

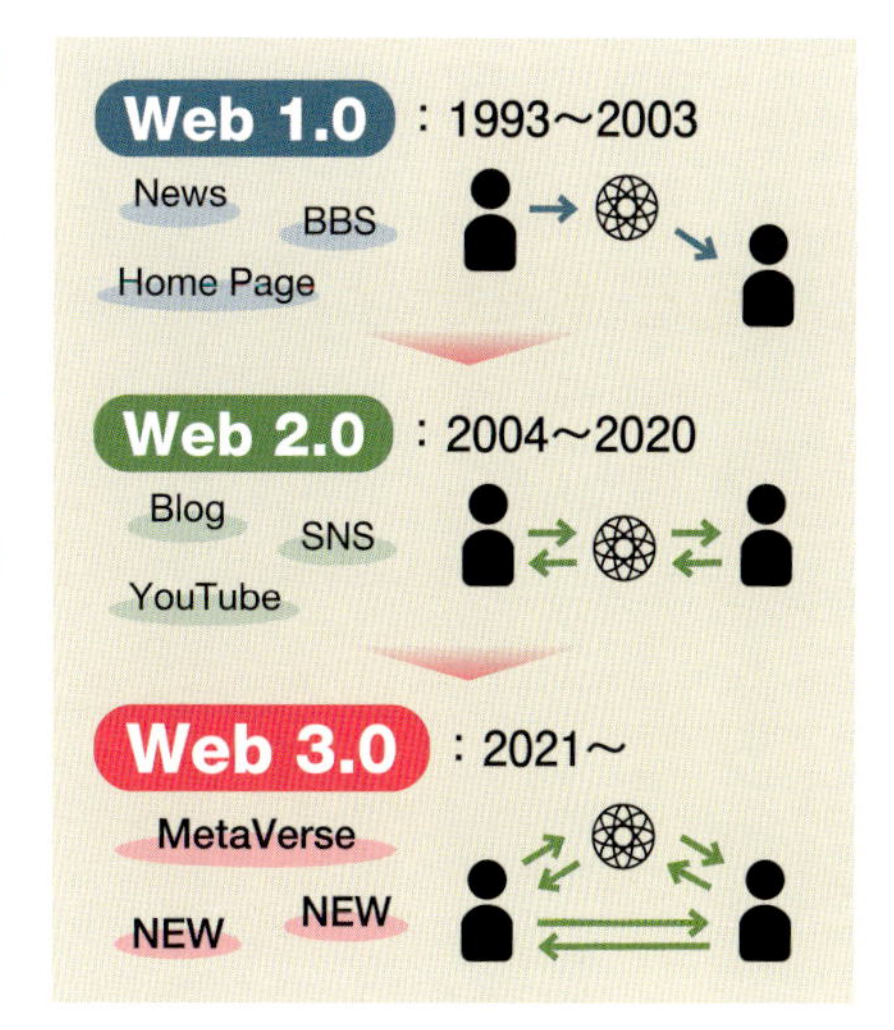

Society 5.0

日本政府が提唱する未来社会のコンセプト。狩猟社会（Society 1.0)、農耕社会（Society 2.0)、工業社会（Society 3.0)、情報社会（Society 4.0）に続く5番目の社会で、サイバー空間と現実空間が高度に融合し、様々な社会的課題の解決と経済発展の両立を目指す。

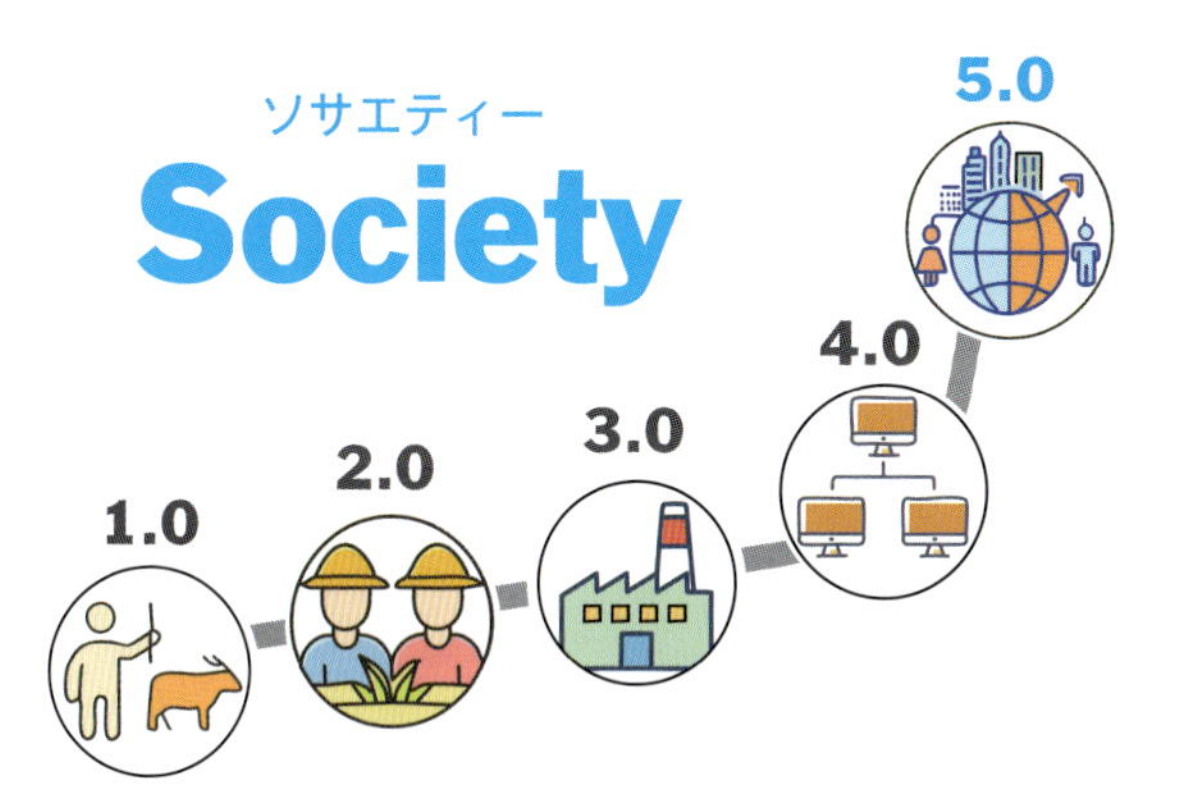

ランサムウェア

ランサムウェアとは、「ランサム（身代金)」と「ソフトウェア」を組み合わせた造語で、コンピュータウイルス（マルウェア）の一種のこと。システムに保存されているデータを暗号化して使用できない状態にし、元に戻すために金銭や暗号資産を要求する。要求に応じなければデータを公開するといった二重脅迫（ダブルエクストーション）の手口もある。日本の企業も被害にあっている。

VUCA（ブーカ）

Volatility（変動性)、Uncertainty（不確実性)、Complexity（複雑性)、Ambiguity（あいまい性）の頭文字を組み合わせた言葉。これからのビジネスでは、変化が激しく、複雑で予測しにくい世の中の状況に、いかにスピーディに対応していくかが問われる。

2023.11-
2024.10

まるわかり ニュースダイジェスト

Nov 11

原子力規制委員会、運転年数40年が迫る川内原発1、2号機の運転延長認可

政府、定額減税や低所得世帯への給付を盛り込んだ総合経済対策を決定

日本郵船が運航する貨物船をイエメン反政府勢力フーシ派が拿捕

米軍輸送機オスプレイが屋久島沖で墜落　乗組員8人が死亡・行方不明

COP28（国連気候変動枠組条約第28回締約国会議）ドバイで開催

Dec 12

米大リーグの大谷翔平選手、ロサンゼルス・ドジャースに移籍

岸田首相、安部派の閣僚4人を交代　自民党派閥の裏金問題を受け

政府、防衛装備移転三原則を改定　武器輸出ルールを大幅に緩和

沖縄県の辺野古基地新設工事で「代執行」を実施

東京地検特捜部、柿沢未途衆議院議員を公職選挙法違反容疑で逮捕

Jan 01

石川県能登半島でマグニチュード7・6（最大震度7）の地震発生

東京地検特捜部、池田佳隆衆議院議員を政治資金規正法違反容疑で逮捕

台湾総統選　民進党・頼清徳氏が当選

JAXA（宇宙航空研究開発機構）の小型無人探査機SLIMが月面に着陸

Feb 02

内閣府が2023年のGDP速報値を発表。ドイツに抜かれ世界4位転落

JAXAが国産新型ロケット「H3」2号機の打ち上げに成功

Mar 03

第96回米アカデミー賞で「ゴジラ マイナス1.0」が視覚効果賞を受賞

札幌高裁、同性婚を認めない現行の規定に対し憲法違反の判断

北陸新幹線が金沢から敦賀まで延伸開業

女性初の検事総長の畝本直美氏。全国の検察のトップが集まる検察長官会同で「捜査公判の適正さ重要」との訓示を述べる＝2024年9月13日（共同通信社）

映画『ゴジラ －1.0』がアカデミー賞・視覚効果賞を受賞。オスカー像を手にしたスタッフたち。左から髙橋正紀氏、山崎 貴 監督、渋谷紀世子氏、野島達司氏＝2024年3月11日（ロイター＝共同）

Apr 04

ロシア大統領選で現職のウラジミール・プーチン氏が勝利
日本銀行の金融政策決定会合で、マイナス金利政策の解除を決定
小林製薬の「紅麹」を含むサプリメントで健康被害　5製品を自主回収
自家用車を使って客を運ぶライドシェア、東京23区などではじまる
韓国総選挙で野党「共に民主党」が過半数を維持　「ねじれ国会」解消ならず
人口戦略会議、全国の4割にあたる744市町村を消滅可能性自治体に
離婚後に両親双方が親権をもつ「共同親権」を可能とする改正民法が成立
国際刑事裁判所、イスラエルのネタニヤフ首相らに戦争犯罪容疑で逮捕状請求

May 05

大手自動車メーカー5社が「型式指定」の認証試験で不正
2023年の合計特殊出生率「1.20」　1947年以来最低
イタリア南部プーリアで先進7か国首脳会議（G7サミット）開催

Jun 06

こども性暴力防止法成立　性犯罪歴を確認する「日本版DBS」を創設
自民党派閥の裏金事件を受けて改正政治資金規正法が成立
最高裁、旧優生保護法で不妊手術を強制された人に賠償を命じる判決
日本銀行、20年ぶりとなる新紙幣を発行　1万円札の渋沢栄一氏など

Jul 07

イギリス総選挙で野党の労働党が過半数獲得　政権交代へ
イラン大統領選で改革派のマスウード・ペゼシュキヤーン氏が当選
東京都知事選で現職の小池百合子氏が3選を果たす
検事総長に女性初の畝本直美氏が就任
広島高裁、トランス女性に対し、手術なしで性別変更を認める判決
防衛省、「特定秘密」の違法運用などで自衛隊幹部ら延べ220人を処分
米共和党、次期大統領候補にドナルド・トランプ氏を指名
米バイデン大統領が次期大統領選から撤退　ハリス副大統領が民主党候補に
フランスのパリで第33回夏季オリンピック開催

2024年アメリカ大統領選挙、前大統領のドナルド・トランプ氏がペンシルベニア州の討論会で演説＝2024年9月10日（ロイター／アフロ）

2024年アメリカ大統領選挙、副大統領のカマラ・ハリス氏がジョージア州で演説＝2024年10月19日（ロイター／アフロ）

Aug 08

ユネスコの世界遺産委員会、「佐渡島の金山」の世界遺産登録を決定

バングラデシュのハシナ首相が反政府デモの激化で辞任、国外逃亡

日経平均株価の終値が前週比4451円28銭安の3万1458円42銭に暴落

宮崎県沖・最大震度6弱の地震で気象庁「南海トラフ地震臨時情報」を発表

ゼレンスキー大統領、ウクライナ軍によるロシアへの越境攻撃実施を発表

岸田首相、次期自民党総裁選に立候補せず退陣する意向を表明

東京電力、福島第一原発で溶け落ちた燃料デブリの試験的取り出しに不具合

フランスのパリで第17回夏季パラリンピック開幕

環境省、奄美大島で駆除を進めてきた特定外来生物マングースの根絶宣言

長崎地裁、長崎の「被爆体験者」44人のうち15人を被爆者と認定

Sep 09

米エミー賞で「SHOGUN 将軍」が作品賞など18部門を受賞

ヒズボラ戦闘員が所持の通信機器がサイバー攻撃で爆発　イスラエルが関与か

ドジャース大谷翔平選手、大リーグ史上初となる50本塁打・50盗塁を達成

石川県能登半島北部で線状降水帯による豪雨被害が相次ぐ

立憲民主党代表選で、野田佳彦氏が新代表に選出

死刑が確定していた袴田巖さんの再審で静岡地裁が無罪判決

自民党総裁選で、石破茂氏が新総裁に選出

斎藤元彦兵庫県知事が失職　パワハラ疑惑で不信任案可決

最低賃金、全国平均で1055円に　51円の引き上げ

Oct 10

イスラエルがレバノンに地上侵攻を開始

臨時国会で石破茂氏が内閣総理大臣に指名される

衆議院が解散　首相就任から8日後の解散は、戦後最短記録

日本被団協がノーベル平和賞を受賞　日本の人物・団体で2度目の受賞

第50回衆議院議員総選挙　与党が過半数を下回る大敗

米ナ・リーグ、ディビジョンシリーズの対パドレス戦で同点3ランを放つドジャース・大谷翔平選手＝2024年10月5日(アフロ)

ノーベル平和賞に決まり、笑顔で記者会見に臨む被団協代表委員の田中熙巳さん。田中さんは1945年8月9日、中学生のときに長崎の爆心地から3.2キロの地点で原爆被爆＝2024年10月12日（共同通信社）

目次

図解まるわかり時事用語

巻頭カラー

SPECIAL

国際

国際

政治

ちょこっと時事
最高裁判所裁判官国民審査（49）／2024年東京都知事選挙（51）／政党交付金（53）／指定宗教法人（55）／防衛装備移転三原則（57）／防衛費の後年度負担（59）／代執行（61）／日米地位協定（63）／こども家庭庁（65）／経済安全保障推進法（67）／ふるさと納税（69）

経済

ちょこっと時事
ビール系飲料の税率改正（71）／新紙幣発行（73）／日経平均株価、史上最高値を更新（75）／円キャリートレード（77）／USスチール買収（79）／年収103万円の壁（81）／最低賃金（83）／MaaS（マース）（85）／CASE（ケース）（87）／オーバーツーリズム（89）／スマホソフトウェア競争促進法（91）

社会

社会

環境・健康

情報・科学

文化・スポーツ

※本書の内容は、原則として2024年11月現在の情報をもとにしています。

01 SPECIAL
石破新内閣の顔ぶれ

2024年11月、総選挙の結果を受けて特別国会が招集された。与党は衆議院で過半数割れとなったため、首相指名は決選投票にもつれこんだが、自民党の石破氏が勝利し、第2次石破内閣が発足した。

日本の総理大臣は、衆議院と参議院の両方で行われる**内閣総理大臣指名選挙**によって選ばれる。衆議院と参議院はどちらも自民党が多数派なので、順当にいけば自民党のトップ（総裁）が総理大臣になる。**石破茂**氏は、2024年9月に自民党内で行われた総裁選挙で**自民党総裁**に就任し、10月1日に首相に指名された。

その8日後、石破新首相は早くも衆議院を**解散**した。衆議院議員の任期は4年だが、任期が切れる前でも首相の判断によって議会を解散し、総選挙で議員を総入れ替えできる。首相就任直後のお祝いムードが残っているうちに総選挙をしたほうが有利だろうという判断だ。

ところが、この判断が裏目に出た。自民党派閥の政治資金パーティーをめぐる**裏金問題**（50ページ）は、国民に根深い政治不信を植え付けていた。選挙期間中、裏金問題で自民党非公認とした候補に、2000万円の政党交付金を配布していたことが発覚したことも逆風となった。自民党は議席を大幅に減らし、連立を組む公明党と合わせても、過半数（233議席）を下回る結果となった。

総選挙後は、30日以内に**特別国会**を招集し、総理大臣を選びなおさなければならない。特別国会は11月11日に開かれた。内閣総理大臣指名選挙は、1回目の投票で過半数を得た候補者がいない場合、上位2名による**決選投票**の結果、票の多い候補者を総理大臣に指名する。衆議院は与党が過半数割れのため選挙は1回で決まらず、自民党の石破茂氏と立憲民主党の**野田佳彦**氏による決選投票となった。ここで野党すべてが一致して野田氏に投票すれば政権交代となるが、結果は石破氏221票、野田氏160票で、石破氏が首相に選出された。日本維新の会や国民民主党の議員は決選投票でも自党の党首に投票したため、無効票となった。

写真：首相官邸ホームページ

WEB 首相官邸ホームページ

石破内閣の顔ぶれ（敬称略）

内閣総理大臣
いしば しげる
石破 茂 1957年2月4日生
衆院・鳥取1区 当選13回 自民党

総務大臣
むらかみ せいいちろう
村上 誠一郎 1952年5月11日生
衆院・四国ブロック 当選13回 自民党

法務大臣
すずき けいすけ
鈴木 馨祐 1977年2月9日生
衆院・南関東ブロック 当選6回 自民党

外務大臣
いわや たけし
岩屋 毅 1957年8月24日生
衆院・大分3区 当選10回 自民党

財務大臣・内閣府特命担当大臣（金融）・デフレ脱却担当
かとう かつのぶ
加藤 勝信 1955年11月22日生
衆院・岡山3区 当選8回 自民党

厚生労働大臣
ふくおか たかまろ
福岡 資麿 1973年5月9日生
参院・佐賀選挙区 当選3回（衆1回） 自民党

文部科学大臣
あべ としこ
阿部 俊子 1959年5月19日生
衆院・九州ブロック 当選7回 自民党

防衛大臣
なかたに げん
中谷 元 1957年10月14日生
衆院・高知1区 当選12回 自民党

環境大臣・内閣府特命担当大臣（原子力防災）
あさお けいいちろう
浅尾 慶一郎 1964年2月11日生
参院・神奈川選挙区 当選3回（衆3回） 自民党

復興大臣・福島原発事故再生総括担当
いとう ただひこ
伊藤 忠彦 1964年7月11日生
衆院・東海ブロック 当選6回 自民党

内閣官房長官・沖縄基地負担軽減担当・拉致問題担当
はやし よしまさ
林 芳正 1961年1月19日生
衆院・山口3区 当選2回（参5回） 自民党

国土交通大臣・水循環政策担当・国際園芸博覧会担当
なかの ひろまさ
中野 洋昌 1978年1月4日生
衆院・兵庫8区 当選5回 公明党

経済産業大臣・原子力経済被害担当・GX実行推進担当・産業競争力担当・内閣府特命担当大臣（原子力損害賠償・廃炉等支援機構）
むとう ようじ
武藤 容治 1955年10月18日生
衆院・岐阜3区 当選6回 自民党

デジタル大臣・デジタル行政改革担当・国家公務員制度担当・サイバー安全保障担当・内閣府特命担当大臣（規制改革）
たいら まさあき
平 将明 1967年2月21日生
衆院・東京4区 当選7回 自民党

農林水産大臣
えとう たく
江藤 拓 1960年7月1日生
衆院・宮崎2区 当選8回 自民党

国家公安委員会委員長・国土強靭化担当・領土問題担当・内閣府特命担当大臣（防災・海洋政策）
さかい まなぶ
坂井 学 1965年9月4日生
衆院・神奈川5区 当選6回 自民党

経済再生担当・新しい資本主義担当・賃金向上担当・スタートアップ担当・全世代型社会保障改革担当・感染症危機管理担当・防災庁設置準備担当・内閣府特命担当大臣（経済財政政策）
あかざわ りょうせい
赤澤 亮正 1960年12月18日生
衆院・鳥取2区 当選7回 自民党

内閣府特命担当大臣（こども政策・少子化対策・若者活躍・男女共同参画、共生・共助）・女性活躍担当・共生社会担当
みはら
三原 じゅん子 1964年9月13日生
参院・神奈川選挙区 当選3回 自民党

経済安全保障担当・内閣府特命担当大臣（クールジャパン戦略・知的財産戦略・科学技術政策・宇宙政策・経済安全保障）
きうち みのる
城内 実 1965年4月19日生
衆院・静岡7区 当選7回 自民党

内閣府特命担当大臣（沖縄及び北方対策・消費者及び食品安全・地方創生・アイヌ施策）・新しい地方経済・生活環境創生担当・国際博覧会担当
いとう よしたか
伊東 良孝 1948年11月24日生
衆院・北海道ブロック 当選6回 自民党

ちょこっと時事

衆院委員長ポストが野党へ 衆議院には、本会議にかける前に法案などを審議する委員会・審査会が27ある。総選挙の結果を受け、そのうち12の委員長ポストを野党議員が務めることになった。予算委員会や法務委員会、憲法審査会などの重要委員会が野党による運営となり、強行採決など与党ペースだった国会運営が変わることになる。

参照 データで見る2024年衆議院選挙 ››› P2 衆議院解散・総選挙 ››› P48

02 SPECIAL アメリカ大統領選挙2024

100字でナットク

アメリカ大統領選挙は4年に1度、夏季オリンピックと同じ年に行われる。2024年は民主党ハリス副大統領と共和党トランプ前大統領との戦いとなり、トランプ前大統領がすべての激戦州を制して返り咲きを果たした。

ハリス候補とトランプ候補

民主党	共和党
カマラ・ハリス候補（バイデン政権の副大統領）	**ドナルド・トランプ候補（前大統領）**

1964年生まれ（60歳）

写真：公式 Facebook

1946年生まれ（78歳）

写真：公式 Facebook

	民主党	共和党
経済対策	中間層の生活支援を重視	法人税・所得税の減税
外交	国際協調を重視	アメリカ第一主義
移民政策	国境管理を強化	「史上最大の強制送還」などの強硬路線
気候変動・エネルギー	気候変動対策を重視	パリ協定離脱、エネルギー価格を半減
人工妊娠中絶	中絶の権利を擁護	中絶に反対する保守派に配慮
国内の分断	すべてのアメリカ人のための大統領に	左派を「内なる敵」と断罪
支持層	リベラル層、マイノリティ	保守層、白人男性

2024年の**アメリカ大統領選挙**は、返り咲きを狙う**共和党のドナルド・トランプ前大統領**と、現政権を継承する**民主党カマラ・ハリス副大統領**との争いとなった。民主党候補は、現職のジョー・バイデン大統領の指名がほぼ決まっていたが、テレビ討論での言い間違いなどから年齢的な問題が不安視され、バイデン氏が撤退を表明。副大統領のハリス氏が急きょ指名されることになった。

アメリカの大統領選挙は州ごとに行われ、1票でも多く獲得した候補が、その州に割り当てられている**選挙人**を総取りする（メーン州とネブラスカ州だけは、得票に応じて選挙人を分配）。選挙人は全部で538人で、その過半数（270人）を獲得した方が次期大統領に決まる。

ただし、全米50州とコロンビア特別区（ワシントンDC）のうち大半の州は、「共和党が優勢な州」と「民主党が優勢な州」にハッキリと分か

WEB 在日米国大使館と領事館　外務省：アメリカ合衆国

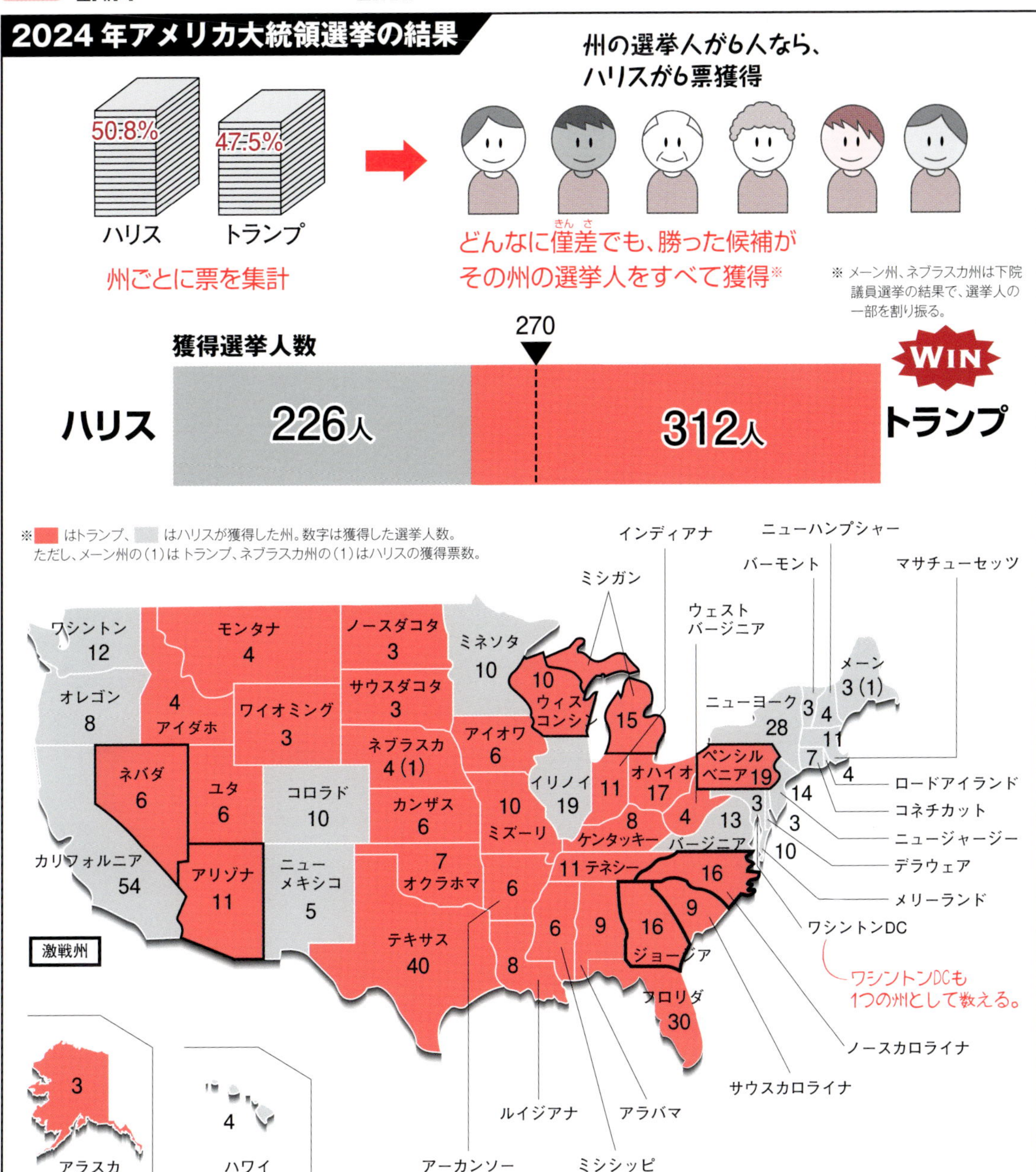

れている。勢力が拮抗していてどちらが勝つかわからないのは、**激戦州**と呼ばれるペンシルベニア、ミシガン、ウィスコンシン、ノースカロライナ、ジョージア、アリゾナ、ネバダの7州だけだ。そのため、大統領選は事実上この7州の結果によって決まると言っても過言ではない。

　投票は11月5日の火曜日に行われた。選挙戦は接戦が予想されていたが、その日にはじまった開票で、トランプ候補は激戦州のうち5州で勝利し、残っていた2州（アリゾナ、ネバダ）の結果を待たずに当選を確実にした。トランプ候補が白人やラテン系の保守層を中心に幅広い支持を集める一方、ハリス候補は主に女性やマイノリティから支持を集めた。しかし、バイデン政権を継承するハリス候補は、政府の移民政策や物価高に対する国民の不満を十分に解消できなかったとみられる。

　トランプ氏の大統領就任は、世界にも様々な影響をおよぼすと考えられている。イスラエルは強力な後ろ盾を得る一方、ウクライナは軍事支援を縮小される。米中の貿易摩擦は激化する。日本は、日米間の同盟でより大きな負担を求められるだろう。

ちょこっと時事

アメリカの人工妊娠中絶論争　アメリカでは2022年の連邦最高裁判所の判断により、従来認められていた人工妊娠中絶の権利が保障されなくなり、中絶を制限する州が相次いだ。トランプ前政権下で、連邦最高裁判事の多数が保守派で固められたことも要因となった。カマラ・ハリス候補は選挙戦で中絶の権利保護を訴えていた。

参照 知っておきたい世界の国のリーダーたち ››› P8

03 SPECIAL イスラエルのガザ侵攻

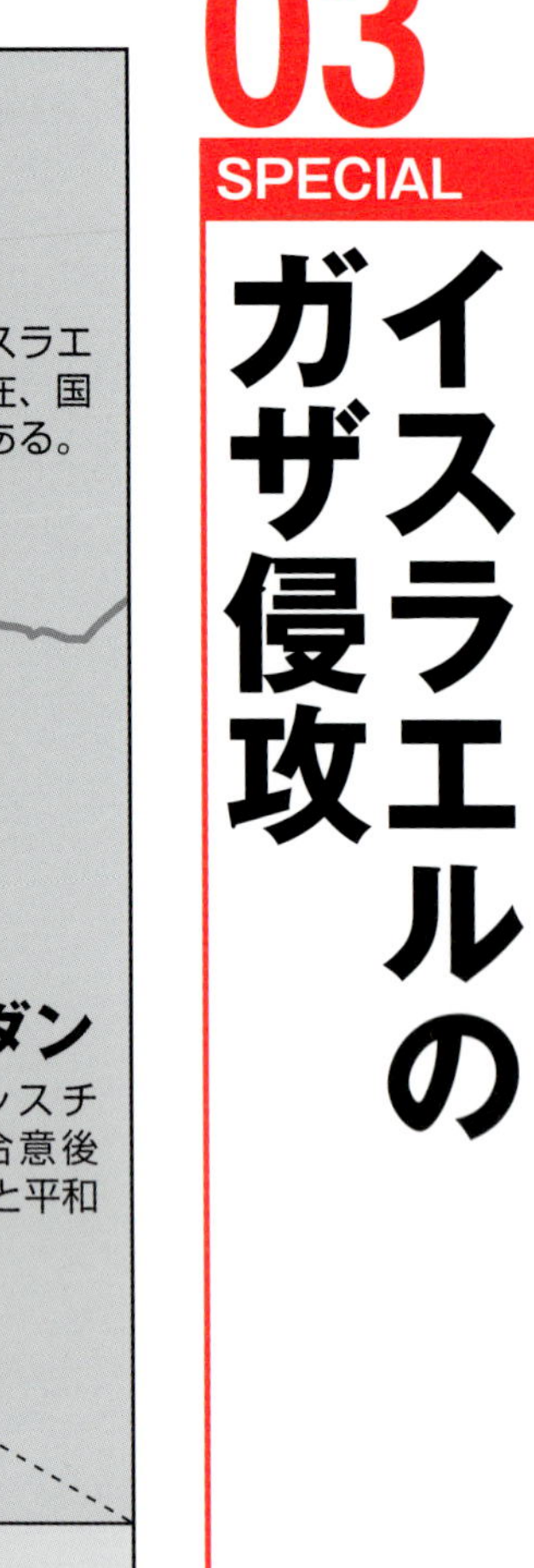

100字でナットク

パレスチナのガザ地区を実効支配するハマスの攻撃をきっかけに、イスラエルは同地区に侵攻した。戦闘は1年以上にわたり、子どもを含む多数の市民が犠牲者になっている。対立はなぜやまないのだろうか。

2023年10月、イスラム武装組織の**ハマス**が**イスラエル**を急襲し、民間人を含む約1200人を殺害、多数を人質として連れ去った。これに対し、イスラエルはハマスの拠点がある**ガザ地区**に侵攻し、激しい戦闘が続いている。背景にあるのは、長年にわたる土地をめぐる対立だ。

地中海南東岸のパレスチナ地方にあるイスラエルは、この地に移住してきたユダヤ人によって、第二次世界大戦後に建国された。長らくヨーロッパで迫害されてきた歴史をもつユダヤ人にとっては念願の祖国だ。しかし、もとからパレスチナに住んでいたアラブ人は、イスラエルの建国によって住む土地を奪われ、大量の**パレスチナ難民**が生まれた。イスラエルが武力で領土を広げる一方、パレスチナのPLO（パレスチナ解放機構）は世界中でテロを実行し、イスラエルに対抗した。

1993年の**オスロ合意**によっ

WEB 外務省：パレスチナ 外務省：イスラエル国

ちょこっと時事

イスラエル・ハマス戦争見取り図

パレスチナ

イスラエル

ネタニヤフ首相

2022年に発足したネタニヤフ政権は、極右勢力を含む連立政権で、パレスチナに対して強硬路線をとる。ガザ侵攻には、ネタニヤフ首相の汚職問題から国民の目をそらす狙いもあるといわれている。

写真：アメリカ国防省

暫定自治政府

アッバス議長（ファタハ）

1994年のオスロ合意によって生まれたパレスチナ人の暫定政府。ヨルダン川西岸地区の一部を統治する。実権をもつファタハはイスラエルとパレスチナの2国家共存を主張するが、パレスチナ人の支持率は低迷している。

写真：ロシア大統領府

衝突　分裂

ヒズボラ

イランによって創設されたシーア派武装組織。レバノンを拠点にイスラエルと敵対。

支援

フーシ派

イエメンの反政府組織。イスラエル侵攻に対抗し、紅海で商船を攻撃。

支援

ハマス

ハニヤ氏（前最高指導者）

イスラエルと敵対するスンニ派武装組織。パレスチナ自治区で行われた選挙でファタハに勝利するが認めれられず、ガザ地区を実効支配している。前最高指導者だったハニヤ氏と後任のシンワル氏はイスラエル軍にに殺害された。

写真：ロシア連邦評議会

て、イスラエルは占領していた**ヨルダン川西岸地区**と**ガザ地区**から撤退し、この場所にパレスチナ人による**自治政府**をつくることを認めた。パレスチナ人の国家をつくり、イスラエルと共存するのが将来の目標だ。

しかし、このときの約束は現在に至るまで果たされていない。ヨルダン川西岸地区の約6割は、現在もイスラエルの統治下にあり、**ユダヤ人入植地**が次々に建設されている。一方、ガザ地区はイスラエルとの武力闘争を続けるハマスが実効支配し、西岸地区の自治政府と分裂状態になった。イスラエルはガザ地区を**分離壁**で封鎖し、検問所を設けて物資や人の出入りを厳しく制限しているため、住民は非常に困窮している。ハマスのイスラエル攻撃の背景には、「**天井のない監獄**」とも呼ばれるガザ地区の絶望的な状況がある。

とくに、イスラエルの**ネタニヤフ政権**は極右勢力を含む連立政権で、パレスチナへの強硬な姿勢を強めていたため、対立が深まっていた。欧米各国の政府はおおむねイスラエルを支持しているが、イスラエルの無差別攻撃には人道的見地から強い批判の声が上がっている。

エルサレム問題　エルサレムの旧市街には、ユダヤ教、キリスト教、イスラム教の共通の聖地がある。イスラエルはエルサレムを「首都」と主張しているが、その東半分はイスラエルが一方的に占領したもので、国際的には認められていない。2018年、米トランプ政権は米大使館をエルサレムに移転し、国際的に批判された。

参照 地図で見るニュースの最前線 ››› P4　ヒズボラ ››› P32　フーシ派 ››› P46

04
SPECIAL

能登半島地震

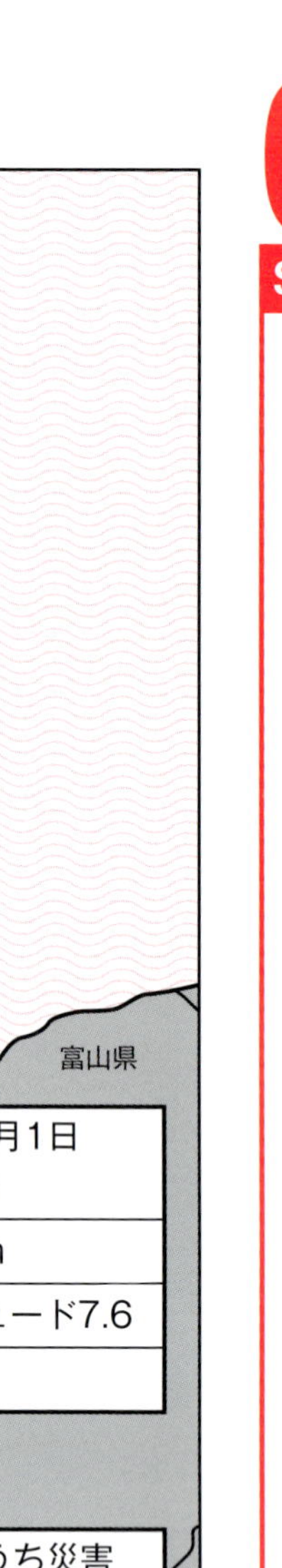

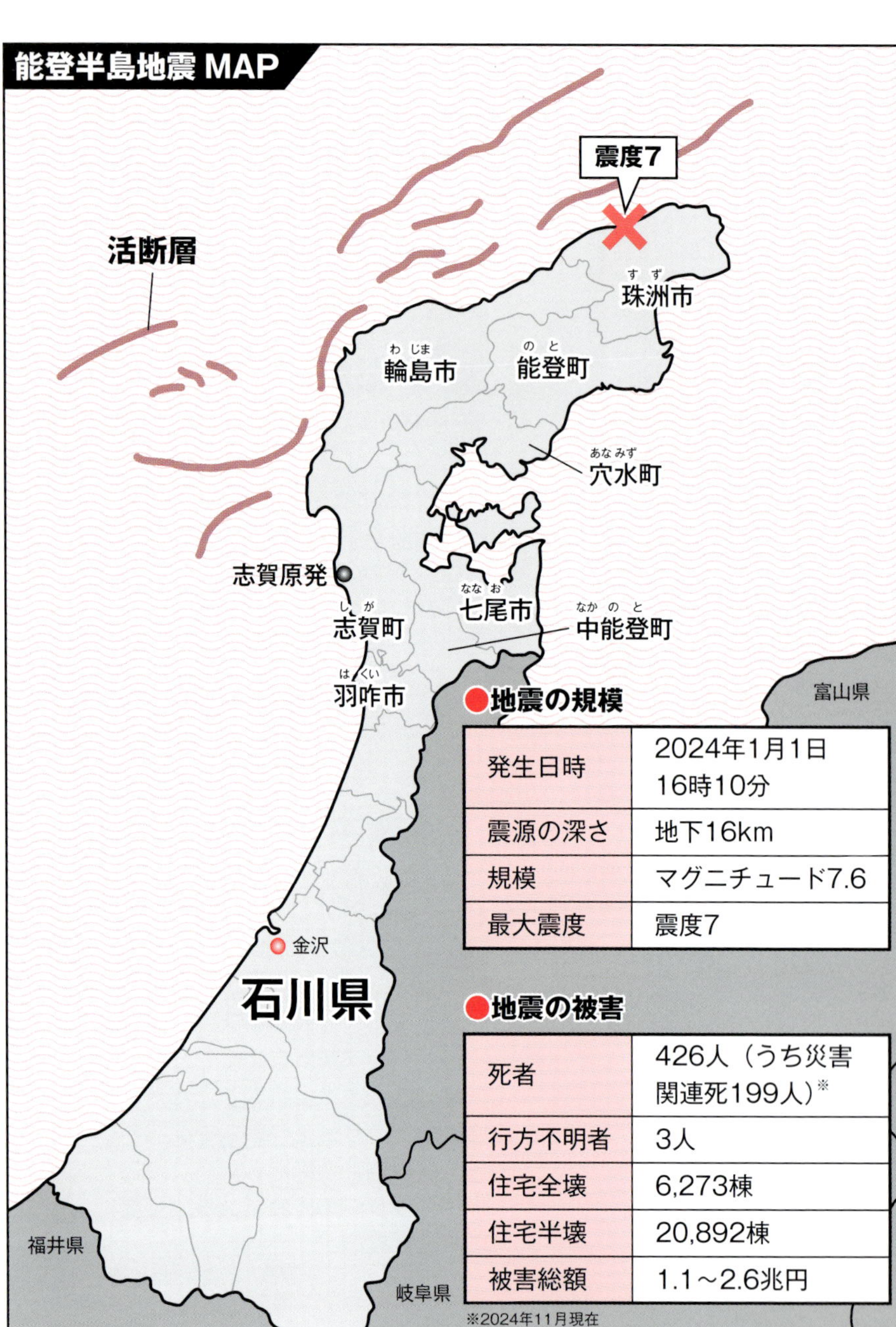

●地震の規模

発生日時	2024年1月1日 16時10分
震源の深さ	地下16km
規模	マグニチュード7.6
最大震度	震度7

●地震の被害

死者	426人（うち災害関連死199人）※
行方不明者	3人
住宅全壊	6,273棟
住宅半壊	20,892棟
被害総額	1.1～2.6兆円

※2024年11月現在

100字でナットク

２０２４年の元日、石川県の能登半島を襲った地震は、甚大な被害をもたらした。関連死を含めた死者は４２６人にのぼる。被災地では人口が急速に流出しており、復興の遅れが懸念されている。

２０２４年１月１日、石川県の**能登半島**（のとはんとう）で、マグニチュード7・6、最大震度7を観測する大きな地震が発生した。

この地震により、日本海沿岸の広範囲に津波が発生したほか、各地で土砂災害や火災、家屋の倒壊などの被害が出た。死者は４２６人（うち、災害関連死１９９人）、全壊・半壊した家屋は2万7千棟以上にのぼる。地震発生直後の避難者は4万人にのぼった。元日に起きたため、帰省中や観光中の人も多く被災した。

復興はお世辞にも順調とはいえないのが現状だ。道路の寸断やインフラの老朽化、深刻な人手不足が復興の足かせとなっている。復興が進まないため、被災地では**人口が急速に流出**している。地震の被害を受けた石川県輪島市では、伝統産業「輪島塗」の工房が深刻な被害を受け、存続の危機におちいっている。

地震の種類は、大きく**活断層型**と

WEB 石川県：令和６年（2024年）能登半島地震に関する情報

金沢地方気象台：令和６年能登半島地震の地震活動と防災事項ポータルサイト

断層型地震発生のメカニズム

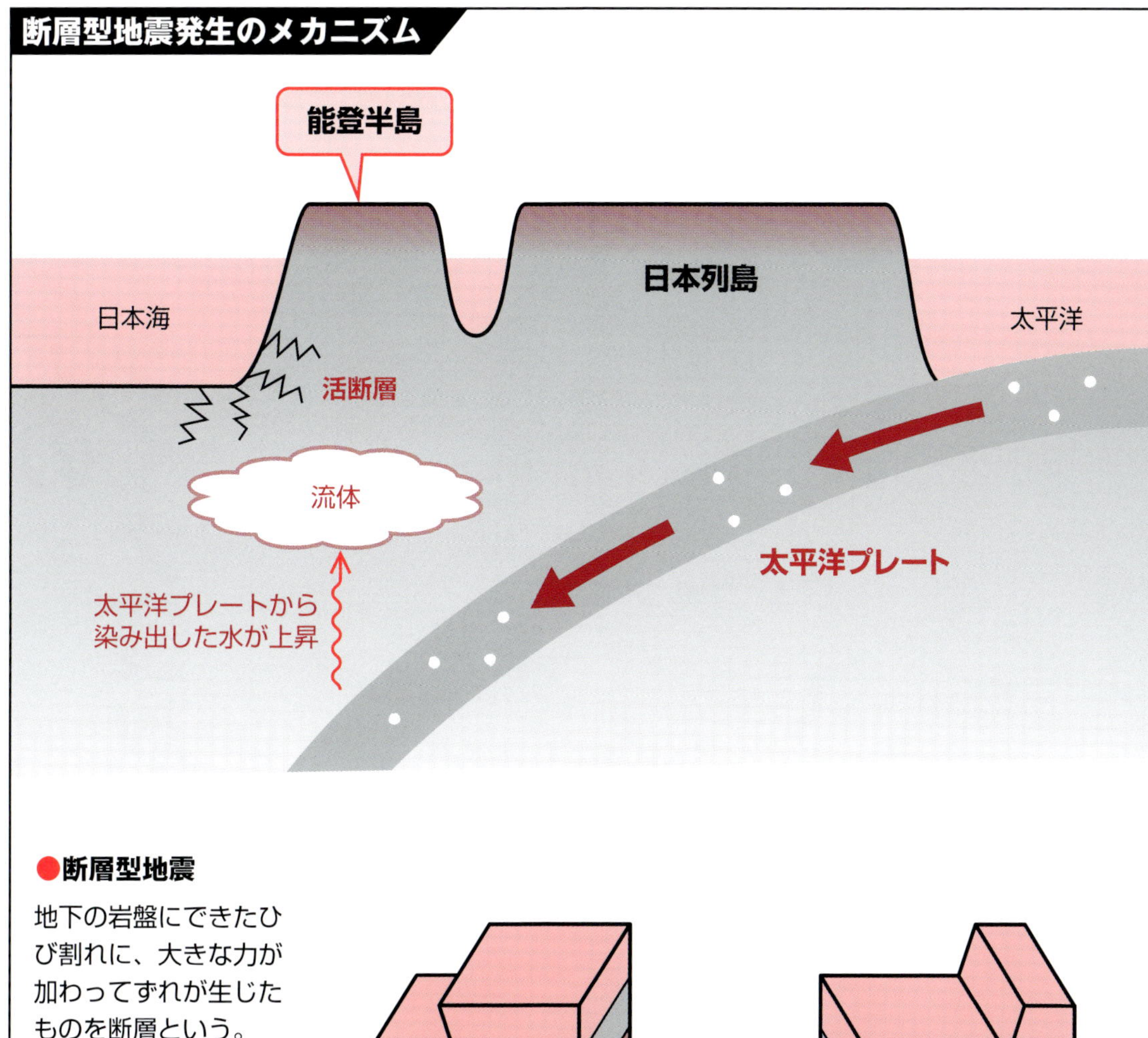

プレート境界型（海溝型）に分けられる。このうちプレート境界型というのは、地球の表面をおおうプレート同士がぶつかる海底で発生するもの。2011年の東日本大震災がこのタイプだ。

一方、1995年の阪神・淡路大地震や2016年の熊本地震、そして今回の能登半島地震は活断層によるものだ。地面の下の岩盤のひび割れが、大きな力によってずれたものを断層という。活断層とは、このずれが現在でも動く可能性があるもので、主に内陸部で起こる地震（いわゆる直下型地震）の原因となる。能登半島の沖には陸と海の境目付近に長くのびる複数の活断層があり、今回の地震の震源となった。

さらに今回の地震との関連が指摘されているのが、半島の地下に潜む大量の「**流体**（りゅうたい）」だ。半島の地下にもぐりこんだ太平洋プレートからしみ出した水が、徐々に地表近くに上昇し、周辺の活断層に大量に流れ込んで断層を滑りやすくしていたとみられる。そのため能登半島では、2020年12月ごろから断続的に地震が発生する群発地震が3年以上にわたって続いていた。

奥能登豪雨　2024年9月20日夜から23日にかけて、石川県の奥能登地方（能登半島北部）を中心に発生した記録的な豪雨。河川の氾濫や土砂災害が広範囲に発生し、15人が死亡、住宅1500棟以上が全壊や浸水などの被害にあった。地震と豪雨の二重被災により、復旧・復興の遅れが懸念されている。

参照 地図で見るニュースの最前線 ››› P4　南海トラフ巨大地震 ››› P130

ロシアのウクライナ侵攻

100字でナットク

2022年2月、ロシア軍は西隣の国ウクライナに侵攻した。ロシアはウクライナの東部と南部を占領し、4州の併合を宣言した。ウクライナは領土奪還をめざし大規模な反転攻勢をしかけているが、戦況は膠着している。

ウクライナの概要

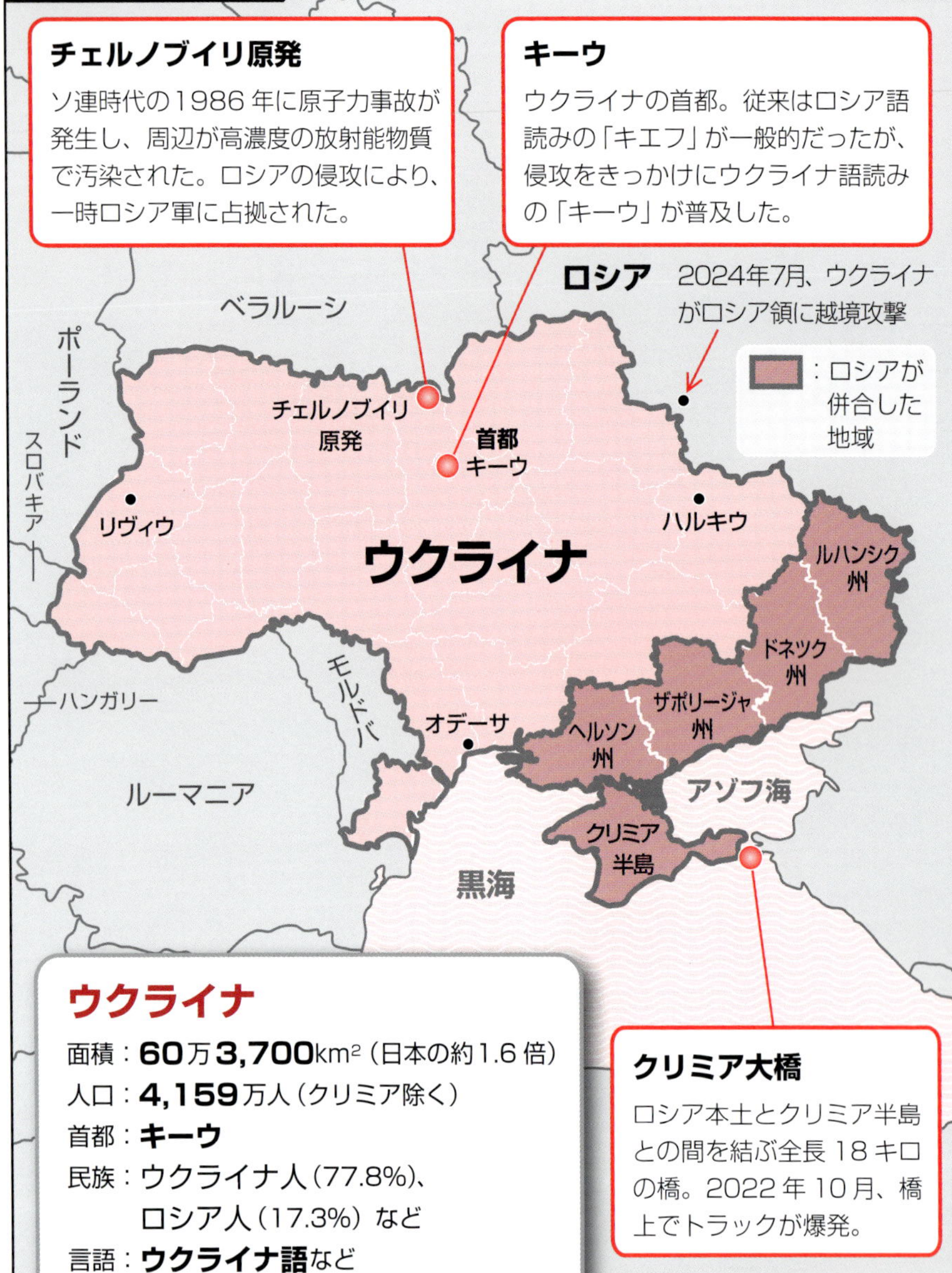

ロシアのウラジーミル・プーチン大統領は、なぜ**ウクライナ**に侵攻したのだろうか?

理由のひとつは、**ウクライナがヨーロッパの仲間入りをするのを防ぐため**だ。ロシアがまだソビエト連邦(ソ連)だった頃、西側諸国はソ連の脅威に対抗するため**NATO**(北大西洋条約機構)という軍事同盟をつくった。ソ連は1991年に崩壊したがNATOは存続し、ソ連の同盟国だった国々を取り込みながら拡大している。ウクライナはかつてはソ連の構成国だったが、2014年に親ヨーロッパの政権が成立し、EUやNATOへの加盟に積極的となった。これがロシアにとっては大きな脅威なのだ。

もうひとつの理由は、プーチン政権が**ウクライナを「ロシアの一部」と一方的に考えている**からだ。ウクライナに親ヨーロッパ政権が成立した2014年、ロシアはロシア系住民の保護を名目に、ウクライナ領の

ウクライナ情勢あらすじMAP

2014年 2月	ウクライナで反政府運動が激化し、親ロシア派のヤヌコーヴィチ政権崩壊（**マイダン革命**）
3月	ロシア、**クリミアを併合**
4月	ウクライナ東部のドンバス地方（ドネツク州、ルハンシク州）で親ロシア派武装勢力がウクライナ政府軍と衝突（**ドンバス戦争**）
2019年 5月	ウクライナ大統領に**ウォロディミル・ゼレンスキー**氏が就任
2021年 11月	ロシア、ウクライナ国境周辺に部隊を展開。緊張高まる
2022年 2月	ロシア、ウクライナへの**軍事侵攻を開始**
5月	**マリウポリ陥落**
9月	ロシア、ウクライナ**東部・南部4州の併合を宣言**
2023年 6月	ロシアの民間軍事組織**ワグネルがプーチン政権に反乱**
	ウクライナ、ロシアに**占領された東部・南部への反転攻勢開始**
2024年 2月	ウクライナ、**ザルジニー総司令官**を解任
8月	ウクライナ、ロシア領への**越境攻撃を開始**

クリミア半島を併合した。同じ頃、ロシア系住民が多いウクライナ東部のドンバス地方では、ロシアの支援を受けた親ロシア派武装勢力が、ウクライナ政府軍と衝突した。ロシアは2022年2月にウクライナに侵攻すると、東部と南部の4州をほぼ占領し、**ロシアへの併合**を宣言した。

プーチン大統領は当初、短期の戦争終結を目論んでいたが、ウクライナ軍の抵抗で緒戦は失敗に終わった。しかしロシア軍もすぐに体制を立て直し、戦争は現在まで長期化。2023年6月には領土奪還を目指すウクライナの反転攻勢がはじまったが、ロシア側の強固な防衛ラインを崩すことができない状態だ。ゼレンスキー大統領は、国民に人気の高かった**ザルジニー総司令官**を解任した。

長期化する戦争に欧米の支援も滞りがちとなり、前線では砲弾が不足している。とくにアメリカの支援がなければ、ウクライナの勝利は絶望的だ。一方で、ロシア軍も武器が不足しており、北朝鮮やイランから武器供与を受けている。

2024年8月、ウクライナはロシア西部への**越境攻撃**を開始し、膠着する戦闘は新たな段階に入った。

ちょこっと時事

北朝鮮、ロシアに部隊派遣　2024年10月、北朝鮮がロシアに約1万人の兵士を派遣していることが確認された。ウクライナが越境攻撃を行っているクルスク州に配置され、近くウクライナ軍との戦闘に投入されるとみられている。

 参照 NATO（北大西洋条約機構）››› P40

06

国際

ヒズボラ

100字でナットク

イスラエルのガザ侵攻以来、イスラエルとレバノンとの国境地帯では、イスラム教シーア派組織であるヒズボラとの戦闘も激化している。イスラエルと敵対するヒズボラとはどんな組織なのだろうか。

ヒズボラ

ヒズボラ	レバノンを拠点に活動する反イスラエルのイスラム教シーア派組織。最大5万人の戦闘員を擁し、レバノン議会には議席ももつ。アラビア語で「神の党」という意味。

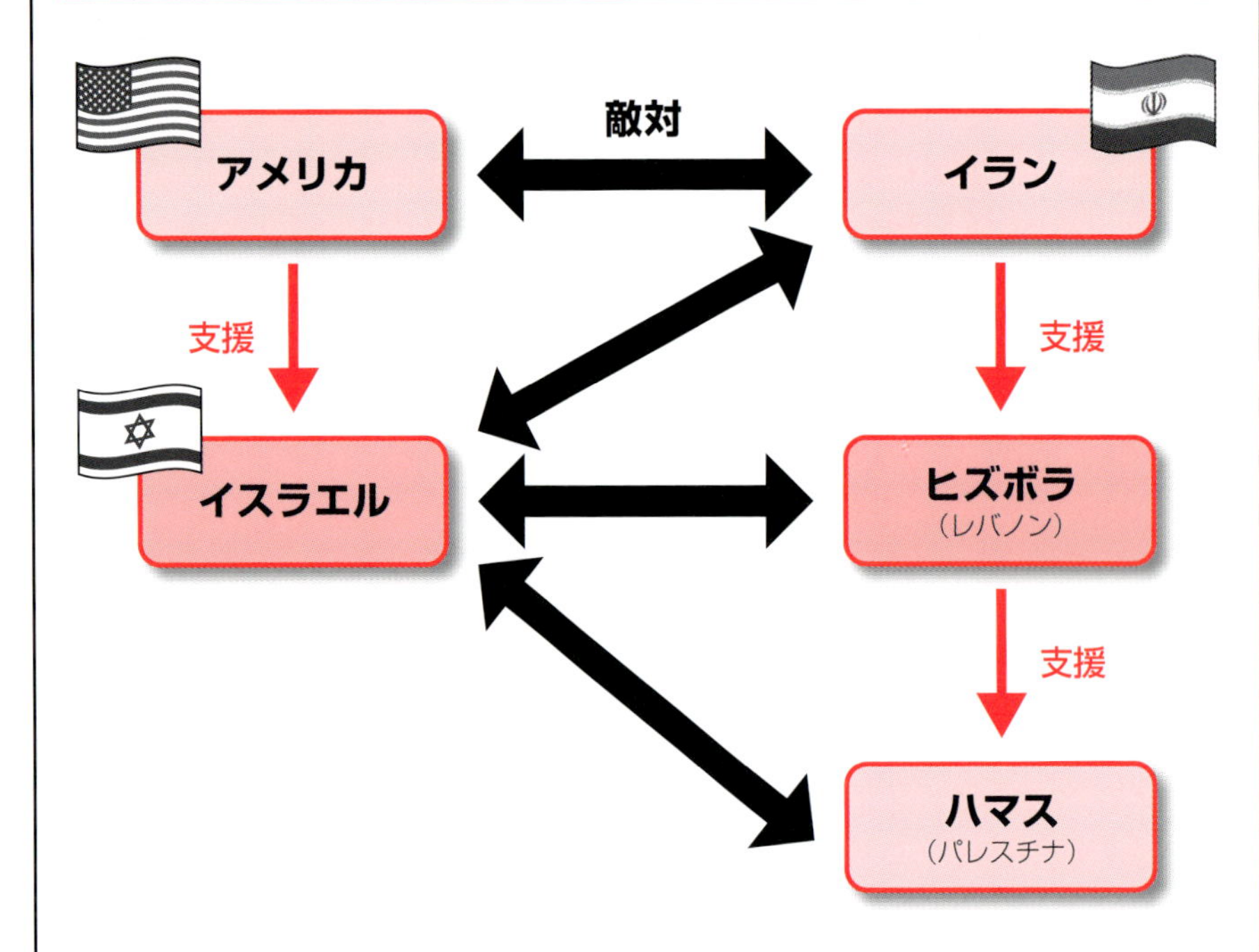

1982年	イスラエル軍のレバノン南部占領→**ヒズボラ結成**
2000年	イスラエルがレバノンから**撤退**
2006年	イスラエルとヒズボラの**大規模衝突**→国連の仲介で**停戦**
2023年	ハマスを支援しイスラエルを**攻撃**
2024年	ヒズボラの戦闘員が**通信機器の爆発**による攻撃を受ける

ヒズボラは**レバノン**を拠点とし、イスラエルと敵対するシーア派のイスラム組織だ。イスラム教には**スンニ派**と**シーア派**という2大宗派がある。もともとはイスラム教指導者の後継者をめぐる争いで2つに分裂したもので、預言者ムハンマドの教えや慣習（スンニ）に重きをおいたのがスンニ派、ムハンマドのいとこのアリーの血統を重視したのがシーア派だ。イスラム教徒全体の約9割はスンニ派に属している。シーア派は主にイランやイラク、シリア、レバノンに分布していて、この一帯は**「シーア派の三日月」**とも呼ばれる。

1982年、イスラエルは当時レバノン南部を拠点に活動していたパレスチナ武装組織を駆逐するため、レバノンに侵攻して南部を占領した。このイスラエルの占領に抵抗するため、イランの支援を受けて結成されたのがヒズボラ（アラビア語で「神の党」という意味）だ。

WEB 外務省：レバノン

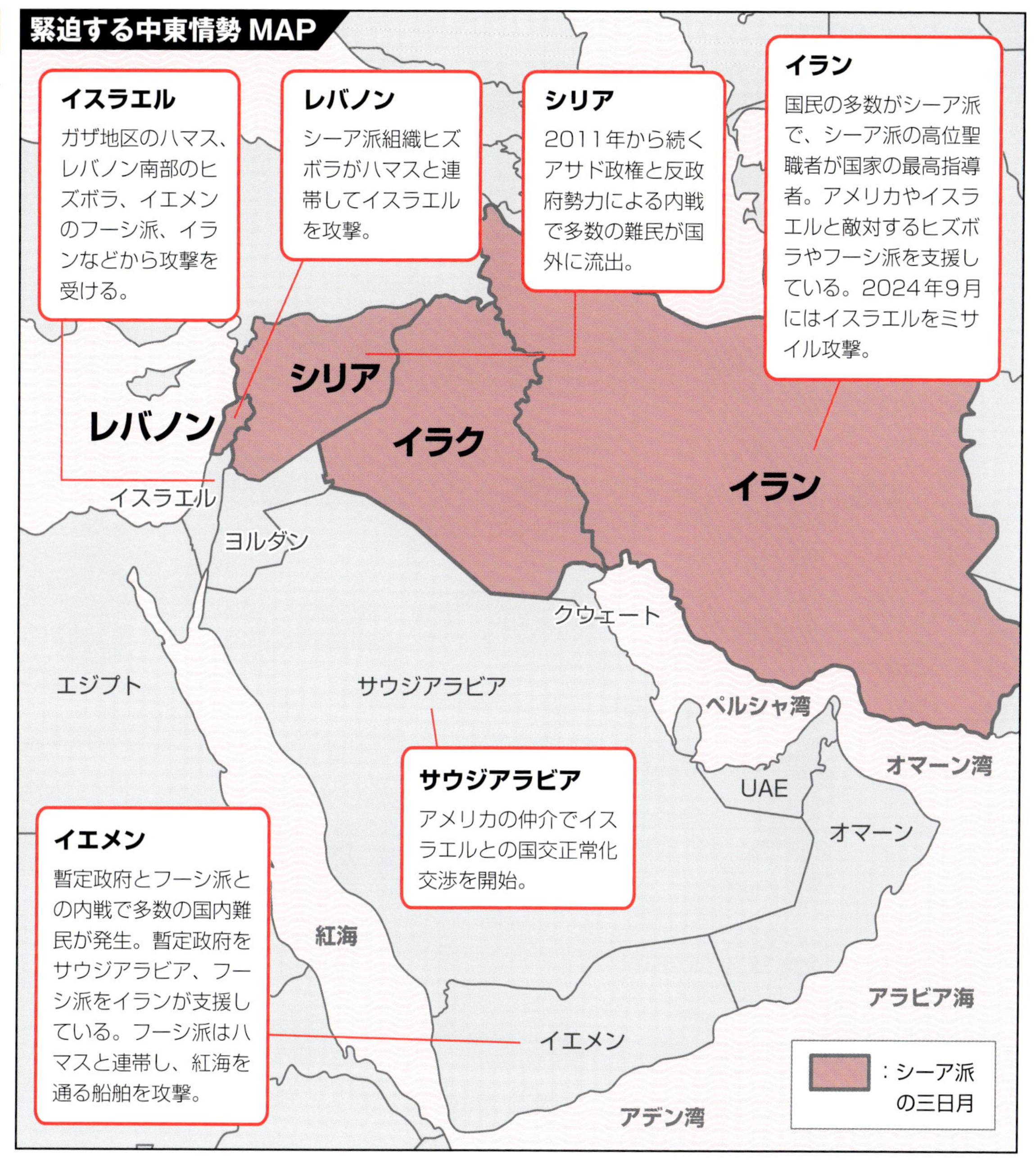

占領を続けるイスラエルに対し、ヒズボラはゲリラ戦やテロで抵抗を続けた。イスラエルは2000年にレバノンから撤退したが、ヒズボラはその後も軍事力を保持してイスラエルへの攻撃を繰り返している。

2023年10月にイスラエルとハマスが戦闘をはじめると、ヒズボラはハマスを支援するため、イスラエルへの攻撃を開始した。ヒズボラはシーア派、ハマスはスンニ派だが、同じ反イスラエルで連帯したのだ。

2024年9月、**ヒズボラの戦闘員がもっていた通信機器が次々に爆発**し、一般市民を巻き込んで多数が死傷する事件が起こった。イスラエル側が仕組んだものと考えられている。ヒズボラは報復として多数のロケット弾をイスラエル領内に向けて発射した。これに対しイスラエルはヒズボラ本部を空爆し、最高指導者ナスララ師を殺害。さらにレバノンへの地上侵攻を開始した。

ヒズボラが創設時からイランの支援を受けている一方で、欧米はヒズボラをテロ組織と認定し、イスラエルを支持している。イスラエルとヒズボラの対立の背後には、アメリカとイランとの対立があるのだ。

ちょこっと時事

UNRWA禁止法 イスラエル国会は2024年10月、パレスチナ難民への人道支援を続けるUNRWA（国連パレスチナ難民救済事業機関）のイスラエル国内での活動を禁止する法案を可決した。ガザ地区での人道危機のさらなる深刻化が懸念される。

参照 イスラエルのガザ侵攻 ››› P26　フーシ派 ››› P46

07

国際

中国経済の失速

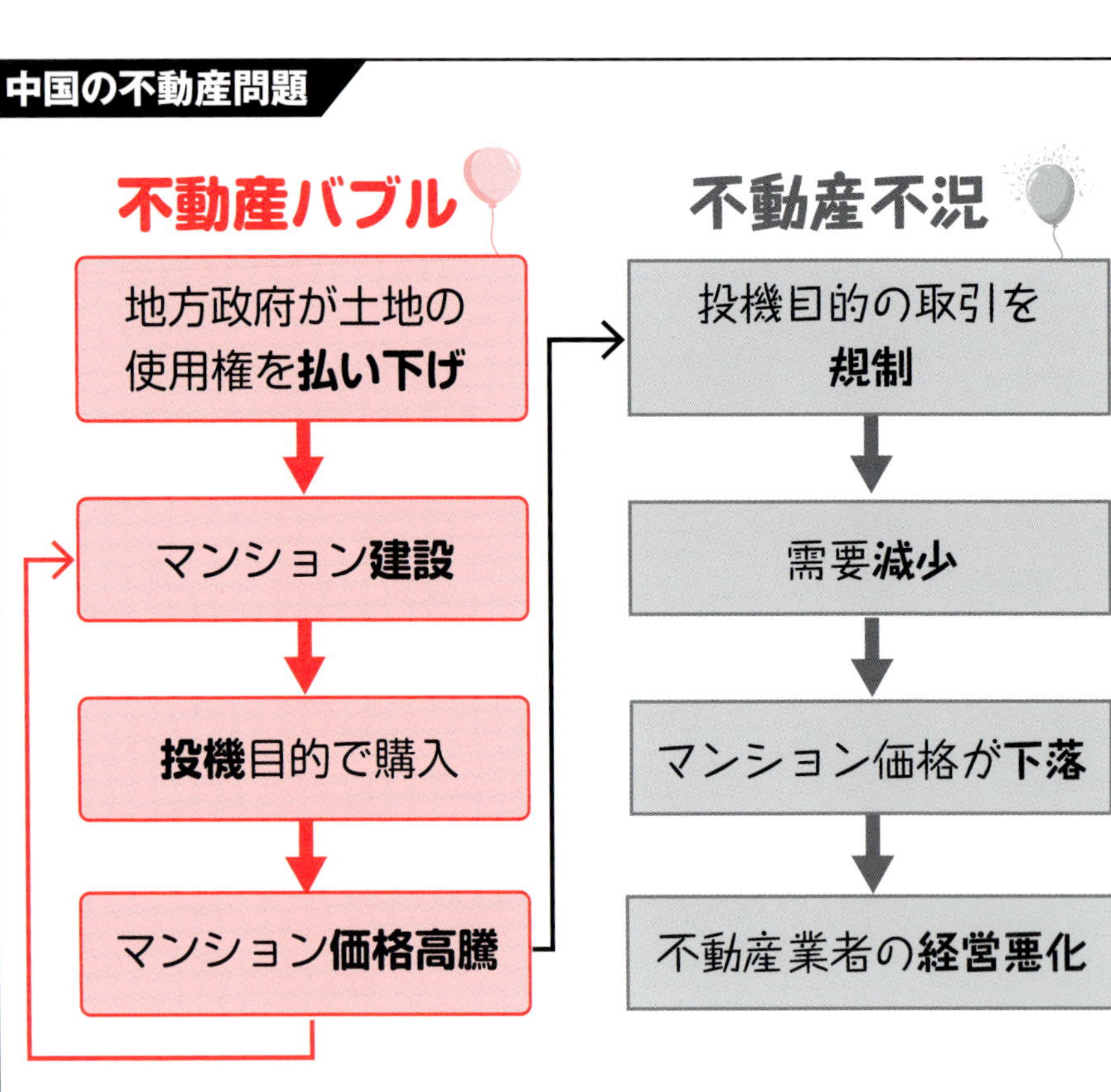

土地再開発がすすむ

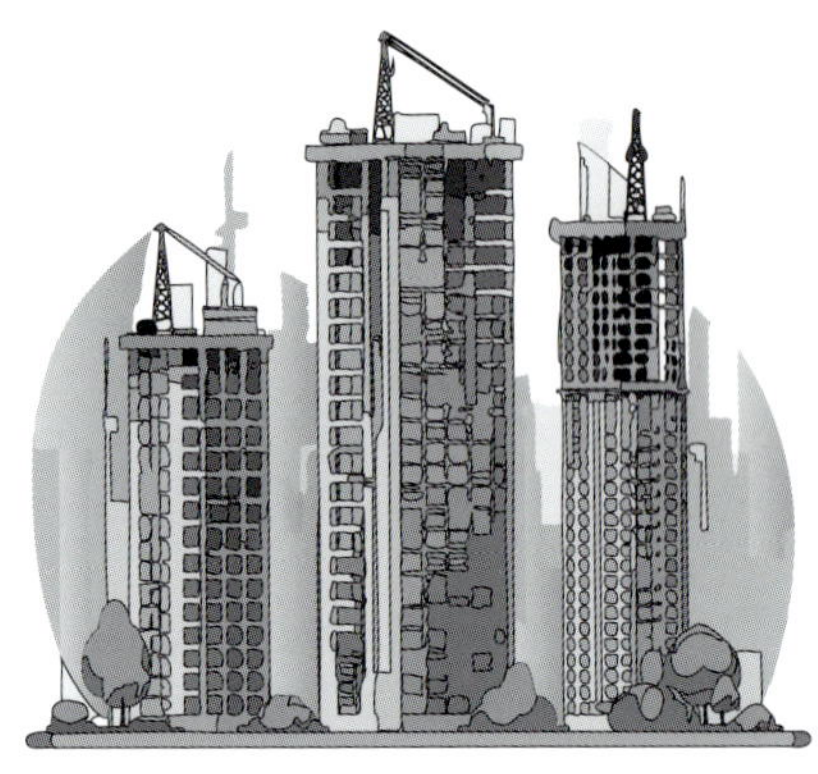

建設が途中でストップ

100字でナットク

２０００年代に本格化した中国の不動産開発は、中国の経済成長の原動力だった。しかし不動産バブルが崩壊し、中国経済に急ブレーキがかかっている。中国経済の失速は世界経済にとっても大きなリスクだ。

中国の経済が失速している。その要因として指摘されているのが**不動産不況**だ。

中国では土地はすべて国のものなので、自由に売買することはできない。しかし中国には人口が**14億人**もいるので、マイホーム需要は膨大にあるはずだ。これに目をつけた政府は、土地の使用権（借地権）を不動産業者に払い下げて、マンション建設や都市の再開発をすすめていった。

マンションは次々に売れたので値上がりした。そうすると投資目的で購入する人が増えるので、ますますマンションが売れ、また値上がりする。こうして中国では**不動産ブーム**が過熱していった。これでは、本当にマイホームを買いたい人が買うことができない。一方、土地使用権の払い下げをめぐって役人と業者が癒着し、腐敗がすすんでいった。

こうした事態に対し、**習近平**国家主席は「家は住むためのもので、投

WEB 外務省：中華人民共和国

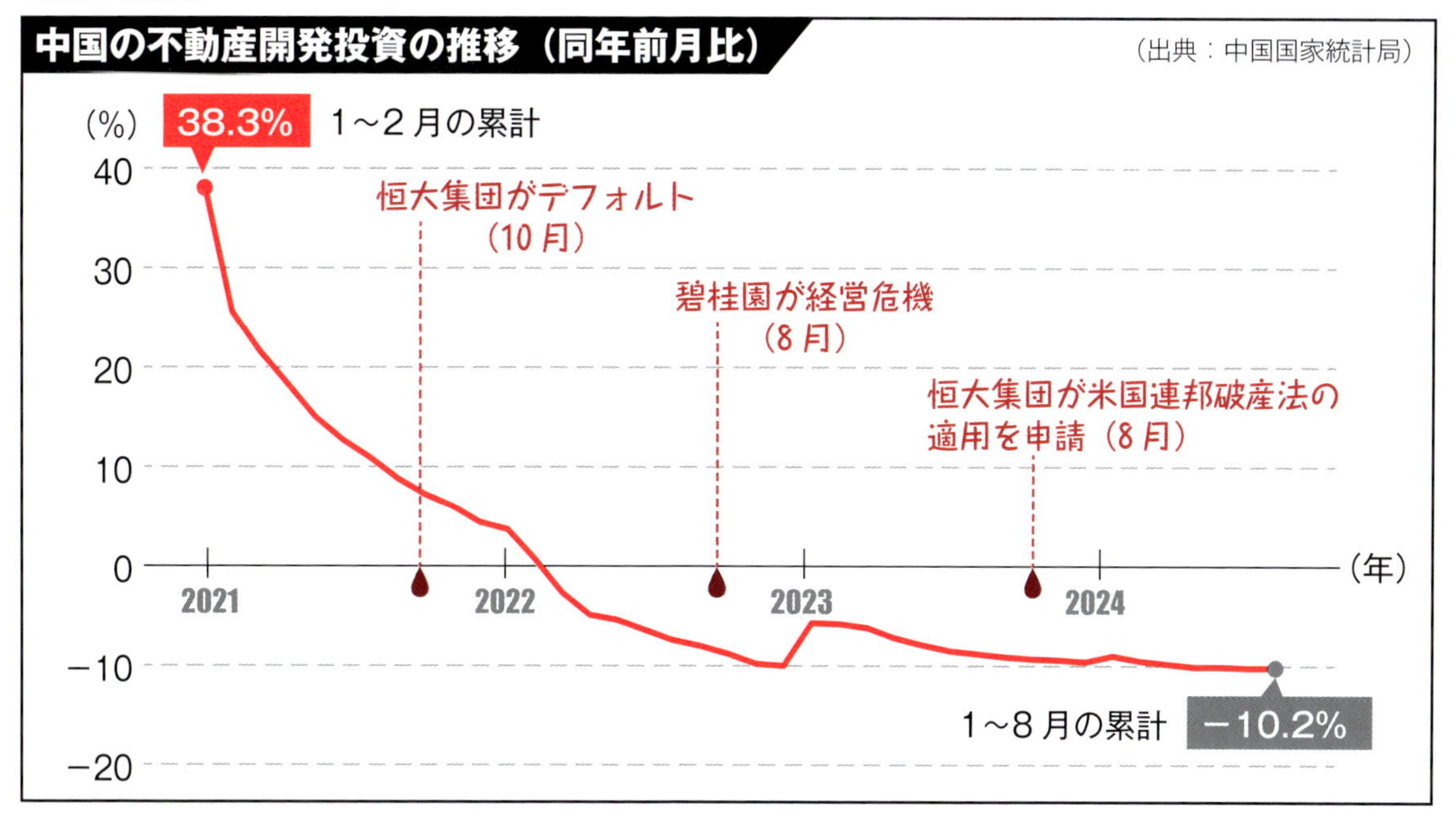

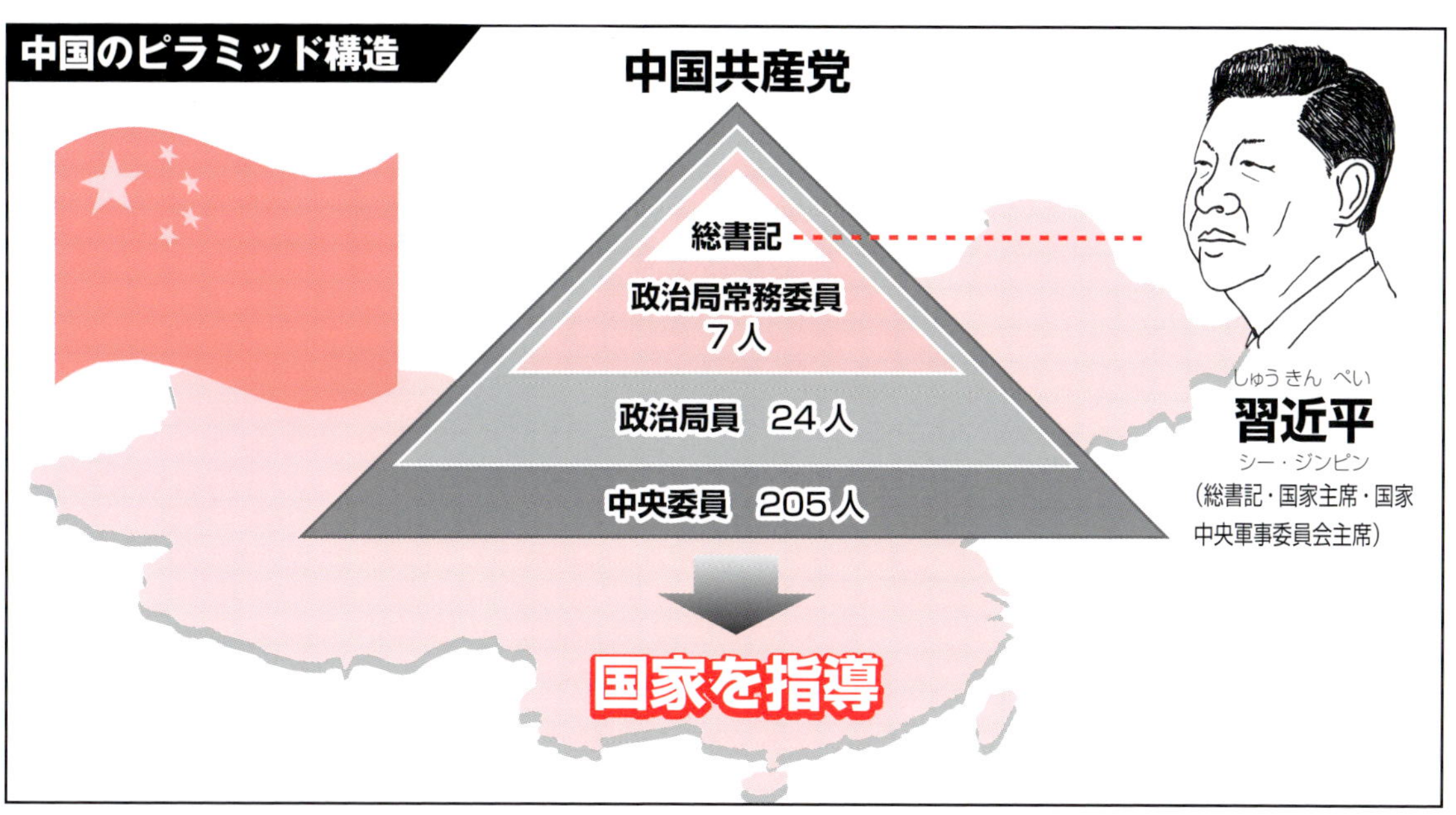

資のためのものではない」と呼びかけ、投機的な取引の規制がはじまった。新型コロナ禍での厳しい行動制限がこれに追い打ちをかけ、不動産需要が一気に落ち込んだ。

不動産業者は窮地におちいった。2021年、不動産大手「**恒大集団**」がデフォルト（債務不履行）になったのに続き、業界最大手「**碧桂園**」も経営が著しく悪化した。資金不足により建設が途中でストップし、未完成のまま放置されたマンションが多数できているという。不動産開発には鉄鋼やコンクリート、家具といった関連産業が多く、中国のGDP（国内総生産）の25％を占めるといわれる。中国経済の重要なエンジンにブレーキがかかったのだ。この状況は、約30年前の日本のバブル崩壊に似ているという指摘もある。

中国は「共産党が国家を指導する」体制なので、重要な政策はすべて共産党の指導部が決める。共産党の最高司令部は政治局常務委員と呼ばれる7人のエリートで、そのナンバーワンが習近平氏だ。習近平体制は10年を超える異例の長期政権となっており、経済の低迷が続くなか、強権的な国内統治を続けている。

ちょこっと時事

一帯一路 中国の習近平国家主席が2013年に提唱した広域経済圏構想。中国から東南アジア、中央アジアを経由してヨーロッパに至る陸のルートを「一帯」、南シナ海、インド洋を経由して地中海に至る海のルートを「一路」とする貿易ルートを整備し、巨大な経済圏を構築しようという構想。

参照 台湾有事 ››› P36

08
国際

台湾有事

中国にとって台湾統一は悲願であり、場合によっては軍事力を使ってでも台湾を領有したい。もし、中国が台湾に攻め込んできたらどうなるか。ロシアのウクライナ侵攻を機に、台湾有事への警戒が強まっている。

中国・台湾MAP

中華人民共和国

中国の立場
台湾を独立国家として認めておらず、中国の一部であると主張している。台湾独立の動きには武力でけんせいしている。

台湾の立場
実質的な独立を国際社会に認めさせる方針。

台北
台中
台南
台湾
台湾海峡
金門島
与那国島
南シナ海

台湾統治下にある島

中間線
台湾海峡における非公式の軍事的境界線。近年になって、中国は中間線を超える軍事行動を取るようになった。

台湾(たいわん)は、第二次世界大戦で日本が敗戦するまで日本の植民地だったが、日本の引き上げ後は中華民国に編入された。その後中国では国民党と共産党との内戦がはじまり、敗れた国民党は中華民国政府とともに台湾に逃れた。一方、共産党は大陸で中華人民共和国を建国。以来、両者は互いに「**自分たちこそ中国の正当な政府だ**」と主張するようになった。

国連の安全保障理事会常任理事国といえば、アメリカ・イギリス・フランス・中国・ロシア（旧ソ連）の5か国だが、当初「中国」とは中華民国のことだった。しかし1971年の国連総会で、中華人民共和国が正式な中国政府と認定され、台湾は国連から追放されてしまう。日本も中国と国交を結んで以後、公式には台湾を「国」と認めていない。

中国はかねてから「台湾は中国の領土だから、どんなことをしても統一する」と主張している。とくに現

WEB 外務省：中華人民共和国　外務省：台湾

台湾関連年表

1895年	日本の植民地になる（**下関条約**）
1945年	日本の敗戦により、**中華民国に編入**
1946年	中国で**国共内戦**（蒋介石率いる国民党と、毛沢東率いる共産党の内戦）
1949年	内戦に敗れた**国民党政府が台湾に移る**
1971年	国連総会で中華人民共和国が正式な中国政府と認められる（台湾は**国連を脱退**）
1987年	38年間続いていた戒厳令が**解除**される
1988年	**李登輝**氏が台湾総統に就任（民主化が進む）
1996年	直接選挙による**総統選挙**がはじまる
2000年	民進党の**陳水扁**氏が総統に就任（台湾独立の機運が高まる）
2005年	中国で**反国家分裂法成立**（台湾独立を容認せず、武力で阻止できるとする法律）

2024年台湾総統・立法院選挙

台湾総統選挙

㊫ **頼清徳**（民進党）
候友宜（国民党）
柯文哲（民衆党）
郭台銘（無所属）

頼清徳 新総統
写真：中華民国総統府

●直接選挙制以後の歴代台湾総統

1988～2000	**李登輝**（国民党）
2000～2008	**陳水扁**（民進党）
2008～2016	**馬英九**（国民党）
2016～2024	**蔡英文**（民進党）
2024～	**頼清徳**（民進党）

台湾立法院※選挙

※台湾の議会（定数113）。

民進党（民主進歩党）
- 台湾の独立が目標
- もとからの台湾住民（本省人）の支持

51議席

総統選挙には勝利したものの立法院の議席数を減らし、「ねじれ」状態に。

国民党
- 中国との関係改善を図る
- 中国大陸出身者（外省人）の支持

54議席

議席は増やしたが、過半数に届かず。

民衆党
- 中国との対話に積極的
- ネット選挙で若者の支持

8議席

第3党として、議会のキャスティングボート（事実上の決定権）を握る。

国家主席の**習近平**氏は台湾の統一に意欲的だ。ロシアがウクライナに侵攻したこともあり、「次は中国が台湾に攻めてくるのではないか」と、台湾の人々は警戒感を強めている。

台湾もかつては国民党による独裁政権が続いていたが、現在は**民主化**がすすみ、権威主義的な中国の体制を望む人々は多くない。かといって「台湾を国として独立させよう」という動きは中国の激しい反発を招くことになる。そのため、あまり中国を刺激しないよう、現状維持を続けるのが台湾の戦略となっている。

もし、中国が台湾に攻め込んだ場合、台湾が頼りにするのはアメリカ軍だ。そのアメリカも現状維持のため、台湾を防衛するかどうかをあえて明言しない「**あいまい戦略**」をとっている。しかし、現状維持は常に微妙なバランスの調整が必要で、バイデン大統領（当時）は有事の際は台湾を防衛するとも発言している。

2024年1月、台湾の大統領に当たる総統選挙が行われた。台湾は中国と距離をおく**民進党**と、親中派の**国民党**が2大政党だ。結果は民進党の**頼清徳**氏が当選。しかし、立法院選挙は国民党が多数となった。

ちょこっと時事

韓国総選挙　2024年4月に投開票が行われた韓国の国会議員選挙（定数300）で、革新系の野党「共に民主党・民主連合」が過半数の議席を獲得した。2022年に発足した尹錫悦政権への中間評価と位置付けられる選挙で、結果は尹政権に厳しいものになった。野党が過半数の「ねじれ」国会により、苦しい政権運営が続くとみられる。

09

国際

G7プーリアサミット

G7プーリアサミット

写真：首相官邸ホームページ

シャルル・ミシェル
（欧州理事会議長・当時）写真左端

オラフ・ショルツ
（ドイツ首相）

ジャスティン・トルドー
（カナダ首相）

エマニュエル・マクロン
（フランス大統領）

ジョルジャ・メローニ
（イタリア首相）

ジョー・バイデン
（アメリカ大統領・当時）

岸田文雄
（日本の総理大臣・当時）

リシ・スナク
（イギリス首相・当時）

ウルズラ・フォン・デア・ライエン
（欧州委員会委員長）写真右端

100字でナットク

2024年6月、世界の主要7か国首脳とEU代表によるG7サミットがイタリアのプーリア州で開催された。ロシアのウクライナ侵攻により世界の分断がすすむなか、G7に代わる新たな国際的枠組みも模索されている。

「**サミット**」とは、日本、アメリカ、ドイツ、イギリス、フランス、イタリア、カナダの7か国首脳と、EU（欧州連合）の代表が年1回集まって行う会議だ。主要国首脳会議、略して**G7**とも呼ばれる。

サミットがはじめて開かれたのは1975年。オイルショックやドルの切り下げといった世界的な問題に対処するため、当時「**先進国**」と呼ばれる国々の首脳が集まったのがはじまりだ。2013年まではロシアも参加していたのでG8だったが、2014年にロシアがウクライナのクリミア半島を併合して以来、ロシアは呼ばないことになった。

G7の開催地は毎回各国の持ち回りで決まる。2023年は日本の広島で開催され、2024年はイタリア南部プーリア州の高級リゾート地**ボルゴ・エニャツィア**が会場となった。7か国首脳の顔ぶれは昨年と同じだが、日本の岸田首相とイギリス

WEB 外務省：2024 G7サミット

世界のなかのG7/G20

G7／G20が世界に占めるGDP（2024）

色文字の国名はG7

G7 45.7%
G20 86.6%
新BRICS 27.7%
｝世界に占めるGDP

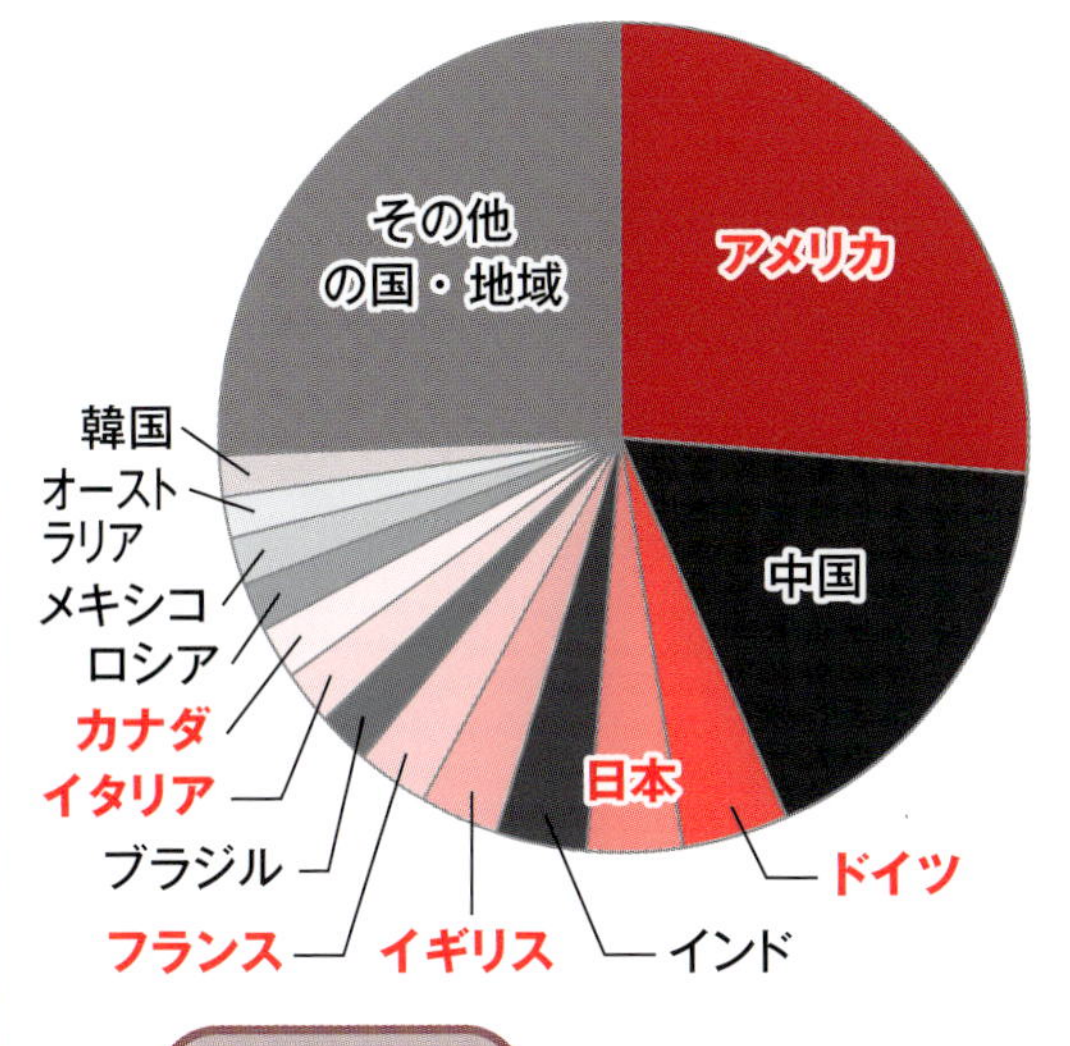

G20

G8

G7

アメリカ
日本
イギリス
ドイツ
フランス
カナダ
イタリア

ロシア

BRICS

エジプト* エチオピア*
イラン* アラブ首長国連邦（UAE）*
タイ** マレーシア**

中国 インド
ブラジル 南アフリカ

＊2024年1月に加盟
＊＊加盟申請中

アルゼンチン サウジアラビア
EU（欧州連合） メキシコ
トルコ インドネシア
オーストラリア 韓国

BRICSはブラジル（B）、ロシア（R）、インド（I）、中国（C）、南アフリカ（S）の5か国の頭文字をとった名称。

のスナク首相、アメリカのバイデン大統領はいずれも今回が最後の参加となった。

サミットには7か国の首脳以外にもブラジル、インドなど11か国の首脳や国連事務総長など国際機関のトップも招待された。ウクライナの**ゼレンスキー**大統領も前年に続いて招待されている。

かつては世界GDPの7割近くを占めていたG7のシェアも、現在では約45・7％まで落ち込み、存在感が薄れている。そのため近年ではG7に新興国を加えた**G20**（金融・世界経済に関する首脳会合）も毎年開かれている。2024年のG20は11月にブラジルの**リオデジャネイロ**で開催される予定だ。

欧米諸国とロシアとの分断がすすむなかで、いわゆる**グローバルサウス**といわれる新興国・途上国の動向に注目が集まっている。G7がグローバルサウスとの連携強化を図る一方で、ロシアを含む新興5か国（ブラジル・ロシア・インド・中国・南アフリカ）が加盟する**BRICS**（ブリックス）は、新たにイランなど4か国の加盟を認め、G7への対抗勢力を形成しようとしている。

ちょこっと時事

欧州議会選挙 2024年6月、欧州連合（EU）の立法機関である欧州議会（定数720）の議員選挙がEU各国で行われた。親EU派が過半数の議席を維持したものの、EU懐疑派や極右勢力が着実に議席を伸ばす結果となった。

参照 知っておきたい世界の国のリーダーたち ››› P8 グローバルサウス ››› P47

10

国際

NATO（北大西洋条約機構）

100字でナットク

NATOは東西冷戦時代にソ連に対抗して設立された軍事同盟。ソ連崩壊後は東欧諸国を取り込んで拡大した。ロシアはNATOの拡大を脅威とみなしており、ウクライナへの侵攻も加盟阻止が大きなねらいといわれる。

NATO

NATO North Atlantic Treaty Organization
北大西洋条約機構

本　部：ブリュッセル（ベルギー）
加盟国：32 か国

「集団防衛」「危機管理」「協調的安全保障」の３つを中核的任務とし、加盟国の領土及び国民を防衛する。

NATO 旗

1949 年	北米 2 か国と西ヨーロッパ 10 か国で設立
1952 年	ギリシャ、トルコが加盟
1955 年	西ドイツが加盟
	ソ連、ワルシャワ条約機構を設立
1982 年	スペインが加盟
1989 年	マルタ会談（冷戦終結）
1990 年	統一ドイツが加盟
1991 年	ソ連崩壊、ワルシャワ条約機構解体
1995 年	ボスニア・ヘルツェゴビナ内戦に軍事介入
1999 年	チェコ、ハンガリー、ポーランドが加盟
	コソボ紛争に軍事介入し、セルビアを空爆
2001 年	マケドニア紛争に軍事介入
2004 年	バルト三国、ブルガリア、ルーマニア、スロバキア、スロベニアが加盟
2009 年	アルバニア、クロアチアが加盟
2011 年	リビア内戦に介入
2017 年	モンテネグロが加盟
2020 年	北マケドニアが加盟
2022 年	ロシアがウクライナに侵攻
	フィンランド、スウェーデンが加盟申請
2023 年	フィンランドが加盟
2024 年	スウェーデンが加盟

NATO（ナトー）（北大西洋条約機構）とは、アメリカとカナダ、ヨーロッパの国々が加盟する軍事同盟だ。**集団的自衛権**の考えにもとづき、加盟国が他国から攻撃を受けた場合には共同で防衛するという条約を結んでいる。

NATOは、東西冷戦がはじまったばかりの1949年、ソビエト連邦の勢力拡大をおそれた西ヨーロッパの国々による軍事同盟として設立された。ソ連もNATOに対抗して、東欧7か国と**ワルシャワ条約機構**を設立した。東西2つの陣営のにらみ合いは「鉄のカーテン」とも呼ばれたが、冷戦という言葉のとおり、実戦には至らなかった。

1989年に行われた米ソ首脳会談（マルタ会談）によって冷戦が終結し、1991年にはソ連が崩壊する。このときワルシャワ条約機構は解体されたがNATOは存続し、新たな目的として、周辺地域の紛争に介入するようになった。1995年には

NATO加盟国の推移

※地図では北米（❷カナダ・⓬アメリカ）を省略

1955

ソビエト連邦

北海

バルト海

北大西洋

黒海

NATO（1949年設立時12か国）

❶ベルギー
❷カナダ
❸デンマーク
❹フランス
❺アイスランド
❻イタリア
❼ルクセンブルク
❽オランダ
❾ノルウェー
❿ポルトガル
⓫イギリス
⓬アメリカ
⓭ギリシャ（1952年加盟）
⓮トルコ（1952年加盟）
⓯西ドイツ（1955年加盟）

ワルシャワ条約機構（1991年解散）

①ソビエト連邦
②ブルガリア
③ルーマニア
④東ドイツ
⑤ハンガリー
⑥ポーランド
⑦チェコスロバキア
⑧アルバニア

2024

ロシア連邦

ウクライナ（NATO加盟を希望）

本部：ブリュッセル

北海

バルト海

北大西洋

黒海

NATO 2024年現在（32か国）

❶ベルギー
❷カナダ
❸デンマーク
❹フランス
❺アイスランド
❻イタリア
❼ルクセンブルク
❽オランダ
❾ノルウェー
❿ポルトガル
⓫イギリス
⓬アメリカ
⓭ギリシャ
⓮トルコ
⓯アルバニア
⓰ブルガリア
⓱クロアチア
⓲チェコ
⓳エストニア
⓴ドイツ
㉑ハンガリー
㉒ラトビア
㉓リトアニア
㉔モンテネグロ
㉕北マケドニア
㉖ポーランド
㉗ルーマニア
㉘スロバキア
㉙スロベニア
㉚スペイン
㉛フィンランド（2023年4月加盟）
㉜スウェーデン（2024年3月加盟）

ボスニア・ヘルツェゴビナの内戦、1999年にはコソボ紛争に軍事介入する。その一方で、旧ソ連の勢力下にあったバルト三国（エストニア、ラトビア、リトアニア）や東ヨーロッパの国々が相次いでNATOに加盟したため、**NATO加盟国は32か国にまで拡大**した。

NATO拡大に危機感を強めているのがロシアである。とくに、旧ソ連圏の国々のNATO加盟は、ロシアとの緊張を高める原因となった。2022年にロシアがウクライナに侵攻した理由のひとつは、**ウクライナのNATO加盟を阻止するため**といわれている。

フィンランドとスウェーデンは、ロシアを刺激しないように、これまでNATOに加盟していなかった。しかし今回の侵略でロシアへの不信を強め、両国ともNATOに加盟した。ロシアの思惑が裏目に出たかたちだ。

ウクライナもNATOへの加盟申請を表明している。まだ正式には加盟していないが、もしロシアがNATO加盟国に侵攻すれば、冷戦時代にも起こらなかった全面戦争に発展するおそれがある。

ちょっと時事

フランス総選挙　2024年7月に行われたフランス国民議会（下院、定数577）は、第1回投票で極右勢力「国民連合」が大勝したが、決選投票では左派連合「新人民戦線」が中道の与党連合と共闘して極右を抑え、第1党となった。選挙後、マクロン大統領は中道右派のバルニエ氏を首相に任命したため、左派は反発している。

参照 ロシアのウクライナ侵攻 ››› P30

11 国際

核兵器禁止条約

核兵器禁止条約の概要

1968年

Treaty on the Non-Proliferation of Nuclear Weapons

核拡散防止条約（NPT）

- 国連安保理の常任理事国5か国以外の核保有を禁止

米・英・仏・ロシア（旧ソ連）・中国

➡**非加盟の核保有国が増加**（インド、パキスタン、イスラエル、北朝鮮）

1996年

Comprehensive Nuclear-Test-Ban Treaty

包括的核実験禁止条約（CTBT）

- 核爆発をともなう核実験の全面禁止

➡発効要件に必要な国（アメリカ、中国、インド、パキスタン、イスラエルなど）が批准していないため、**発効していない**

2007年

Treaty on the Prohibition of Nuclear Weapons

核兵器禁止条約（TPNW）

- 核兵器は、被爆者（ヒバクシャ）に容認し難い苦しみと害をもたらす➡**人道的見地からの否定**
- 核兵器の「**開発**」「**保有**」「**使用**」などを禁止
- 「**威嚇**としての使用」も禁止➡**核抑止を否定**

2021年

1月　**条約発効**

➡2024年9月現在、署名国・地域：**94**か国、批准国・地域**73**か国

条約批准国・地域　アイルランド／アンティグア・バーブーダ／インドネシア／ウルグアイ／エクアドル／エルサルバドル／オーストリア／カーボベルデ／ガイアナ／カザフスタン／ガンビア／カンボジア／ギニアビサウ／キューバ／キリバス／グアテマラ／クック諸島／グレナダ／コートジボワール／コスタリカ／コモロ／コンゴ共和国／コンゴ民主共和国／サモア／サンマリノ／サントメ・プリンシペ／シエラレオネ／ジャマイカ／スリランカ／セーシェル／セントクリストファー・ネイビス／セントビンセント及びグレナディーン諸島／セントルシア／ソロモン諸島／タイ／チリ／ツバル／ドミニカ国／ドミニカ共和国／トリニダード・トバゴ／ナイジェリア／ナウル／ナミビア／ニウエ／ニカラグア／ニュージーランド／バチカン／パナマ／バヌアツ／パラオ／パラグアイ／パレスチナ／バングラデシュ／東ティモール／フィジー／フィリピン／ベトナム／ベナン／ベネズエラ・ボリバル／ベリーズ／ペルー／ボツワナ／ボリビア／ホンジュラス／マラウイ／マルタ／マレーシア／南アフリカ／メキシコ／モルディブ／モンゴル／ラオス／レソト

100字でナットク

核兵器禁止条約（TPNW）は、「核なき世界」の実現をめざし、核兵器の保有や使用を禁止する国際条約だ。日本は世界唯一の被爆国であるにもかかわらず、アメリカの「核の傘」の下にいるため参加していない。

核兵器禁止条約（**TPNW**）は、核兵器の全廃と根絶を目的として、核兵器の開発と保有、使用を全面的に禁止した国際条約だ。2017年に国連で採択され、2021年1月に発効した。2024年9月現在、94の国・地域が条約に署名し、73の国・地域が批准（ひじゅん）している。

これまでの核軍縮は1968年に採択された**核拡散防止条約**（**NPT**）という条約の枠組みによってすすめられてきた。NPTは、核兵器をもつ国を増やさないために、当時すでに核兵器開発に成功していたアメリカ・ソ連（現ロシア）・イギリス・フランス・中国の5か国（いずれも国連の安保理常任理事国）以外の国が核兵器をもつことを禁止した。その上で、核を保有する5か国に核軍縮に取り組むことを義務付けている。

ところが、核保有国の軍縮は50年たってもほとんどすすんでいない。それどころか、インド、パキスタン、

WEB 広島市：
「核兵器禁止条約」の概要

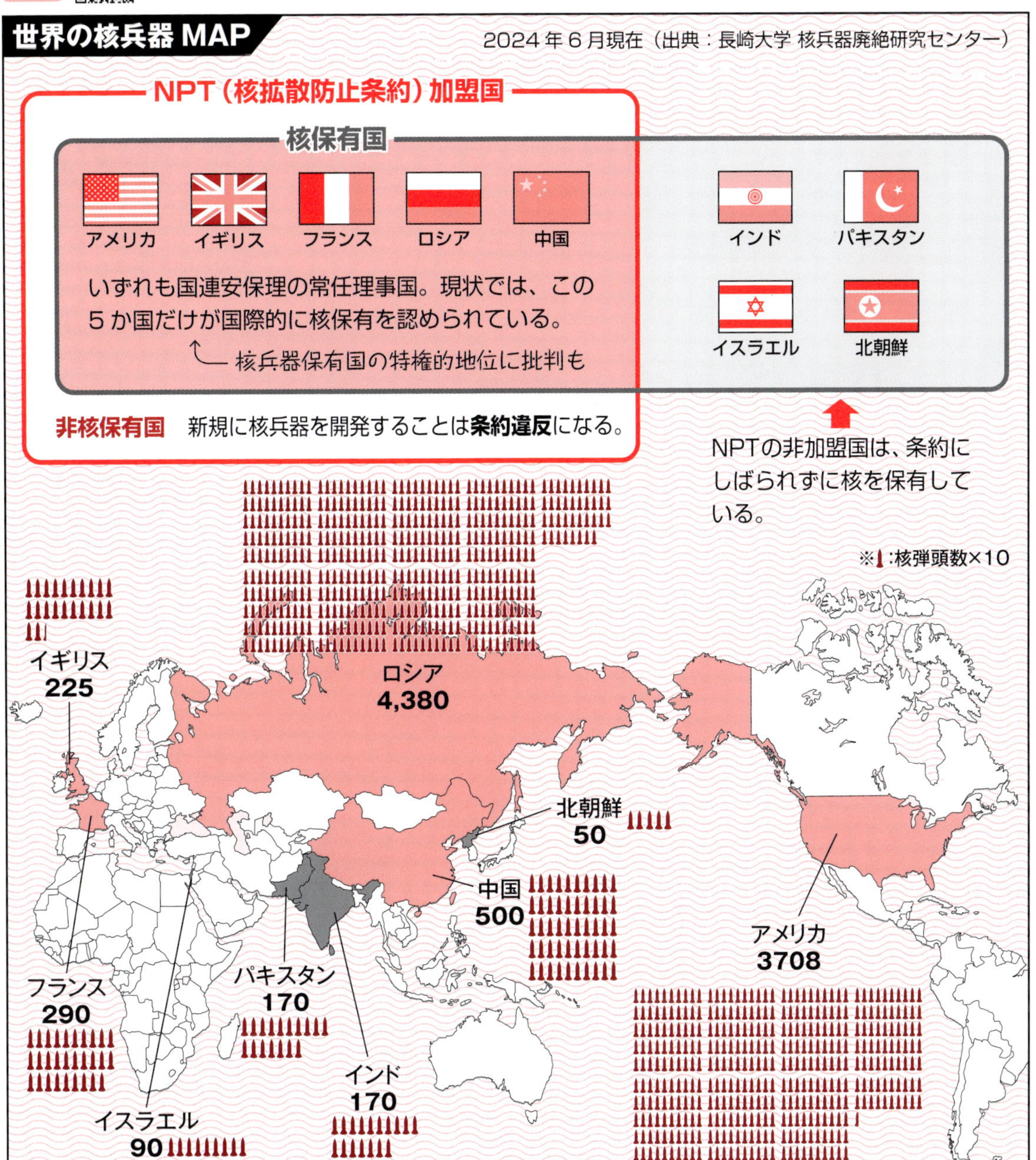

北朝鮮、イスラエルと、核保有国は着実に増加しているのが現状だ。そこで、あらたなアプローチとしてできたのが核兵器禁止条約だ。条約によって「核兵器は違法」という国際的なコンセンサスができれば、核保有国も実質的に核兵器を使用できなくなる。そこから核軍縮の道が開かれるのではないかという考え方だ。

この条約は、核保有国が「核兵器を使用するぞ」と威嚇することも禁止している。これは「核保有国は互いに核攻撃を恐れて戦争を回避するので、平和が保たれる」という、従来の**核抑止**の考え方を否定するものだ。一方、核抑止力を認める現在の核保有国は「核兵器の削減は保有国間の協議で段階的にすすめるべき」として、TPNWに参加していない。

日本はアメリカの「**核の傘**」の下にいる（安全保障をアメリカの核抑止力に頼っている）ため、やはりTPNWには反対の立場だ。日本は世界唯一の被爆国で、核兵器の悲惨さを強く訴えかけることができる立場なだけに、国内外からは失望の声が上がっている。加盟はしなくても、締約国会議にオブザーバーとして参加すべきだという意見もある。

ちょこっと時事

被爆体験者 長崎原爆の爆心地の半径12キロ圏内にいながら、国が定める地域の外にいたため「被爆者」と認定されなかった人。長崎地裁は2024年9月、訴えを起こした被爆体験者の一部を被爆者と認定する判決を下した。国はこれに控訴する考えを示す一方で、被爆体験者に被爆者と同等の医療費助成を行う救済策を決めた。

参照 ノーベル賞2024 ››› P144

WEB 外務省：
バングラデシュ人民共和国

12

国際

バングラデシュの政変

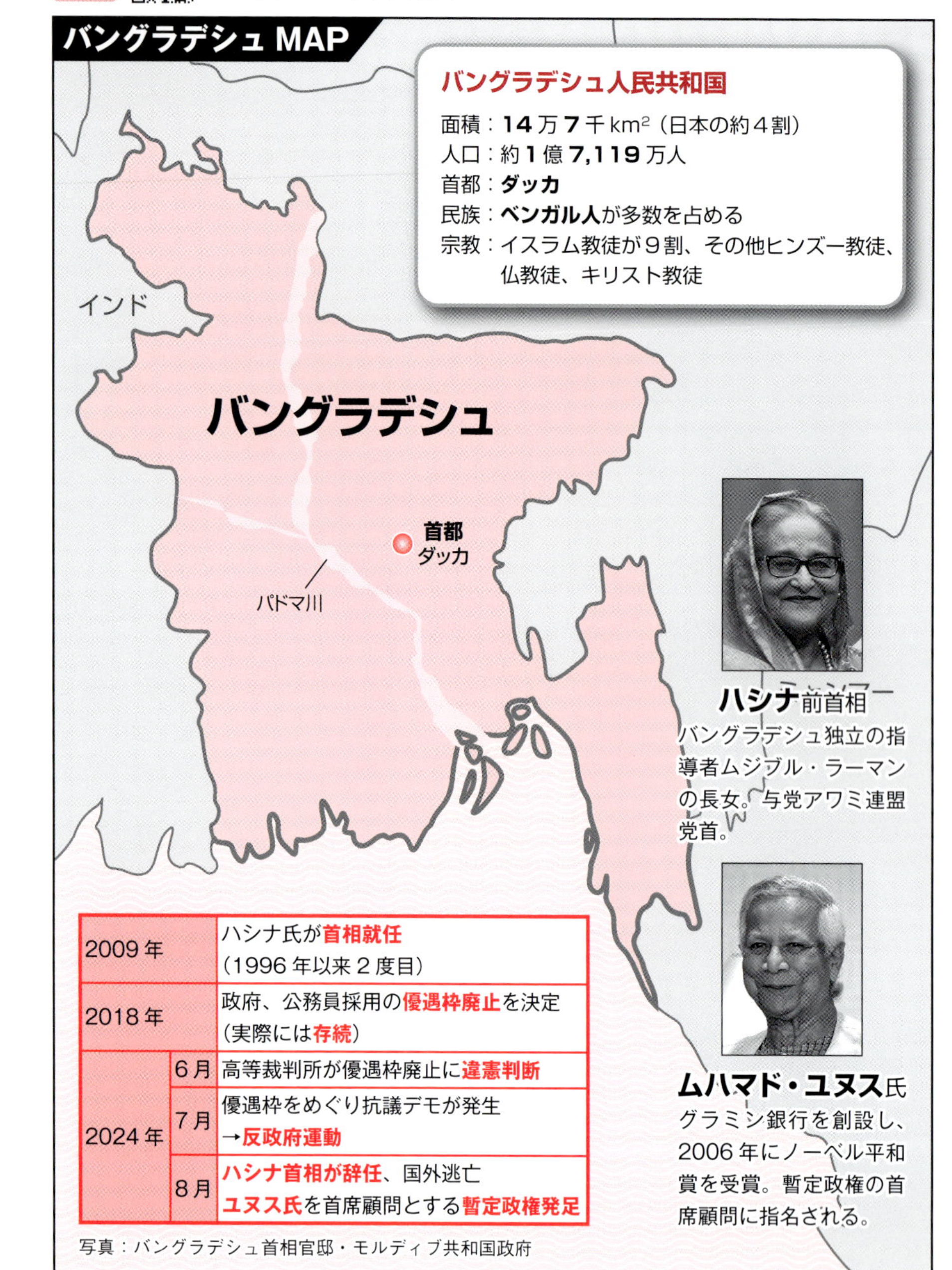

2009年		ハシナ氏が**首相就任**（1996年以来2度目）
2018年		政府、公務員採用の**優遇枠廃止**を決定（実際には**存続**）
2024年	6月	高等裁判所が優遇枠廃止に**違憲判断**
	7月	優遇枠をめぐり抗議デモが発生→**反政府運動**
	8月	**ハシナ首相が辞任**、国外逃亡 **ユヌス氏**を首席顧問とする**暫定政権発足**

写真：バングラデシュ首相官邸・モルディブ共和国政府

100字でナットク

2024年、南インドのバングラデシュでは、公務員採用の優遇措置に対する抗議デモが大規模な反政府運動に発展し、ハシナ政権が崩壊した。暫定政権の首席顧問には、ノーベル平和賞受賞者のユヌス氏が就任した。

バングラデシュには公務員採用で退役軍人の家族を優遇する制度があったが、就職難の学生の間では「不公平だ」という不満の声が高かった。政府はいったんこの制度の廃止を決めたが、2024年6月、高等裁判所が廃止を違憲とする判断を示すと、抗議運動が全国に広がり、やがて反政府デモに発展した。

シェイク・ハシナ首相（当時）は、強権的な手法で反対勢力を弾圧し、15年にわたって長期政権を築いてきたが、国内では貧富の差が広がり、高学歴の若者に仕事がないという歪みが生じていた。8月に入り、反政府デモが激化すると、ハシナ首相は辞任して国外に逃亡し、政権は崩壊した。暫定政権が組織され、首相に相当する首席顧問として、経済学者の**ムハマド・ユヌス氏**が就任した。ユヌス氏は貧困対策として小規模融資を行う銀行を創設し、ノーベル平和賞を受賞した人物だ。

13

国際

イギリス政権交代

WEB 外務省：
英国（グレートブリテン及び北アイルランド連合王国）

2024年イギリス総選挙

選挙前（議席数650）

労働党	保守党	自由民主党	その他
200	372	8	70

選挙後（議席数650）

労働党	保守党	自由民主党	リフォームUK	その他
411	121	72	5	41

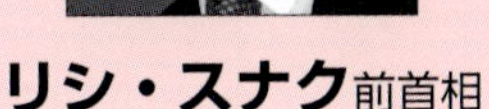

リシ・スナク前首相

2022年10月、リズ・トラスの辞任を受けて保守党党首となり、首相就任。イギリス初の非白人・アジア系首相となる。

キア・スターマー首相

2019年から労働党党首。2024年の総選挙で労働党が過半数を獲得し、首相に就任する。労働党内では右派に属し、政策的には中道路線をとる。

写真:イギリス首相官邸

100字でナットク

2024年7月、イギリス議会（庶民院）の議員を決める総選挙が行われた。日本の衆院選に相当する国政選挙だ。労働党はこの総選挙に勝利し、14年ぶりに政権を獲得し、党首のキア・スターマー氏が新首相に就任した。

イギリスの政党は中道右派の**保守党**と中道左派の**労働党**が二大政党だが、2010年以降は保守党が政権を担っていた。しかし、コロナ禍に開かれた首相官邸でのパーティー問題でジョンソン首相が辞任、後任のトラス首相は経済的混乱を招いてわずか50日で辞任するなど、保守党政権は迷走が続き、後を引き継いだスナク首相も支持率が低迷した。

こうした国民の保守党政権への不満から、今回の総選挙では労働党が単独過半数を獲得して圧勝し、14年ぶりの政権復帰を果たした。新首相には労働党党首の**キア・スターマー**氏が就任した。新政権は公的医療の充実や、ブレグジットで離脱したEUとの関係修復（再加盟は否定）を政策に掲げている。

今回の選挙では、移民制限などの政策を掲げる右派ポピュリスト政党のリフォームUKも得票率を伸ばし、保守党の票を奪った。

ちょこっと時事

イギリス暴動　2024年7月末、イギリスのサウスポートにあるダンス教室で女児3人が刃物で刺され死亡する事件が発生。犯人はイスラム教徒の難民という偽情報がネット上で拡散され、移民排斥を求める極右の暴動が各地で起こった。一方、市民の間では極右に対抗するデモも発生した。

参照 知っておきたい世界の国のリーダーたち ››› P8

WEB 外務省：
イエメン共和国

14

国際

フーシ派

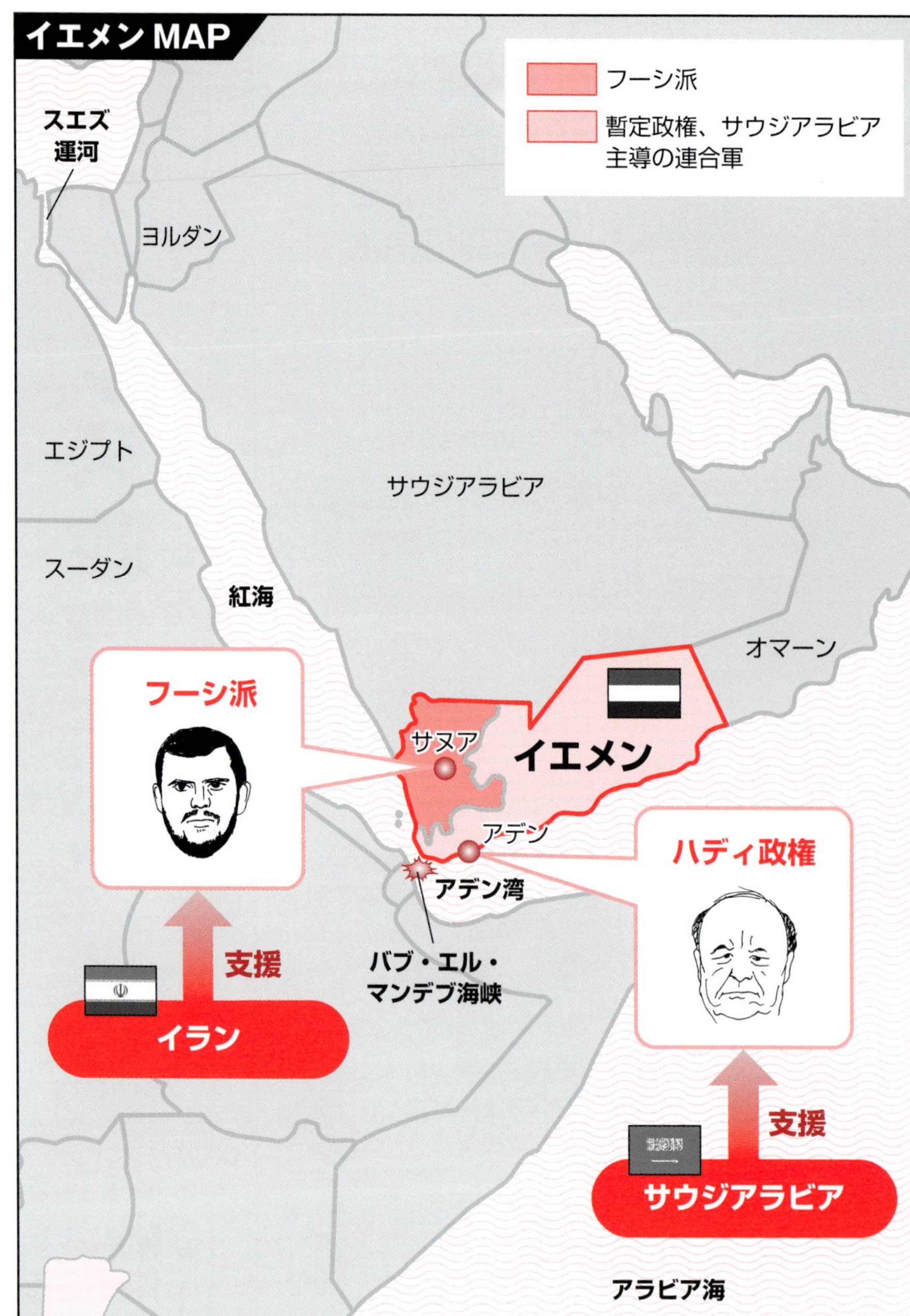

100字でナットク

イエメンの反政府組織フーシ派と政府軍との内戦は、サウジアラビアの軍事介入により泥沼化し、多数の市民が犠牲になっている。フーシ派は紅海を通る船舶を攻撃しており、世界の貿易にも大きな影響が出ている。

フーシ派は、**イエメン**を拠点とするイスラム教ザイド派（シーア派系）の武装組織だ。イエメンでは2011年に長期独裁政権が崩壊し、ハディ政権が成立したが、2015年にフーシ派が首都サヌアを制圧し、南部のアデンに逃れたハディ政権との間で**内戦**が勃発した。サウジアラビアをはじめとするスンニ派の諸国がフーシ派を倒すため軍事介入する一方、シーア派国家であるイランはフーシ派を支援しており、内戦はサウジアラビア対イランの代理戦争のようになっている。

フーシ派は**スンニ派**の諸国と対立しているが、パレスチナ戦争ではスンニ派であるハマスへの連帯を表明し、**紅海**を通る船舶への攻撃をはじめた。紅海が通れないとスエズ運河を通ってヨーロッパに行く航路が使えず、南アフリカの喜望峰をぐるっと回らなければならない。日本の貿易にも大きな影響がある。

参照 地図で見るニュースの最前線 ››› P4　ヒズボラ ››› P32

SPECIAL
国際
政治
経済
社会
環境・健康
情報・科学
文化・スポーツ

15

国際

グローバルサウス

100字でナットク

南アジア、中東、アフリカ諸国など、赤道付近や南半球に多い発展途上国や新興国をグローバルサウスという。これからの世界秩序に影響を与える第三の勢力として、これらの国々の動向に注目が集まっている。

グローバルサウス

欧米諸国や日本をはじめ、先進国といわれる国々が世界地図の北半分に集中しているのに対し、発展途上国は南半分に多い。**グローバルサウス**とは、もともとは南半球の発展途上国や経済新興国を指す言葉だ。ただし最近では「南」に限らず、途上国・新興国一般を指すことが多い。

米中の覇権争いやロシアのウクライナ侵攻により、世界では西側諸国（民主主義的な国）と中国・ロシア（権威主義的な国）との対立が激しくなっている。両陣営とも、グローバルサウスの国々を自分たちの陣営に取り込もうとしており、各国の動向に注目が集まるようになった。

なかでも、2023年に人口規模で中国を抜いた**インド**は、どちらの陣営にも与せず、近年存在感を高めている。インドを中心としたグローバルサウスが、**第三の勢力**としてこれからの世界秩序に影響を及ぼしていくことは間違いない。

ちょこっと時事

ベネズエラ大統領選挙　南米のベネズエラで2024年7月に行われた大統領選挙で、当局は現職のマドゥロ大統領の勝利を発表。しかし、野党側は票の集計に大規模な不正が行われたとして反発し、政府側と対立した。野党候補のゴンサレス氏は政府の弾圧によりスペインに亡命し、独裁色を強めるマドゥロ政権の続投が既成事実化している。

参照 G7 プーリアサミット ››› P38

16 政治

衆議院解散・総選挙

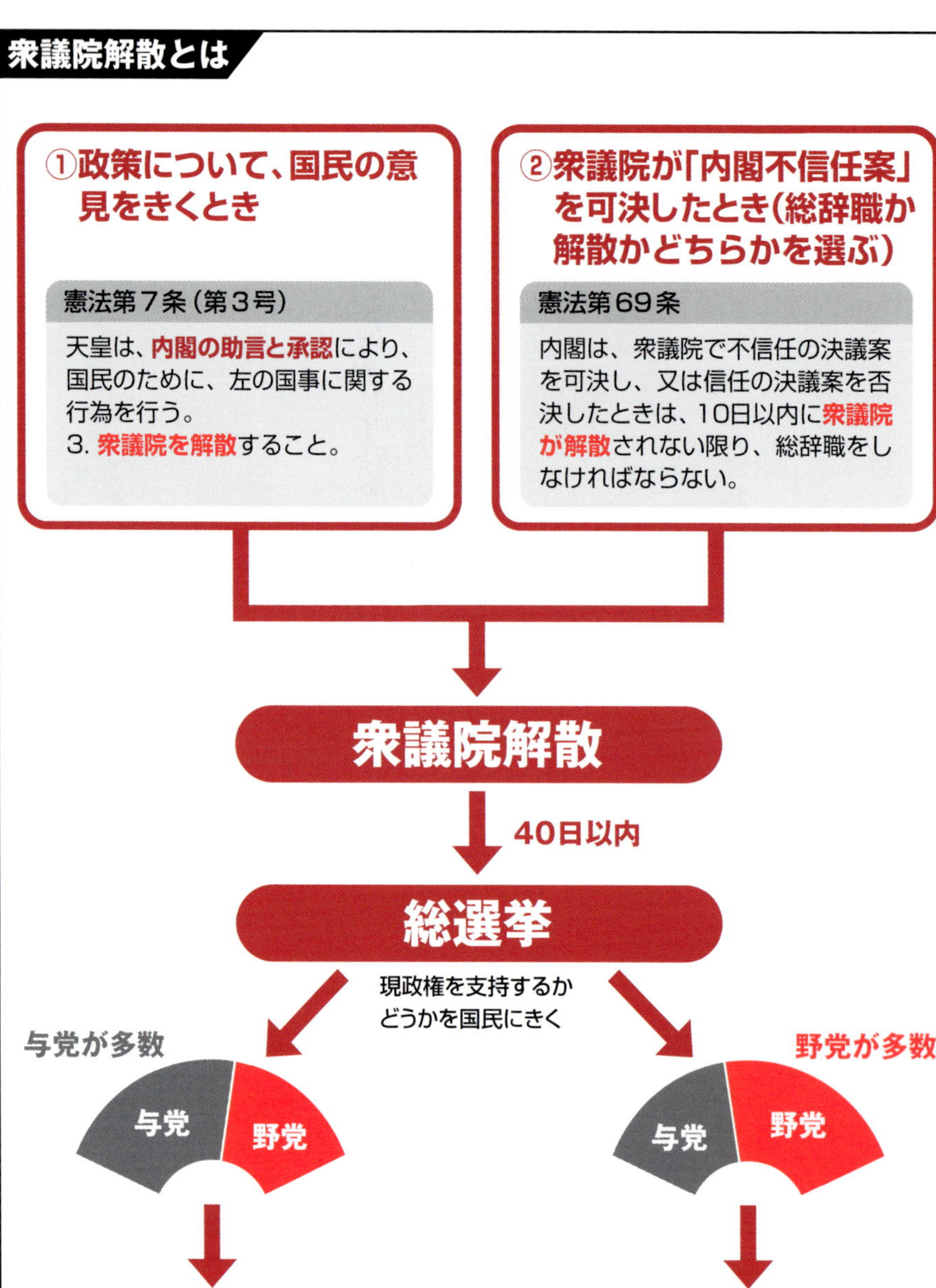

100字でナットク

衆議院議員選挙は小選挙区選挙と比例代表選挙からなり、小選挙区289、比例代表176の計465議席を争う。2024年10月に行われた総選挙の結果、与党・自民党は議席を減らし、過半数割れとなった。

2024年10月9日、石破（いしば）首相は**衆議院を解散**した。衆議院議員の任期は通常4年だが、任期前でも首相の判断で解散することができる。石破氏は1日に首相に就任（しゅうにん）したばかり。今回の選挙はその信任をかけた選挙となった。

新しい衆議院議員を決める**総選挙**は、解散後40日以内に行わなければならない。衆議院の定数は465議席。このうち289が**小選挙区選挙**、176が**比例代表選挙**だ。有権者は両方に1票ずつ投票する。

小選挙区選挙は、全国を289の選挙区に分け、それぞれの選挙区から議員を1人だけ選ぶ選挙だ。有権者は自分が支持する候補者名を投票用紙に書いて投票する。

一方、比例代表選挙の場合、有権者は自分が支持する政党名を書いて投票し、その獲得票数に応じて各政党に議席が配分される。各政党は、全国11のブロックごとに、あらかじ

WEB 衆議院 総務省：選挙・政治資金

衆議院選挙の方式（小選挙区比例代表並立制）

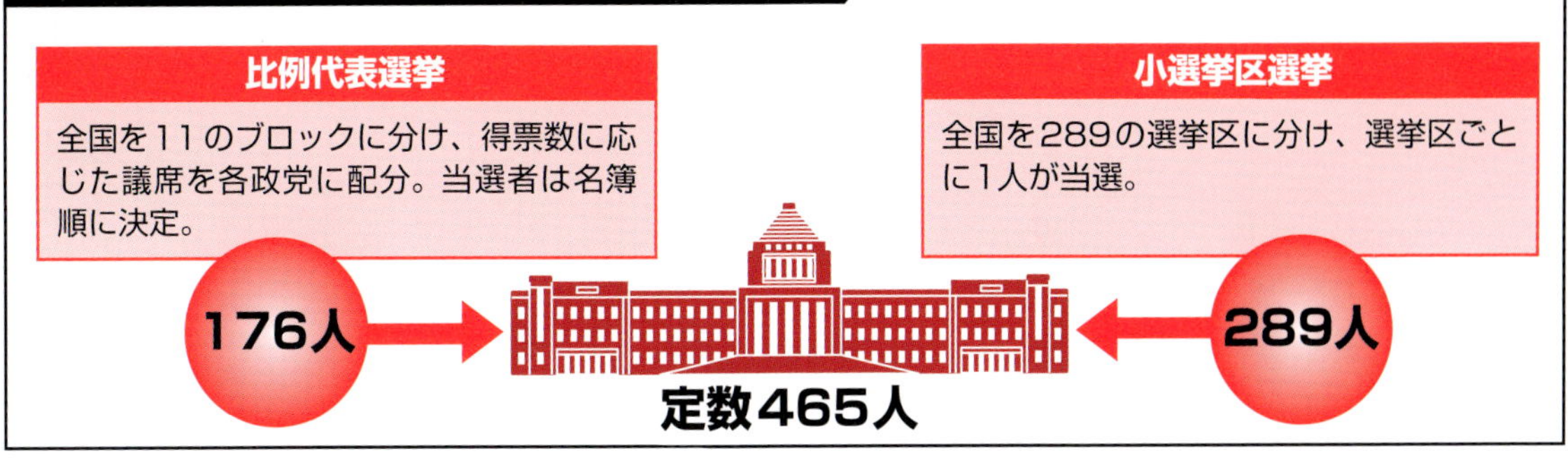

比例代表選挙のしくみ

①各党は、各ブロックの候補者名簿を発表しておく（小選挙区の候補者と重複してもよい）。

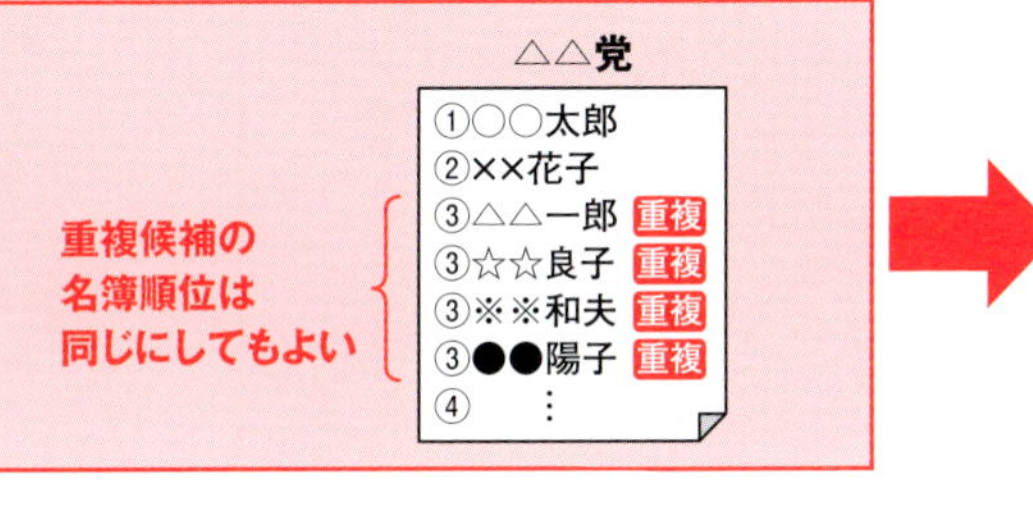

②有権者は投票用紙に政党名を書いて投票する。

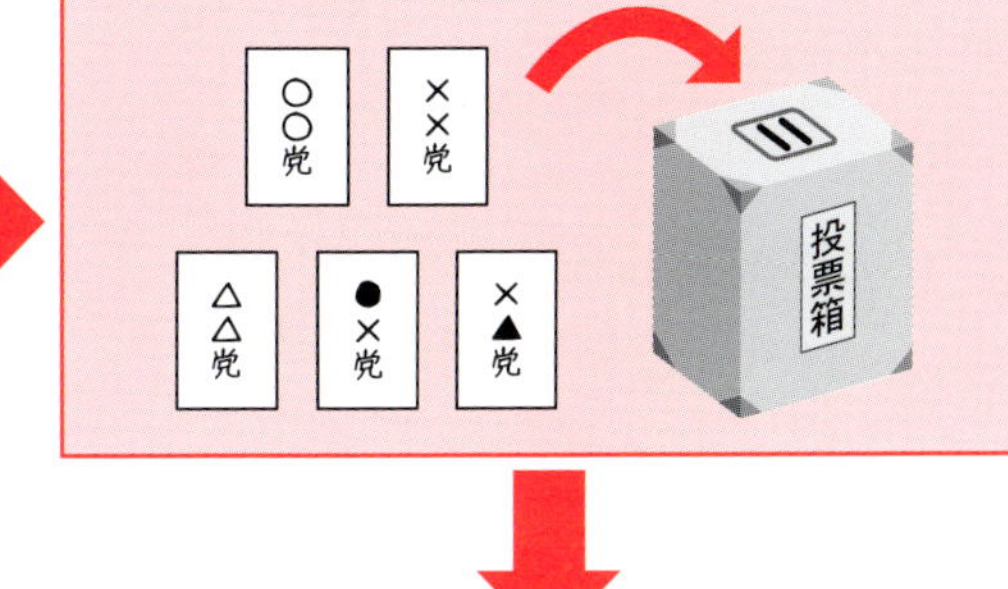

③得票数に応じて、ブロックの定数を各政党に配分する。

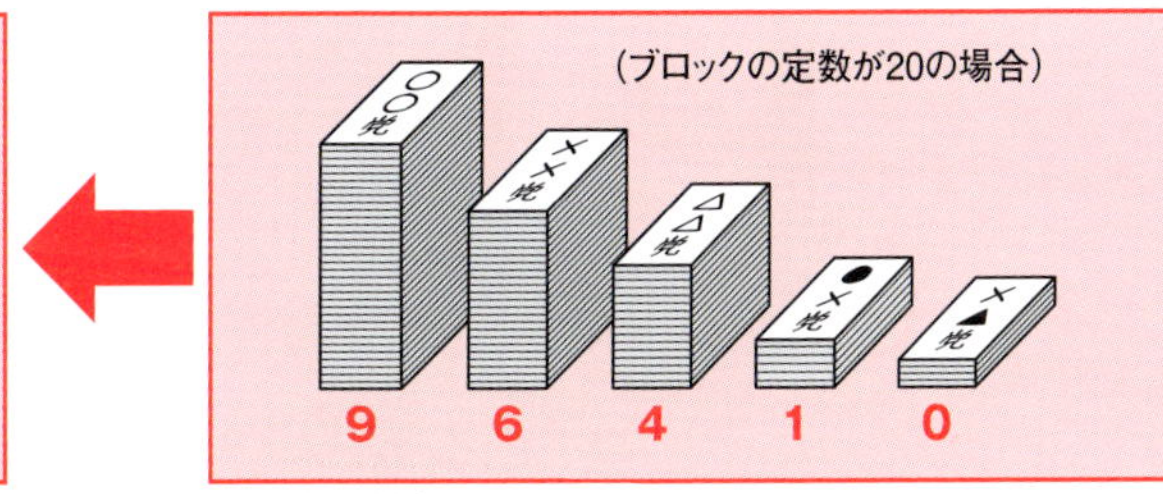

④名簿の上位から順に当選者が決まる。名簿順位が同じ重複候補者の場合は、「惜敗率」の高い順に当選が決まる。

△△党 議席数4の場合

	名簿		小選挙区の結果
当	①○○太郎		
当	②××花子		
	③△△一郎	重複	惜敗率70％で落選
	③☆☆良子	重複	小選挙区で当選
当	③※※和夫	重複	惜敗率80％で落選
当	③●●陽子	重複	惜敗率90％で落選
	④ ⋮		

※惜敗率…小選挙区での最多得票者の得票数に対する、重複立候補者の得票数の割合。

め候補者の名簿をつくっておき、名簿が上位の候補者から順に当選が決まるしくみだ。

比例代表の候補者名簿には、小選挙区の立候補者を載せることもできる。このような候補者を**重複立候補者**という。小選挙区制は死票（落選した候補者への票数）が多くなるため、落選した候補者に復活のチャンスを設ける制度だ。

重複立候補者の名簿順位は、全員同じ順位にすることが多い。名簿順位が同じ候補者同士では、小選挙区での**惜敗率**（どのくらい僅差で負けたか）の高い順に当選が決まる。たとえば、9万票を獲得した重複立候補者が、トップと1万票差で落選したなら、惜敗率は90％となる。小選挙区で落選した重複立候補者は、今度は同じ政党内でシビアに議席を争うことになる。重複立候補者が比例で当選することを**復活当選**という。

総選挙の投開票は10月27日に行われた。与党・自民党が獲得した議席は191。第一党の地位は保ったものの、連立を組む公明党とあわせても215席で過半数に満たない。ただし野党も一枚岩ではないため、政権交代には至らなかった。

ちょこっと時事

最高裁判所裁判官国民審査 最高裁判所の裁判官を罷免する（やめさせる）かどうかを、国民が投票で審査する制度。衆議院議員選挙と同時に行われる。投票用紙の罷免したい裁判官の欄に×印をつけて投票し、×印が過半数に達すると罷免される。現在までに国民審査で罷免された裁判官はおらず、制度が形骸化しているという意見もある。

参照 データで見る2024年衆議院選挙 ››› P2 石破新内閣の顔ぶれ ››› P22 岸田政権の3年 ››› P66

17 政治

自民党派閥の裏金問題

100字でナットク

自民党の派閥の政治資金パーティーで、キックバックを受けた所属議員が収入を報告せず、多額の「裏金」が蓄積されていた問題。改革はすすまず、国民の政治不信は深まるばかりだ。

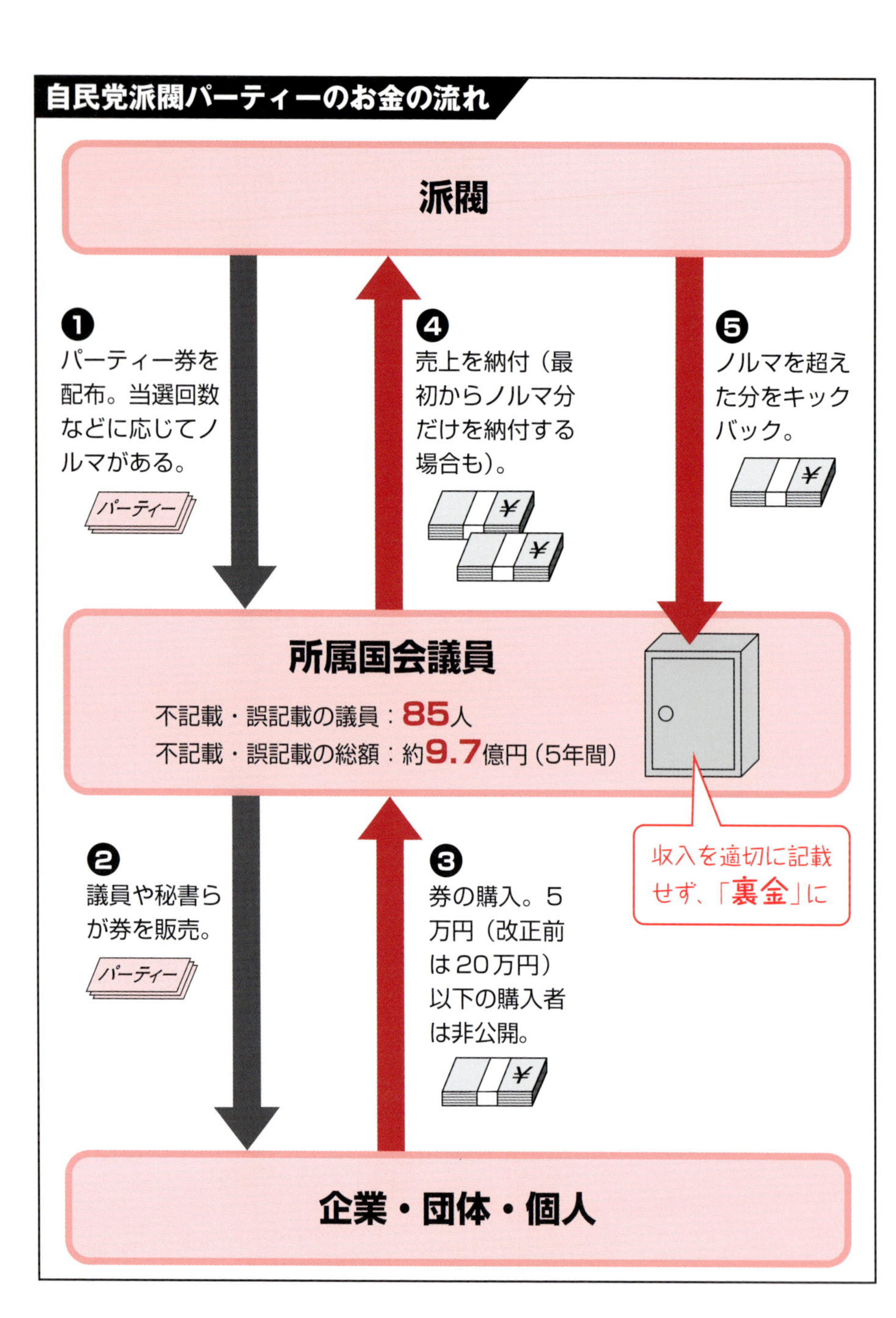

政治資金パーティーとは、政治家がホテルの宴会場などを借りて開く資金集めのイベントだ。1枚2万円程度のパーティー券を個人の支援者や企業・団体などに売り、その収入から会場費や食事代などの経費を差し引いて政治資金にあてる。なので、あまり豪華な食事は出ない。企業が政治家個人に献金をすることは禁止されているが、パーティー券を買うのはOKだ。しかも一定額以下なら購入者も非公開なので、たいへん都合のよい資金源になっている。

今回問題になったのは、自民党内に複数ある「**派閥**（はばつ）」が主催するパーティーだった。派閥とは、国会議員の中で意見や利害をともにする者同士が集まってつくるグループのこと。派閥主催のパーティーでは、所属議員一人一人にパーティー券の販売ノルマが割り当てられる。その代わり、ノルマを超えた分は自分の収入にしてよいことになってい

「裏金」問題の影響

1 東京地検特捜部による刑事処分（政治資金規正法違反）

安部派	派閥側	会計責任者（在宅起訴） ※幹部7人は不起訴処分
	議員側	池田佳隆議員・秘書（逮捕・起訴） 谷川弥一議員・秘書（略式起訴） 大野泰正議員・秘書（在宅起訴） ※不記載の議員の多くは立件されず
二階派	派閥側	元会計責任者（在宅起訴）
	議員側	二階俊博議員の秘書（略式起訴）
岸田派	派閥側	元会計責任者（略式起訴）

2 岸田政権の対応

- 安部派の4閣僚（松野官房長官・西村経済産業相・鈴木総務相・宮下農相）・5副大臣を交代→**政権から安部派を一掃**

3 自民党の対応

- 安部派の党幹部辞任
- 自民党6派閥のうち、**5派閥が解散**（麻生派のみ存続）
- 党紀委員会によって国会議員39人を処分（安部派の塩谷衆院議員、世耕参院議員に離党勧告など）

4 国会の対応

- 衆参両院で**政治倫理審査会**
  →自民党議員73人は弁明を拒否
- **政治資金規正法**の改正

主な改正点

収支報告書	議員に「確認書」作成を義務付け
パーティー券	購入者の公開基準額「20万円超」→「5万円超」へ
党から支給される政策活動費	・項目ごとに使途を開示 ・10年後に領収書を公開

た。たとえば100枚ノルマの議員が200枚を売ったら、100枚分のパーティー券収入が議員にキックバックされる仕組みだ。

キックバックされたパーティー券収入は、当然ながら議員個人の政治資金として政治資金収支報告書に記載しなければならない。ところが、多くの自民党議員がこの収入をきちんと記載していなかった。収入として記載しなければ、支出も記載する必要がない。いわゆる「裏金（うらがね）」だ。不記載議員は85人にのぼり、不記載の総額は安部派、二階派、岸田派を合わせて5年間で9・7億円にのぼった。

東京地検特捜部は、派閥の会計責任者と議員秘書ら7人を政治資金規正法の虚偽記載の疑いで起訴したが、立件された国会議員は結局3人だけだった。議員本人が「知らなかった」と言えば、罪に問うのは難しいのが現状なのだ。

この問題に対し、自民党は不記載議員の処分や派閥解散を断行。岸田政権（当時）は安部派閣僚を更迭し、**政治資金規正法**の改正を行った。しかし実態解明は十分とはいえず、国民の間に強い政治不信を植え付けた。

ちょこっと時事

2024年東京都知事選挙 2024年7月に投開票が行われた東京都知事選挙は、現職の小池百合子氏が3選を果たした。得票数2位はSNSによる発信で無党派層を取り込んだ石丸伸二氏、3位は反自民を掲げた蓮舫氏。選挙戦では過去最多の56人が立候補したほか、選挙ポスターの掲示板枠が事実上販売されるなどの問題も起こった。

参照 データで見る2024年衆議院選挙 ››› P2 「政治とカネ」の問題 ››› P52

18

政治

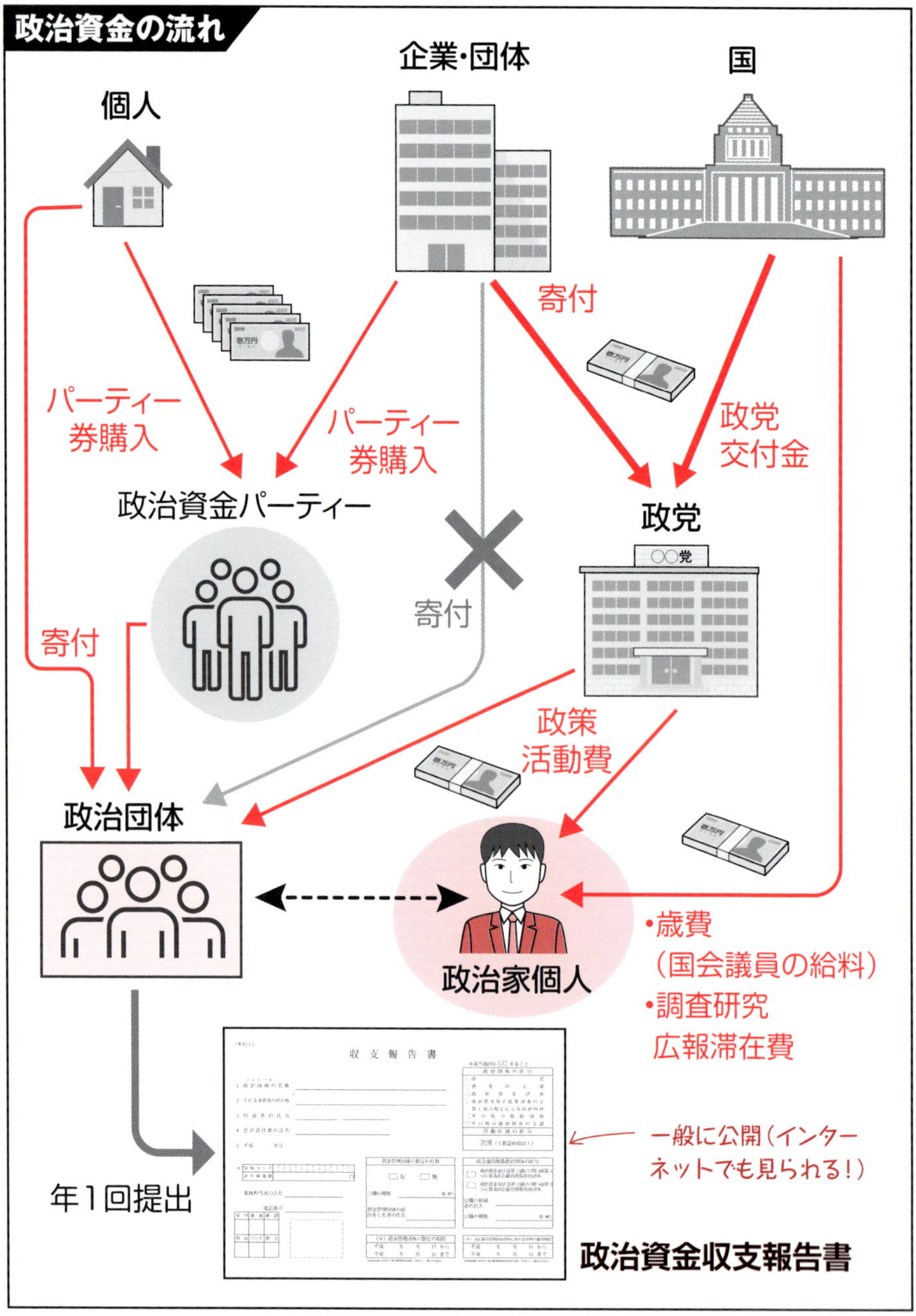

100字でナットク

政治家は政治活動に使うお金の収支を毎年政治資金収支報告書に記載して提出しなければならない。2024年、自民党派閥の「裏金」問題に端を発して、政治資金規正法が改正された。透明性は確保されたのだろうか。

政治資金の流れ

個人
企業・団体
国
パーティー券購入
パーティー券購入
寄付
政党交付金
政治資金パーティー
政党
寄付
寄付
政策活動費
政治団体
政治家個人
・歳費（国会議員の給料）
・調査研究広報滞在費
年1回提出
一般に公開（インターネットでも見られる！）
政治資金収支報告書

選挙費用や事務所の家賃、スタッフの人件費など、政治家の日々の活動には多額のお金がかかる。これらは主に支援者からの寄付や政治資金パーティーの収入、税金から支給される政党交付金などによってまかなわれているが、お金の出入りが不透明だと、汚職がはびこって政治が腐敗してしまうおそれがある。それを防ぐために定められたのが、**政治資金規正法**という法律だ。

まず、政治資金は政治家個人のポケットに直接入るのではなく、**政治団体**と呼ばれる受け皿を通して扱わなければならない。各政治団体は、収入と支出を毎年**政治資金収支報告書**という書類に記入して提出する。年間5万円超の寄付をした人については、その個人名も記載される。

政治資金規正法は、自民党派閥の**「裏金」問題**（50ページ）を受けて改正されたが、改正後も多くの抜け穴があると言われている。たとえば、企

WEB 総務省：選挙・政治資金

政治資金規正法改正

	改正前	改正後
政治資金パーティー	「**20万円超**」のパーティー券購入者は**氏名を公開**	• 購入者の公開基準を「**5万円超**」に引き下げ • パーティー券の代金を**銀行振込**に限定
政策活動費	使い道の**報告義務なし**	• 政党の政治資金収支報告書に、大まかな項目ごとの使い道を**公開** • **10年後**に領収書を**公開**
連座制	会計責任者が違反しても政治家本人に**責任は及ばない**	国会議員に収支報告書の「**確認書**」交付を義務付け（会計責任者が虚偽記入などで処罰された場合、**公民権停止**の対象に）
企業・団体献金	政党への献金は認める	

国会議員に支払われるお金

歳費・期末手当て	国会議員の給料、ボーナス（年間約 2150 万円）
調査研究広報滞在費	切手代、電話代、交通費など（月 100 万円）← 使途の報告義務なし
立法事務費	所属会派に支給（議員 1 人当たり月 65 万円）
政党交付金	議席数・得票率に応じて各政党に配分（総額約 320 億円）
その他	公設秘書（3 人まで）の給料 JR、航空各社の運賃無料券 議員会館の電話代、水道光熱費 議員宿舎入居（家賃約 12 万円／月）← 家賃 40 万円／月の賃貸マンションと同等

業や団体が、政治家個人の政治団体に寄付をすることは禁止されているが、政治家個人ではなく**政党が企業から寄付を受けることは禁止されていない**。また、政治家個人が開く政治資金パーティーの**パーティー券は企業も買うことができる**ので、事実上、企業からの献金窓口となっている。5万円（改正前は20万円）以下であれば、購入者を報告する義務もない。

さらに、政党は「**政策活動費**」などの名目で、所属する政治家個人に寄付することが認められている。このお金は政治団体ではなく、政治家個人のポケットに入る。改正により、項目ごとの使い道は報告しなければならなくなった（これまでは使い道を報告する義務もなかった）が、**領収書の公開は10年後でよい**など、透明性がじゅうぶんに確保されたとはいいがたい。

国会議員には、歳費（給料のこと）とは別に月100万円の「**調査研究広報滞在費**」（旧「文書通信交通滞在費」）が支給されている。これも、使い道をいちいち報告する義務がないため、使い道の公開や未使用分の返還を盛り込んだ制度の改正が提議されている。

ちょこっと時事

政党交付金　政治活動を支援するために国庫から各政党に交付される資金。国民1人当たり250円を負担し、総額約315億円を所属議員数や国政選挙の得票数をもとに各政党に振り分ける。制度の廃止を主張している日本共産党はこの金を受け取っておらず、その分も他政党に振り分けられている。

参照 自民党派閥の裏金問題 ››› P50

19 政治

旧統一教会問題

旧統一教会の概要

FFWPU：Family Federation for World Peace and Unification

世界平和統一家庭連合（旧統一教会）

1954年、文鮮明（ムン・ソンミョン）氏によって韓国で創設された宗教団体。文鮮明氏の死後、妻の韓鶴子（ハン・ハクチャ）氏が総裁となる。日本では1964年に宗教法人「世界基督教統一神霊協会」として認証され、2015年に「世界平和統一家庭連合」に名称変更。

韓鶴子氏

●関連年表

1954年	**文鮮明**により韓国で創設
1964年	日本で宗教法人「**世界基督教統一神霊協会**」が認証される
	全国の大学に「**原理研究会**」を設立
1968年	右翼団体「**国際勝共連合**」を創設
1980年代	**霊感商法**が社会問題に（印鑑・数珠・壺などを販売）
1992年	**合同結婚式**に日本人歌手らが参加
2009年	教団がコンプライアンス順守を宣言
2012年	文鮮明氏が死去、妻の**韓鶴子**が後継者に
2015年	「**世界平和統一家庭連合**」への名称変更が文化庁で認証される
2021年	安倍首相（当時）が関連団体のUPF会合にビデオメッセージ
2023年	安倍首相（当時）が教団会長と総裁応接室で面談

●関連団体

- **国際勝共連合**（政治団体）
- **世界平和連合**（政治団体）
- **UPF（天宙平和連合）**（国際NGO）
- **世界平和女性連合**（国際NGO）
- **日韓トンネル研究会**（NPO法人）
- **世界日報**（日本の日刊紙）
- **ワシントン・タイムズ**（米国の日刊紙）
- **CARP（原理研究会）**（学生サークル）

…ほか多数

原理講論

原理講論

旧統一教会の教義である「統一原理」の解説書。

「神が創造した最初の人類であるアダムとエバは、サタンの誘惑によって堕落し、すべての人間は「原罪」を負うことになった。人間は、真の父母として現れるメシヤ（救世主）により原罪を清算することで、地上天国を復帰できる。」という主張。

100字でナットク

安倍晋三元首相の銃撃事件をきっかけに、旧統一教会（現・世界平和統一家庭連合）をめぐる問題に注目が集まった。霊感商法や高額献金の実態とともに、政治家との不透明な関わりが明らかになった。

旧統一教会は、1954年に韓国で創設された新興宗教団体だ。当時の名称は「世界基督教統一神霊協会」といい、統一教会（または統一協会）は略称である。日本では2015年に団体名が「**世界平和統一家庭連合**」に変更されたため、報道などでは旧統一教会と呼称されている。

旧統一教会をめぐっては、信者らによる**霊感商法**と呼ばれる商法が1980年代に社会問題化した。霊感商法とは「先祖のたたりがある」「買わないと不幸になる」といった話で不安をあおり、印鑑や壺などを高額な値段で買わせる商法だ。全国霊感商法対策弁護士連絡会によると、被害合計は2023年までに約1340億円にのぼり、現在も被害相談が寄せられているという。また、安倍元首相を銃撃した山上徹也容疑者が「母親が多額の献金をして人生を破壊された」と供述していたことが報じられ、信者による多額の献金

ちょこっと時事

指定宗教法人　旧統一教会への解散命令を請求しても、裁判所がその可否を決定するまでには長期間かかる。その間に教団の財産が流出するのを防ぐため、「指定宗教法人」の財産処分の監視を強化する特例法が2023年12月に制定された。この特例法に基づき、文部科学省は2024年3月に教団を指定宗教法人に指定した。

旧統一教会をめぐる問題

❶ 霊感商法

1980年代に「買わないと不幸になる」などと不安をあおって高額な壺や印鑑を売る商法が社会問題化した。

全国霊感商法対策弁護士連絡会によると、1987年から2023年までの被害総額は約1340億円にのぼる。2009年には教団の信者を増やすことを目的に違法な印鑑販売を行ったとして、印鑑販売会社社長に有罪判決が言い渡された。教団側は霊感商法との関わりを否定している。

❷ 高額献金

教団には「すべてを神に捧げなければならない（万物復帰）」という教義がある。信者には教団への献金が奨励され、高額献金により家庭が崩壊するケースが相次いでいる。日本の信者から集められた資金は海外での事業に投資されているとの報道もある。

現在、元信者の遺族らが教団側に賠償を求める訴訟を起こしている。

❸ 政治家との関係

教団創設者の文鮮明氏は安倍晋三氏の祖父・岸信介（きしのぶすけ）元首相と親密な関係にあった。教団の政治的主張である伝統的な家族観や反共産主義は自民党保守派の主張に近く、安倍氏は教団の組織票を候補者に差配する立場にあったとみられている。

2022年9月に公表された自民党の内部調査の結果によると、自民党所属議員379人のうち179人が旧統一教会と何らかの接点をもっていた。

2024年9月、朝日新聞は2013年の参院選直前に安倍首相（当時）が旧統一教会会長と、自民党総裁応接室で面談している写真を公表した。

❹ 2世信者問題

合同結婚式で結婚した両親が旧統一教会の信者であるため、幼少期から信仰を強要されたり、教義にしたがうよう強制されたりする被害にあったという元信者の告発が相次いでいる。

宗教法人法（第81条）

法令に違反し公共の福祉を害する行為や、宗教団体の目的を著しく逸脱した行為をした場合などに、裁判所は解散を命じることができる。

2022年11月～計7回　国による調査（報告徴収権・質問権の行使）

違法性を確認！

2023年10月　裁判所に解散命令を請求

裁判所が違法性を認めれば…

解散命令

については批判の声が高まった。

　安倍氏は生前、旧統一教会の関連団体の会合にビデオメッセージを送り、教団トップに賛辞（さんじ）を送るなど、教団とのつながりが深かったとみられる。銃撃事件は、**自民党の政治家と教団との関わり**が注目されるきっかけとなった。自民党の内部調査の結果、約半数の所属国会議員が教団の関連団体の会合に出席してあいさつをしたり、選挙運動員の支援を受けたりといった接点をもっていた。選挙での支援を得るために、教団の活動の権威付けに貢献していたとすれば問題がある。

　文科省は宗教法人法に定められた「**報告徴収・質問権**」を使い、教団への調査を開始した。2023年9月、文科省は教団側に過料を科すよう、東京地裁に通知した（調査に未回答の項目が多かったため）。その翌月、文科省は東京地裁に対し、ついに教団の**解散命令**を請求した。

　今後は裁判所が文科省と教団の主張を聞き、解散を命じるかどうかを判断する。解散が命じられても宗教活動自体は続けることができるが、宗教法人格ははく奪され、税金の優遇は受けられなくなる。

参照 データで見る2024年衆議院選挙 ››› P2　岸田政権の3年 ››› P66

20
政治

一票の格差

100字でナットク

有権者の数が選挙区に寄って違うために生じる一票の格差。2024年衆院選ではアダムズ方式が採用され、140選挙区で区割りが変更された。しかしその後の人口変動により、格差は再び2倍以上に広がっている。

一票の格差

一票の格差 選挙区によって有権者の人数が違うため、一票の価値（重み）に差が出てしまうこと。

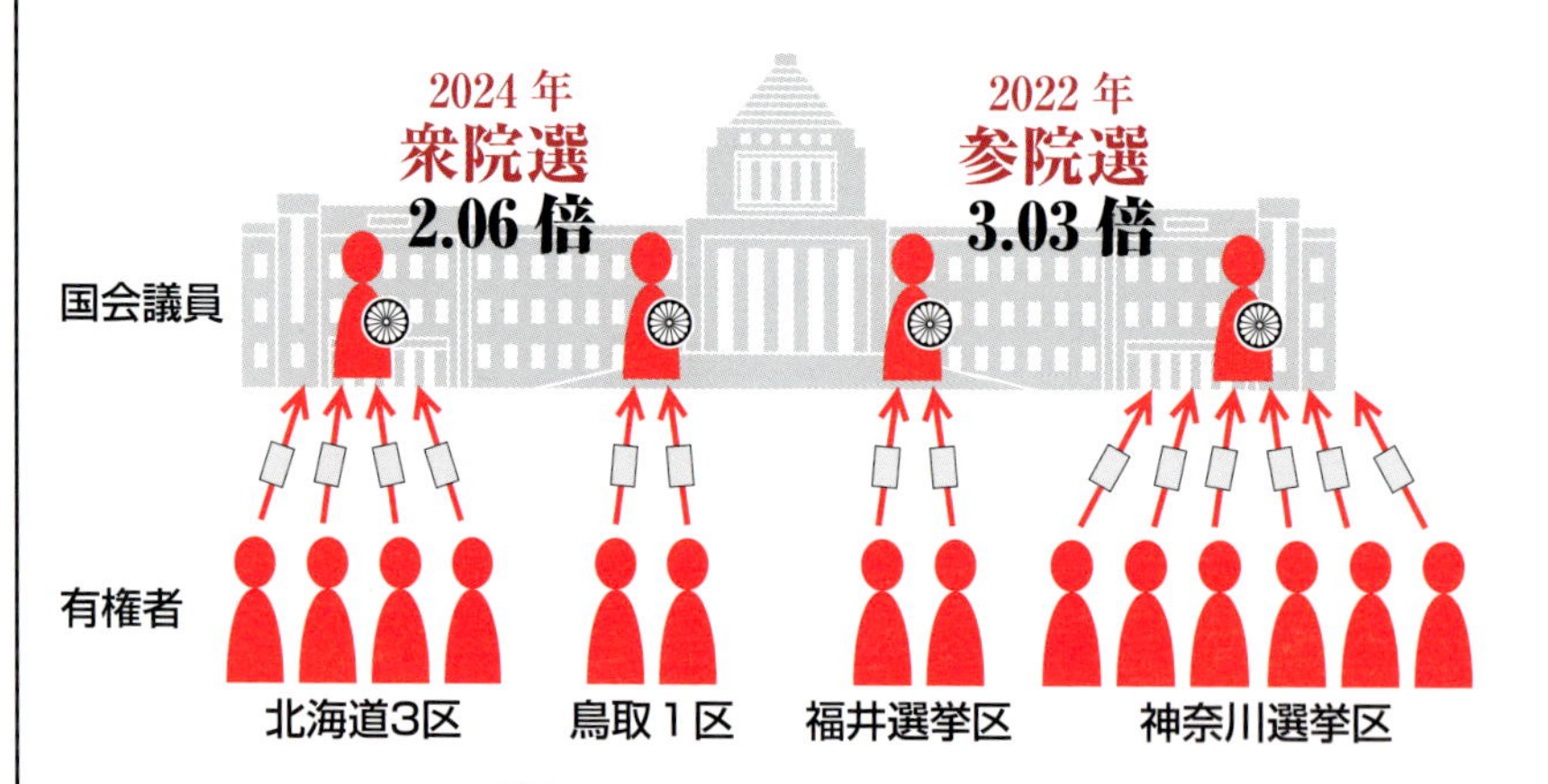

2021年 第49回衆議院選挙 最大 **2.09倍** → 2024年 第50回衆議院選挙 最大 **2.06倍**

●一票の格差の推移

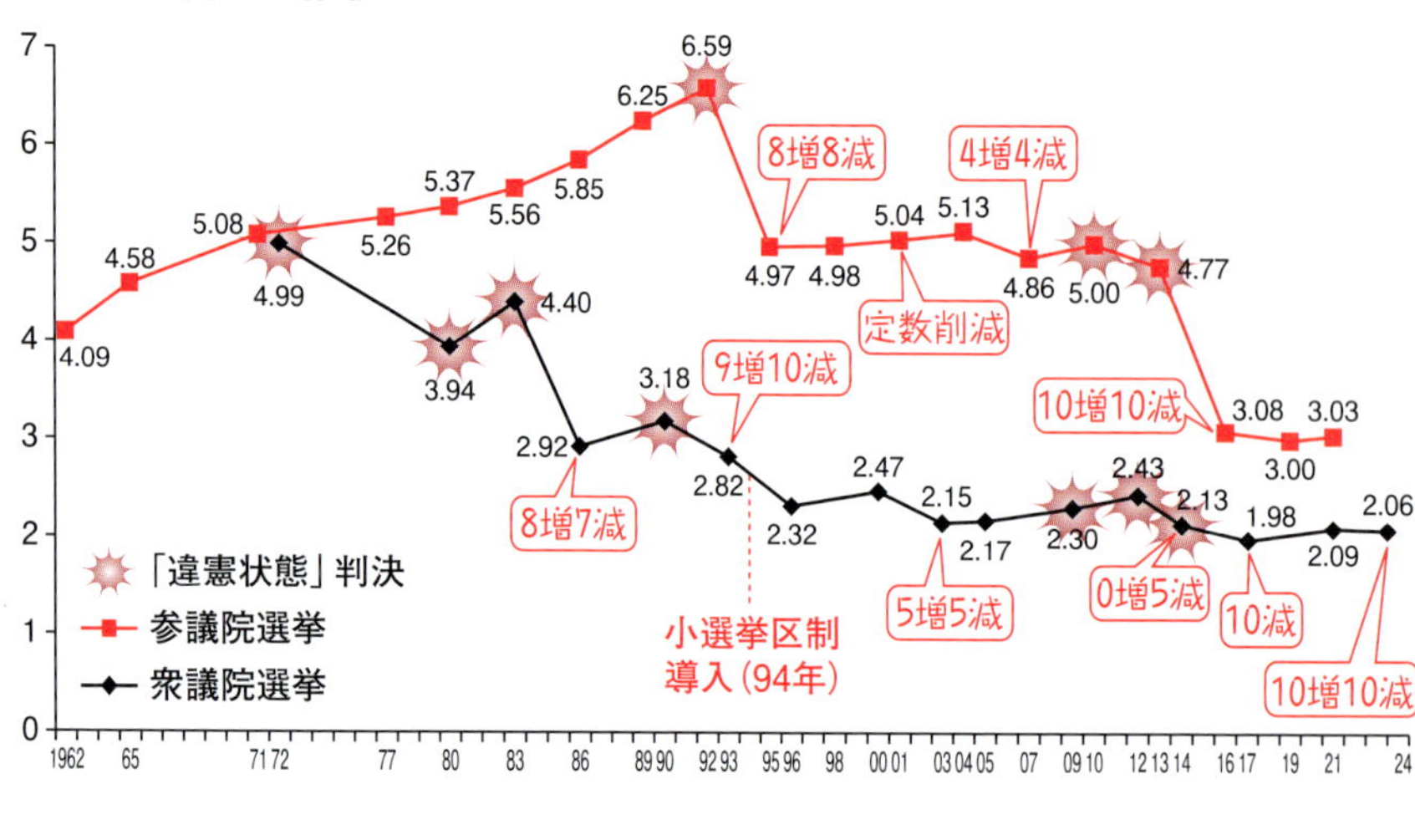

有権者の人数が選挙区によって違うために、一票の重みに差が出てしまうことを「**一票の格差**」という。2021年10月に行われた衆議院選挙の場合、東京13区が有権者約48万人で1人の国会議員を選んだのに対し、鳥取1区は有権者約23万人で1人の国会議員を選んでいる。一票の格差は**2・09倍**だ。

選挙権は国民に平等に与えられる権利だから、住んでいる場所によって票の価値に差があるのは問題だ。そのため、一票の格差が大きくなると裁判で「**違憲状態**」とみなされる。違憲状態とは、「このまま放置すると憲法違反として選挙も無効ですよ」という意味だ。衆議院では、格差が2倍以上になると判決で違憲状態と判断されるケースが多い。衆院選では、これまで「違憲状態」の判決が出るたびに定数見直しや選挙区の区割りを変更して対応してきた。しかし、これでは根本的な問題

WEB 一人一票実現国民会議

アダムズ方式

※米国の第6代大統領アダムズが考案したとされる。

	人口				切り上げ
A県	300万人	÷ ある数	=	4.2857	➡ 5
B県	200万人	÷ ある数	=	2.8571	➡ 3
C県	100万人	÷ ある数	=	1.4286	➡ 2
				計	10

定数10の場合、ある数＝70万

2024年の衆院選選挙区

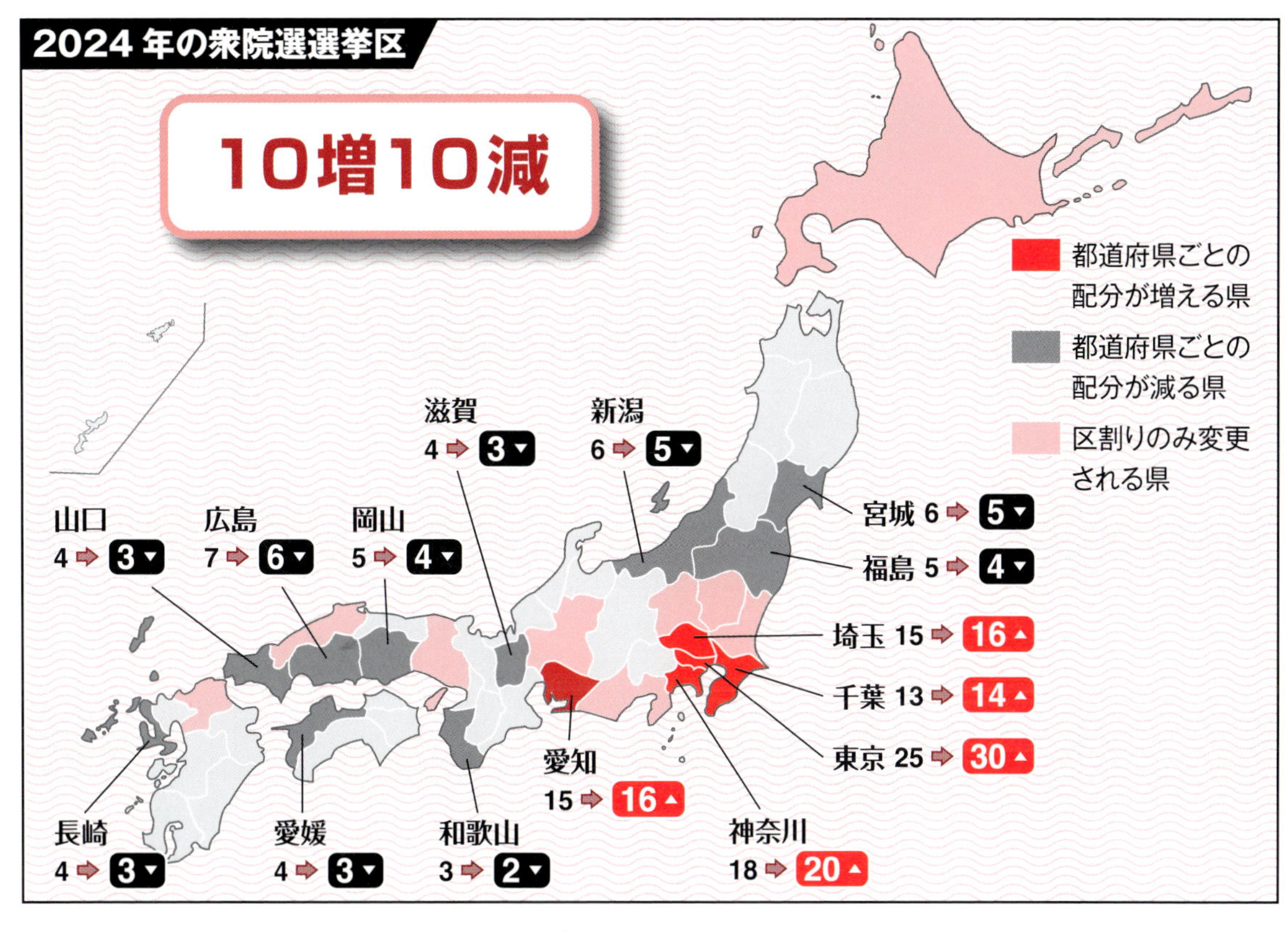

の解決にならない。そこで導入されたのが**アダムズ方式**だ。アメリカ第6代大統領のアダムズ大統領が考案したといわれることからこの名前で呼ばれている。

各都道府県の人口をある数で割り、その商の小数点以下を切り上げて小選挙区の数とするというもの。人口を割る数は、小選挙区の合計が定数に一致するように調整する。この方式で、2020年の国勢調査の結果をもとに計算した結果、小選挙区の数は東京で5、神奈川で2、埼玉、千葉、愛知で従来より1ずつ増えることになった。一方、広島、宮城、新潟、福島、岡山、滋賀、山口、愛媛、長崎、和歌山では1ずつ減り、全体では「**10増10減**」となった。このほか、小選挙区の数は変わらず線引きだけが変更される道府県もあり、全体では140の選挙区の区割りが変更された。これにより、一票の格差は国勢調査の時点では最大1・999倍に改善された。

もっともその後の人口変動により、2024年の衆院選では10の選挙区で2倍を上回った。人口が最も多い北海道3区と最も少ない鳥取1区との差は最大で**2・06倍**だ。

ちょこっと時事

防衛装備移転三原則 日本から海外へ武器（防衛装備品）を輸出する場合のルールのこと。政府は2023年12月に運用指針を改正し、従来は禁じられていた殺傷能力のある武器の輸出を条件付きで解禁した。このほか、他国と共同開発した武器の第三国への輸出も解禁された。

参照 データで見る2024年衆議院選挙 ››› P2　衆議院解散・総選挙 ››› P48

21 政治

防衛費の増額（安保3文書）

100字でナットク

2022年12月、岸田政権（当時）は防衛費の大幅増額や反撃能力の保有を定めた安保3文書を閣議決定した。防衛費は5年間で総額43兆円とし、アメリカからトマホークやF35戦闘機などを大量購入する計画だ。

安保3文書

国家安全保障戦略	今後10年間の外交・防衛の基本方針
国家防衛戦略 （旧称・防衛計画の大綱）	今後10年間の防衛力整備の方針
防衛力整備計画 （旧称・中期防衛力整備計画）	今後5年間に整備する装備品の規模や防衛費の総額を規定

●反撃能力の保有

敵国のミサイル攻撃に対し、ミサイル発射基地を攻撃

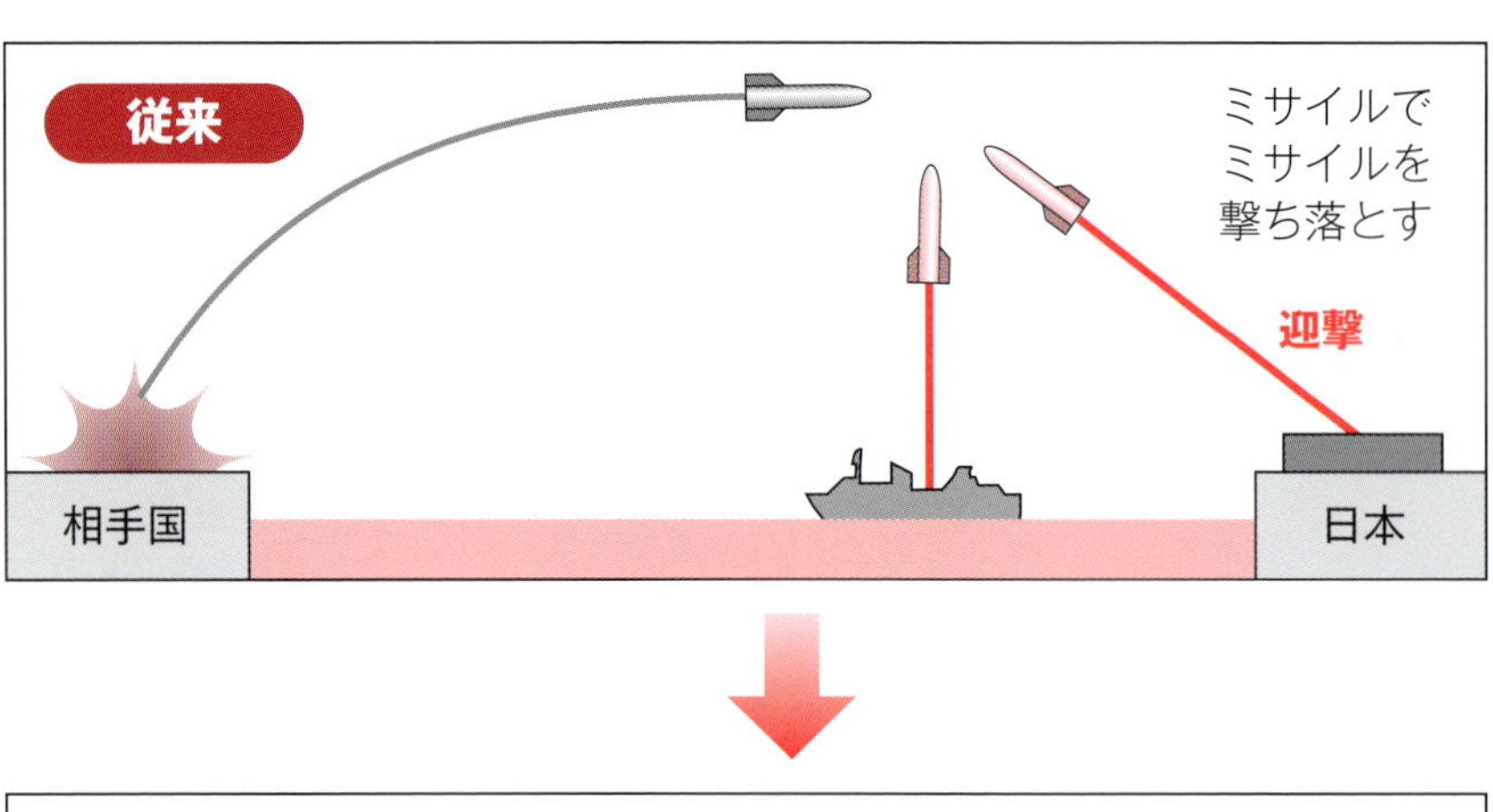

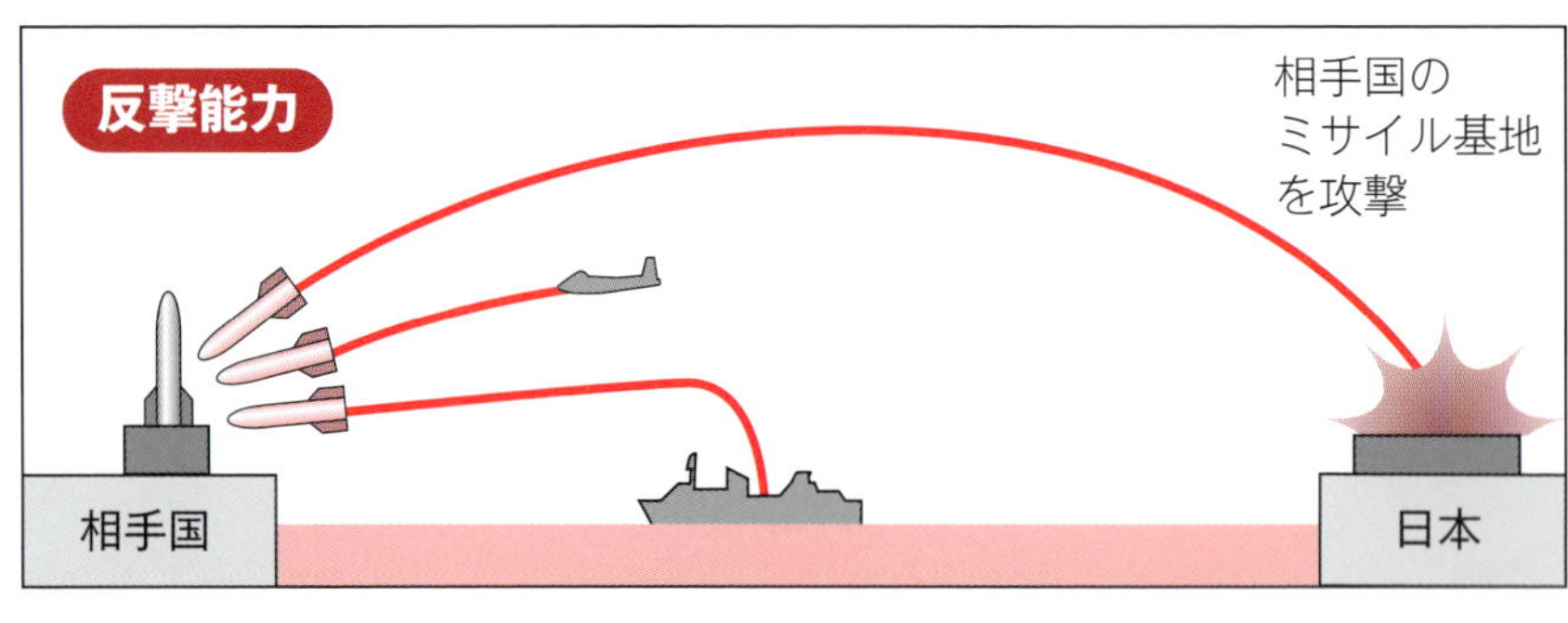

2022年12月、政府はいわゆる「**安保3文書**」を閣議決定した。

安保3文書とは「国家安全保障戦略」「国家防衛戦略」「防衛力整備計画」の3つの文書をいう。このうち「**国家安全保障戦略**」は、今後10年間程度の外交・防衛の基本方針を定めたもの。「**国家防衛戦略**」（旧称・防衛計画の大綱）は、今後10年間の防衛力のあり方を規定したものだ。政府はこれらの文書で、中国や北朝鮮、ロシアといった周辺国の軍備増強が急速にすすみ、日本の安全保障環境は厳しさ・複雑さを増していると説明。周辺国からミサイル攻撃を受けたとき、従来のミサイル防衛（飛んできたミサイルをミサイルで撃ち落とす）だけでは不十分として、相手のミサイル基地をたたく**反撃能力**をもつ必要がはじめて明記された。相手の射程圏外からミサイル攻撃できる**スタンド・オフ防衛能力**を早期に整備する。政府は、反撃能力は必要最小限

WEB 防衛省・自衛隊：
「国家安全保障戦略」・「国家防衛戦略」・「防衛力整備計画」

防衛費の増額

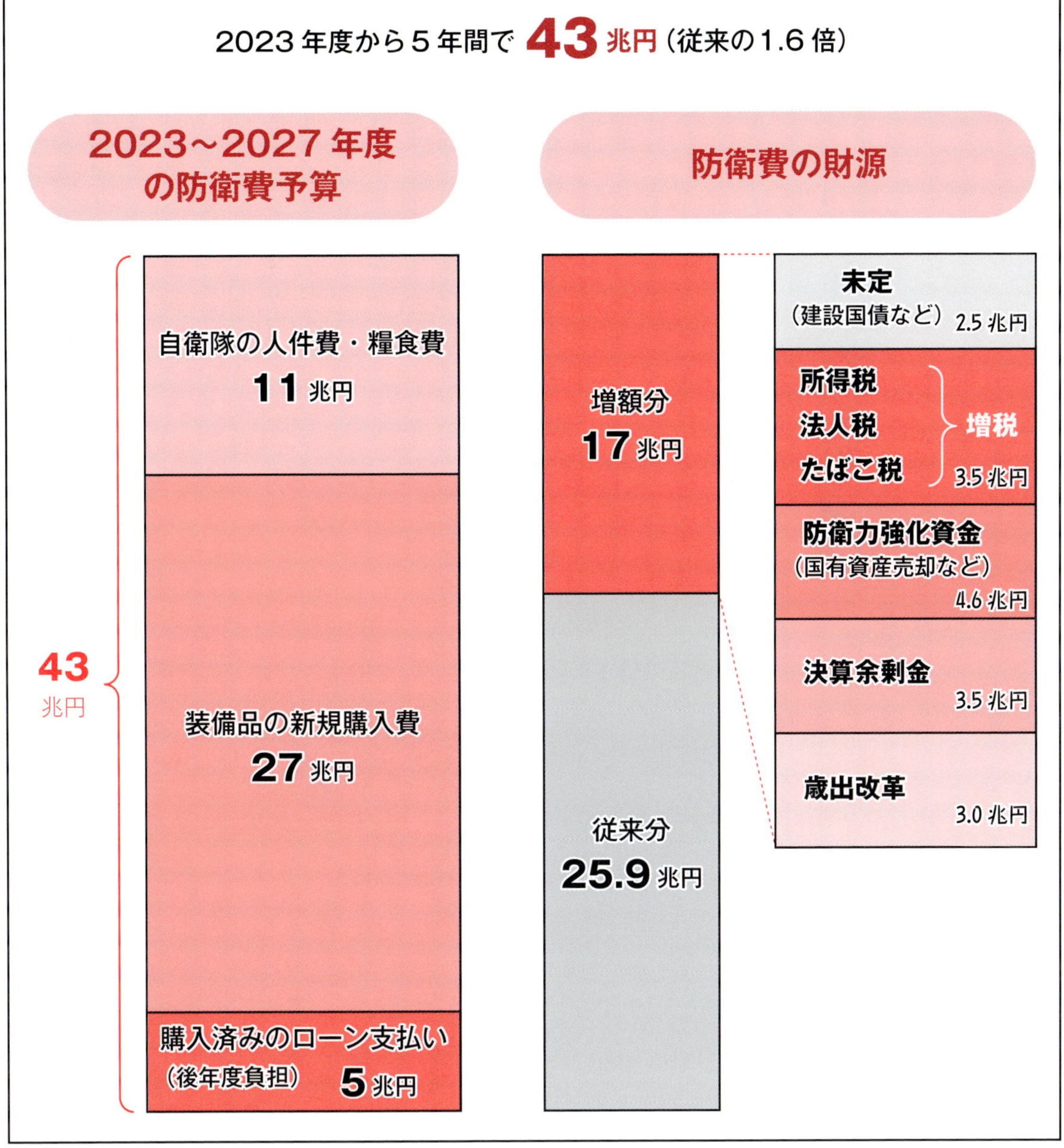

度の自衛措置であり、従来の専守防衛の考え方は変わらないとしている。

「**防衛力整備計画**」（旧称・中期防衛力整備計画）は、今後5年間に整備する戦力や必要な予算を定めたものだ。計画では、**防衛費を大幅に増額**し、2023年度から5年間で総額約43兆円とする。これを受け、2023年度予算には6・8兆円、2024年度には7・9兆円の防衛費が計上された。

予算の中で大きな割合を占めているのが、アメリカ政府から装備品を購入する**FMS**だ。アメリカが同盟国に有償で装備品を提供する制度だが、価格が言い値なので高額になりやすい。アメリカは日本に対し、防衛費を**GDPの2%以上**にすることを求めており、防衛費の増額はアメリカの思惑に沿ったものだ。

防衛費の増加分（5年間で約17兆円）は、**歳出改革**や**決算剰余金**の活用のほか、**法人税**、**所得税**、**たばこ税**の増税でまかなう。2023年6月には国会で防衛財源確保法が成立し、国有財産の売却などの税外収入を積み立てて複数年度で使う**防衛力強化資金**が創設された。

ちょこっと時事

防衛費の後年度負担 高額兵器の購入費を複数年度に分割して支払うローン制度。アメリカのFMS（有償軍事援助）により残高が積み上がっており、2022年度までに購入した分の返済残高は約5兆円。2023年度からの5年間に新規購入する装備品も、購入費27兆円に加えて16・5兆円は2028年度以降に支払う後年度負担となる。

参照 2024年度予算 ››› P70

辺野古基地新設問題

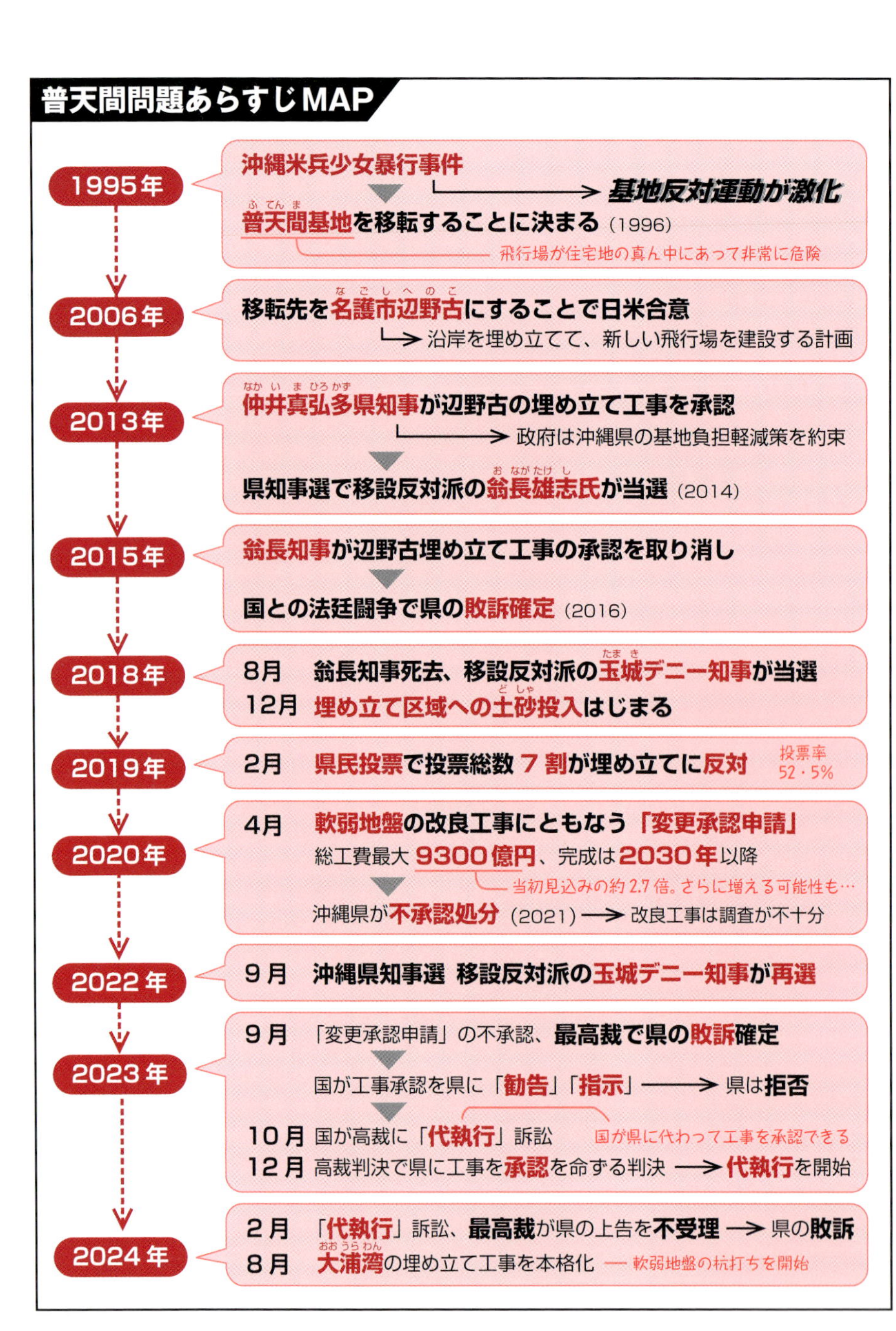

100字でナットク

政府は、沖縄県宜野湾市にある米軍の普天間基地を、同じ沖縄県内の名護市辺野古に移設する計画で、辺野古での埋め立て工事をすすめている。しかし沖縄県に米軍基地が集中している現状に、県内では反発も大きい。

１９９５年、米兵による少女暴行事件をきっかけに、沖縄では米軍基地への反対運動が激しくなった。日米間で協議が行われ、**宜野湾市**の住宅地にある**普天間飛行場**を別の場所に移転し、土地を返還することが決まった。

そこで問題になったのが移転先だ。沖縄県には、すでに日本にある米軍基地の**約７割**が集中している。沖縄は、県の面積の約８％が米軍施設なのだ。にもかかわらず、移転先として決まったのはやはり沖縄県だった。**名護市辺野古**にある米軍基地キャンプ・シュワブの沿岸を埋め立て、新たに飛行場をつくるというのが、日米両政府が合意した内容だ。

ところが、２００９年に民主党鳩山政権が成立すると、移転先をめぐる議論が再燃した。鳩山由紀夫首相（当時）は選挙で「**最低でも県外に**」と主張し、県外移設を公約にしていたからだ。しかしアメリカとの交渉

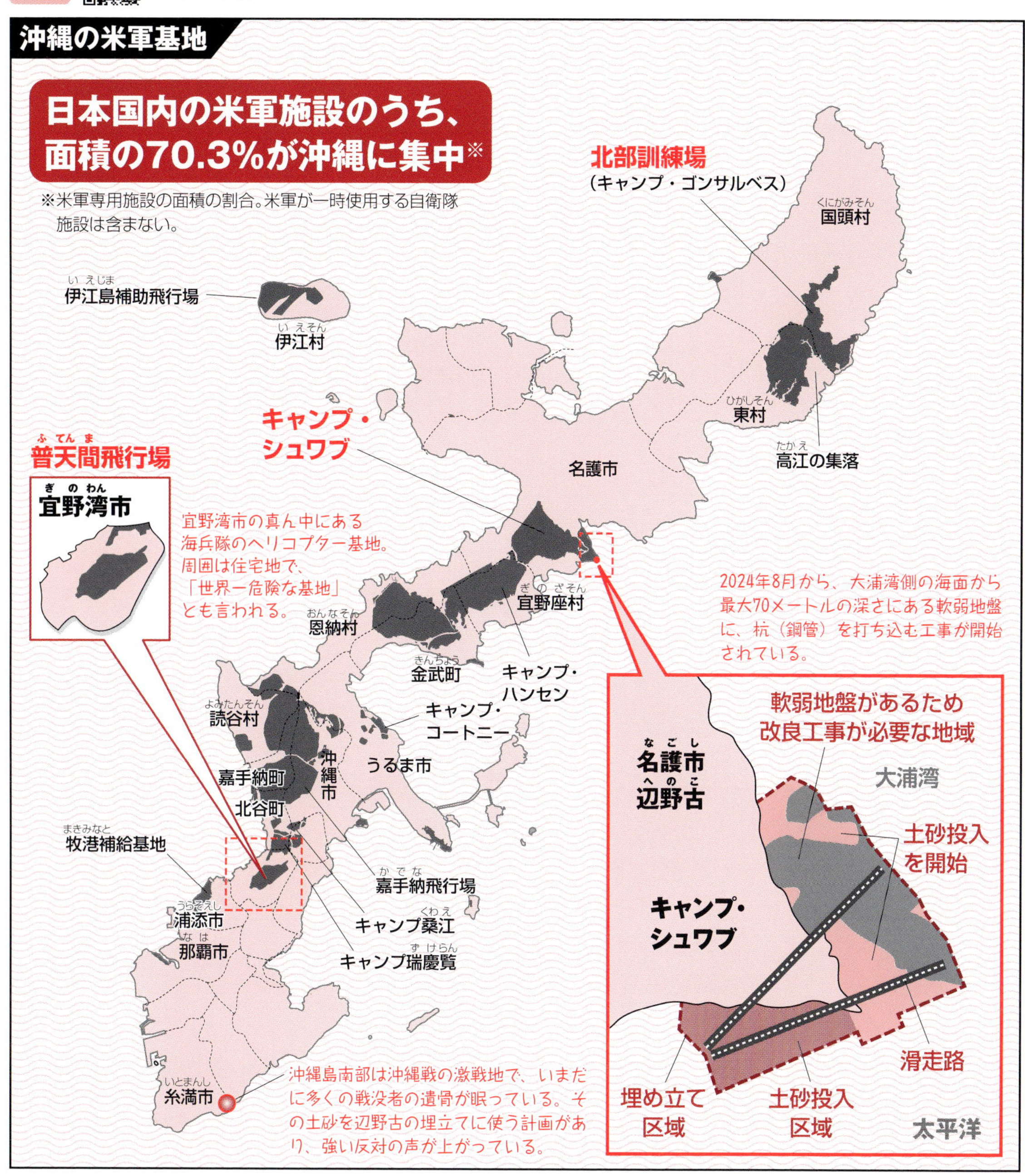

の結果は、結局「**辺野古への移設**」だった。鳩山首相はこの問題で信頼を失い辞任。約束を反故にされた沖縄では、辺野古への移設反対論が再び優勢となった。

2013年、沖縄県の仲井真弘多知事（当時）は、政府が提示した基地負担軽減策と引きかえに辺野古の埋立工事を承認した。ところが次の知事選では移設反対を掲げた**翁長雄志**氏が当選する。翁長知事は埋立工事の承認を取り消したが、政府は沖縄県を提訴し、県は敗訴した。

こうして2018年12月、政府はついに辺野古での土砂投入を開始した。しかし問題はまだある。埋め立て区域内の海底に**軟弱地盤**があり、大規模な地盤改良工事が必要なことがわかったのだ。軟弱地盤は海面下90メートルに及ぶが、70メートルより深い部分の工事は世界で例がない。完成まで12年、費用は最大9300億円に及ぶという。

沖縄県の**玉城デニー**知事は、この改良工事は調査が不十分として承認せず、国との裁判となった。2023年12月、国による**代執行**を高裁が認め、大浦湾の埋め立て工事がはじまっている。

ちょこっと時事

代執行　国が地方自治体に委任している事務を、国が代わりに処理すること。放置すると著しく公益を害する等の理由があり、知事が国の勧告・指示に従わなかった場合には、国が高裁に提訴する。国が勝訴すれば高裁が知事に命令し、それにも従わなかった場合には担当大臣が代わって事務を行う。

憲法改正論

100字でナットク

憲法を改正しようという議論が活発だ。改憲に積極的な自民党は、現行憲法の第9条の改正や、緊急事態条項の創設を主張する。憲法改正の手続きを定めた国民投票法も整備されたが、改正に反対する声も根強くある。

憲法改正の手続き

改正原案を国会に提出

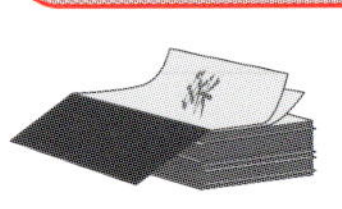

- **衆院100人以上、参院50人以上の賛成が必要**

憲法審査会で審査

改正案を国会で可決

- **衆院・参院のそれぞれ3分の2以上の賛成が必要**

国会が憲法改正を発議

- **60~180日の国民投票運動**
- **公務員の意思表示も可**（地位を利用した運動は禁止）
- **運動費の上限やポスター等の枚数制限なし**
- **テレビCMも可**（投票日の2週間前まで）

国民投票

- **18歳以上が投票**
- **賛成・反対どちらかに○を付ける（個別の改正案ごとに投票）**
- **有効得票の過半数の賛成が必要**（最低得票率なし）

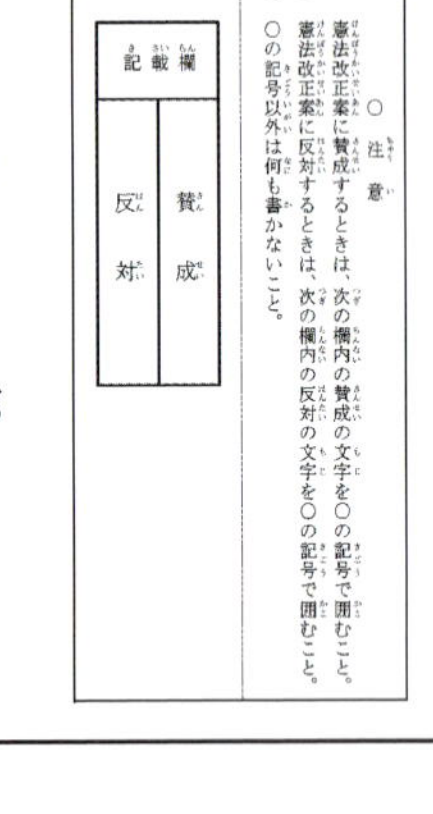

○注意
一　憲法改正案に賛成するときは、次の欄内の賛成の文字を○の記号で囲むこと。
二　憲法改正案に反対するときは、次の欄内の反対の文字を○の記号で囲むこと。
三　○の記号以外は何も書かないこと。

記載欄
賛成
反対

改正憲法の発布

憲法とは、簡単にいえば「国家が守るべきルール」を定めたものだ。法律は国民が従うべきルールを定めたものだが、その法律は憲法が定めたルールにのっとっていなければならない。たとえば「政府を批判してはならない」といった法律がつくれないのは、国民の「表現の自由」が憲法で保障されているおかげだ。

そんな憲法を改正しようという議論が、近年活発になっている。とくに自民党は憲法改正を党是としており、2012年には**改正草案**を発表している。

しかし、現憲法を全面的に書き換えるのはハードルが高い。そこで自民党は2018年3月、次の**4項目からなる改憲案**をまとめた。

①自衛隊の明記：現憲法は第9条で「戦争の放棄」を宣言している。そのため、今の日本に自衛隊があるのは憲法違反ではないかという意見がある。自民党案は、第9条につい

WEB 国立国会図書館：日本国憲法の誕生　自民党：憲法改正実現本部

自民党の改憲原案

①自衛隊の明記
- 第9条の条文は変えず、「**第9条の2**」を新設して自衛隊を明記する。

②緊急事態条項の創設
- 大規模災害などの緊急事態が発生した場合に、政府が**政令を制定**できる。
- 緊急事態時には国会議員の**任期を延長**する。

③参院選の合区解消
- 参議院議員は「1票の格差」にかかわらず、各都道府県から**1人以上選出**できるようにする。

④教育の充実
- 経済的理由にかかわらず**教育を受けられる**ように国に努力義務を課す。
- **私学助成**（国が私立学校を援助すること）の合憲性を明確にする。

国会の改憲派と護憲派の割合

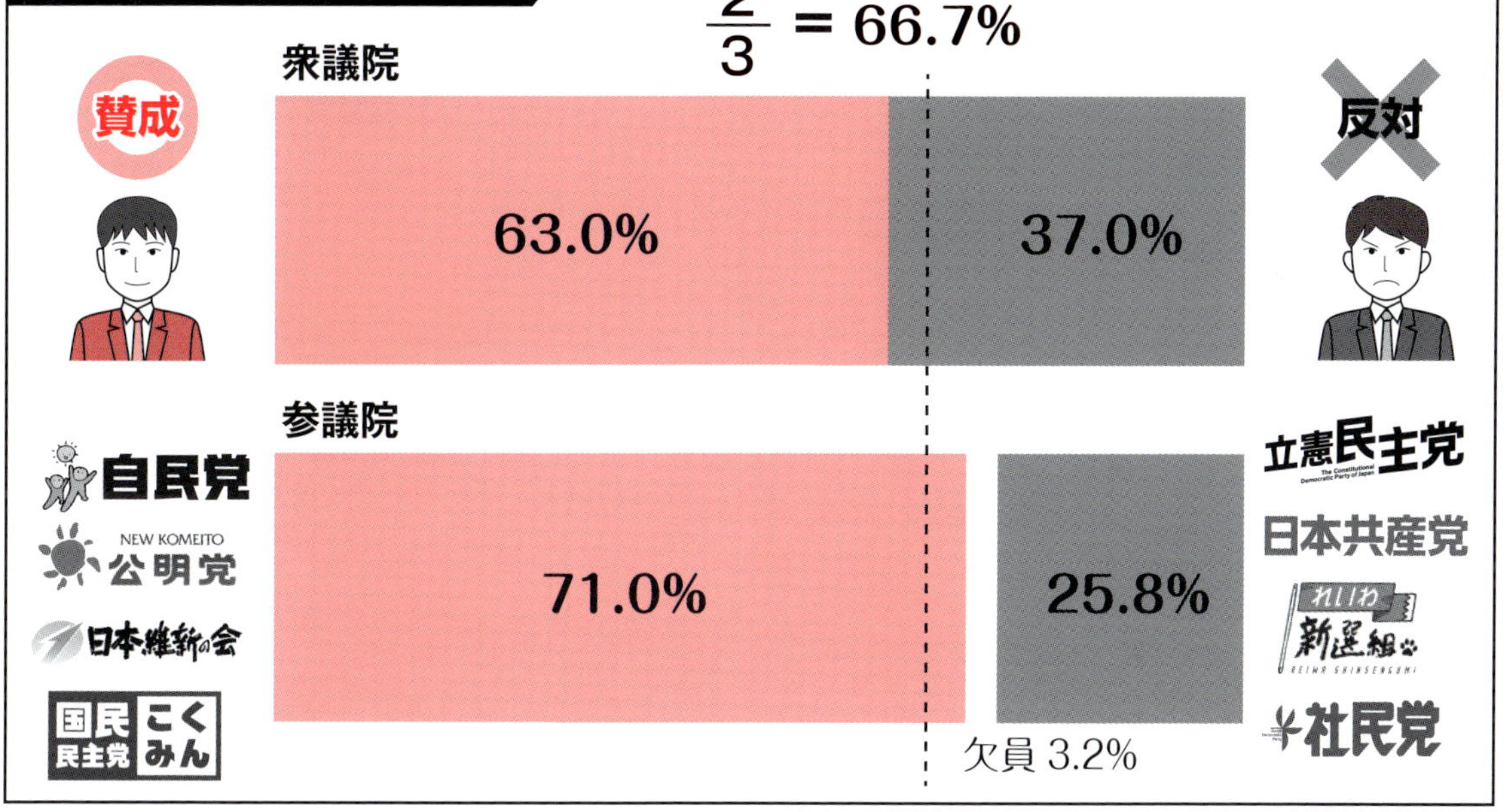

$\frac{2}{3} = 66.7\%$

	賛成	反対
衆議院	63.0%	37.0%
参議院	71.0%	25.8%

欠員 3.2%

賛成：自民党、公明党（NEW KOMEITO）、日本維新の会、国民民主党
反対：立憲民主党（The Constitutional Democratic Party of Japan）、日本共産党、れいわ新選組（REIWA SHINSENGUMI）、社民党

ては変更せずに第9条の2を新設し、自衛隊を明記するというものだ。一方、条文の追加によって第9条が死文化し、軍備拡張や自衛隊の海外活動に歯止めが効かなくなるという反対意見も根強い。

②緊急事態条項の創設：大規模災害やテロなどの非常事態が発生したとき、政府の権限を一時的に強化する規定を設けるというもの。国家による人権の制限につながりかねないといった反対意見がある。

③参院選の合区解消：参議院議員は一票の格差（56ページ）にかかわらず、各都道府県から1人以上選出できるようにする。

④教育の充実：経済的理由にかかわらず教育を受けられるようにし、私学助成の規定を改める。

実際の憲法改正の流れは次のとおりだ。①国会議員（衆議院100人以上、参議院50人以上）が改正原案を発議する、②衆参両院に設けられた憲法審査会が原案を審査する、③衆参両院で**3分の2以上**の賛成を得る、④18歳以上の有権者による国民投票で、過半数の賛成を得る。このうち、国民投票の具体的な手続きについては、**国民投票法**で定められている。

ちょこっと時事

日米地位協定　日本に駐留している米兵に対し、日本国内での地位や行動範囲などを規定する日米間の協定。米兵が公務中に起こした犯罪については米側に裁判権があることと、公務外で起こした犯罪についても、犯人が基地内にいる場合は日本側が起訴するまで米側に身柄が置かれることなど、米兵に様々な特権が認められている。

選択的夫婦別姓

選択的夫婦別姓

民法750条
「夫婦は、婚姻（こんいん）の際に定めるところに従い、夫又は妻の氏（うじ※）を称する。」
← 夫婦同姓を強制

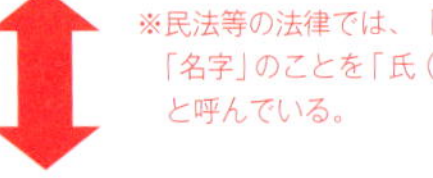

※民法等の法律では、「姓」や「名字」のことを「氏（うじ）」と呼んでいる。

選択的夫婦別姓　夫婦の希望する場合には、それぞれが結婚前の姓を名乗ってもよい。

●内閣府「家族の法制に関する世論調査」　※全国の18歳以上から無作為抽出した5千人を対象に、5年ごとに実施

2017年

	夫婦は必ず同じ名字（姓）を名乗るべきであり、法律を改める必要はない	法律を改めてもかまわない	夫婦は必ず同じ名字（姓）を名乗るべきだが、婚姻前の氏を通称として使えるように法律を改めることはかまわない	わからない
総数（参考）	29.3%	42.5%	24.4%	3.8%

2021年

	現在の制度である夫婦同姓制度を維持した方がよい	現制度を維持し、旧姓の通称使用法制度も設ける	選択的夫婦別姓制度を導入した方がよい	無回答
総数（参考）	27.0%	42.2%	28.9%	1.9%

2017年と2021年の世論調査は、アンケートの「聞き方」や「選択肢の並び順」を変更しているため、単純に増減を比較できないという見方もある。

100字でナットク

夫婦が希望すれば、結婚した男女がそれぞれの姓を名乗ってもよいとする選択的夫婦別姓制度。導入を求める声が以前からあるが、政府・自民党が反対している。しかし夫婦同姓を義務付けている国は世界で日本だけだ。

現行の日本の民法では、結婚した夫婦は同じ姓（せい）（名字）を名乗らなければならない。夫か妻のどちらかが姓を変える必要があるが、現実には妻が夫の姓に変えるケースが96％と圧倒的に多く、結果的に女性に不便や不都合を強いることが慣習になっている。夫婦に同姓を強制する現在の制度は、女性差別の間接的な原因となっているのではないか。

そこで、「夫婦が望むのであれば、結婚後も夫婦がそれぞれの姓を名乗ってもよいことにしよう」という議論がある。これを**選択的夫婦別姓**（せんたくてきふうふべっせい）（選択的夫婦別氏（べつうじ）（法務省））という。

じつは、選択的夫婦別姓を求める意見はかなり以前からある。法務大臣の諮問（しもん）機関である法制審議会は、1996年に導入を提言したが、自民党の反対で見送られた。国連の**女子差別撤廃（てっぱい）委員会**は、現在の日本の夫婦同姓制度は差別的な規定だとして、2003年から何度も改善を勧

WEB 選択的夫婦別姓・全国陳情アクション 別姓訴訟を支える会

選択的夫婦別姓をめぐる議論

賛成

- 改姓によってキャリアが分断されたり、結婚や離婚などのプライベートが公になるなど不都合が多い。
- 旧姓を通称として使用できる範囲は限定的で、国際的に通用しない場合もある。
- 結婚しても夫婦は独立した個人なのだから、一方に姓の変更を強いるのは不合理である。
- 現実には女性が姓を変える場合が圧倒的に多く、男女平等といえない。
- 希望するカップルに別姓を認めるだけで、従来どおり同姓を希望するカップルに不都合は生じない。

反対

- 通称がより幅広く使用できるように法律を改正すればよい。
- 現行の民法は男女どちらの姓にしてもよいのだから、男女平等は保障されている。
- 家族の一体感がなくなり、家族制度が崩壊する。
- 子どもの姓がどちらか一方の姓になり、混乱する。

●年表

1996	**法制審議会**が選択的夫婦別姓制度の導入を答申
2015	最高裁が現行の夫婦同姓規定を合憲と判断
2020	政府が第5次男女共同参画基本計画から「選択的夫婦別姓」の文言を削除
2021	最高裁が再び合憲判断
2024	**経団連**が政府に選択的夫婦別姓の早期実現を求める提言
	国連女子差別撤廃委員会が差別的規定を廃止するよう日本政府に勧告（2003、2009、2016年に続き4回目）

●政党別賛否

賛成

立憲民主党
日本共産党
社民党

NEW KOMEITO 公明党

日本維新の会

自民党

告しているが、政府の態度は煮え切らない。とうとう、夫婦同姓を法律で義務付けている国は世界中で日本だけになってしまった。

「現行の夫婦同姓は男女平等を定めた憲法に違反する」として、国を訴える裁判も起こされた。2015年の最高裁判決は現行の夫婦同姓そのものは合憲としたが、制度については国会で議論するべきだとしている。

しかしこれまでのところ、政府・自民党は導入にきわめて消極的だ。2020年12月に公表された**第5次男女共同参画基本計画**では、当初の政府案にあった選択的夫婦別姓の記述が自民党の反対で削除されている。

内閣府が2017年に行った世論調査では、選択的夫婦別姓に賛成する意見は42.5%を占めていた。しかし2021年に行った調査では質問項目を変更しており、賛成は28.9%にとどまっている。

選択的夫婦別姓に対する主な反対意見としては「家族の絆が崩壊する」「両親の姓が違うと、片方の親は子供と姓が違ってしまい、子供に負担がかかる」「旧姓を通称として使用すれば不都合はない」などがある。

ちょこっと時事

こども家庭庁 2023年4月に発足した新しい政府機関。これまで厚生労働省や内閣府などに分かれていた子どもに関する部署を統合し、子育て支援や子どもの貧困対策、少子化対策などを受け持つ。幼稚園や義務教育は引き続き文部科学省の所管となったため、幼保一元化は見送られた。

参照 同性婚 ››› P113

25

政治

岸田政権の3年

100字でナットク

２０２１年に発足した岸田政権は、自民党の旧統一教会との接点や派閥の裏金問題などで支持率を失い、３年あまりの政権に幕を下ろした。岸田政権の主な業績として、防衛費の増額やマイナ保険証の推進などがある。

岸田政権のこれまで

2021年（令和３年）	
10月	岸田政権発足 「新しい資本主義」を表明
	衆議院解散・総選挙自民党単独で絶対安定多数の議席獲得
2022年（令和４年）	
7月	安倍元首相銃撃により自民党議員と旧統一教会との接点が判明
8月	内閣改造（第二次岸田第１次改造）
9月	急激な円安進行に対し、政府・日銀が24年ぶりに為替介入
	安倍元首相の国葬
10月	紙の健康保険証を廃止しマイナ保険証一本化へ
10月～12月	山際大志朗経済再生相、葉梨康弘法相、寺田稔総務相、秋葉賢也復興相が相次いで辞任
12月	安保関連３文書を閣議決定 反撃能力の保有を明記
2023年（令和５年）	
2月	原発推進に方針を転換次世代型原発建設、運転期間60年超の延長
5月	日韓首脳会談 日韓関係改善
	新型コロナ「5類」移行
	G7広島サミット
6月	改正入管法成立
	こども未来戦略方針を閣議決定
	防衛費の大幅増額を可能とする財源確保法成立
	LGBT理解増進法成立
8月	福島第一原発「処理水」の海洋放出開始
9月	内閣改造（第二次岸田第２次改造）政務官・副大臣の辞任相次ぐ
10月	インボイス制度開始
11月	自民党派閥の政治資金パーティーの裏金問題
2024年（令和６年）	
12月14日	裏金問題を受けて安部派４閣僚が交代
6月19日	改正政治資金規正法成立

２０２１年10月に発足した**岸田文雄政権**は、岸田氏が次期自民党総裁選に立候補せず、３年あまりで幕を下ろした。

岸田政権の行った政策として、防衛費の大幅な増額やマイナ保険証の事実上の義務化などがある。エネルギー政策では原発推進の方針をとり、少子化対策として「こども未来戦略」の策定などをすすめた。経済対策では急速にすすんだ円安と物価高を背景に、賃上げ・デフレ脱却の方針を掲げた。外交では日韓関係の改善と、Ｇ７広島サミットの開催が大きな成果といえる。

一方、２０２２年に安倍元首相が銃撃された事件をきっかけに、多数の自民党議員と旧統一教会との接点が明らかになり、対応に追われた。また、２０２３年には自民党派閥の裏金問題が発覚し、国民の深刻な政治不信を招くと同時に、対応をめぐって自民党内での求心力も失った。

参照 石破新内閣の顔ぶれ ››› P22

26 政治 セキュリティークリアランス

WEB 内閣府：経済安全保障

セキュリティークリアランスとは

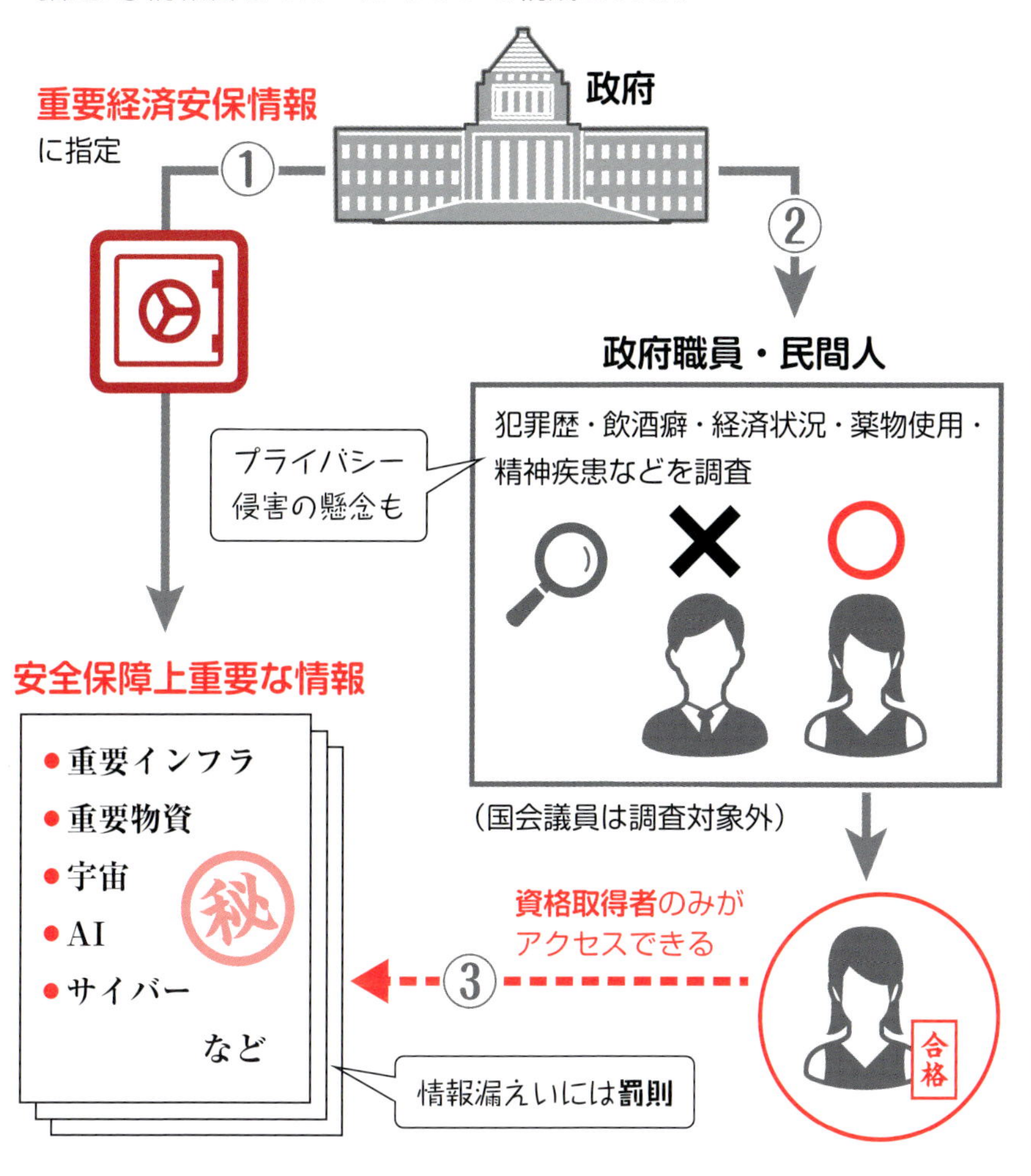

100字でナットク

2024年5月、セキュリティークリアランス制度創設に向けた重要経済安保情報保護活用法が国会で可決成立した。情報の漏えいを防ぐと同時に、先端技術の国際共同開発や官民共同開発をしやすくするねらいがある。

セキュリティークリアランス（適正評価）制度とは、国の安全保障にかかわる重要な情報にアクセスする人の身辺を国が調査して、アクセスの権限を国が認めた人だけに制限する制度だ。

同様の制度は**特定秘密保護法**という法律ですでに導入されているが、こちらは防衛・外交・スパイ防止・テロ防止の４分野のみが対象なのに対し、新しいセキュリティークリアランスでは**経済分野も対象**となる。また、民間企業の従業員も対象とすることで、官民共同研究や、すでに制度が導入されている国との国際共同開発に、日本の企業が参加しやすくなるメリットもあるという。

一方、民間人を調査するにあたっては、プライバシー侵害とならないか、調査を断った場合やアクセス権限が認められなかった場合に、会社から不利益を受けないかなどの懸念も指摘されている。

経済安全保障推進法　高度な科学技術が海外に流出しないようにしたり、医薬品や半導体などの必要物資が不足しないようにする経済安全保障をすすめるための法律。①サプライチェーンの強化、②基幹インフラの事前審査、③先端技術の官民協力、④特許非公開を４本の柱とする。2022年5月に制定され、2024年5月に施行された。

WEB 経団連
（一般社団法人日本経済団体連合会）

27 政治

経団連（日本経済団体連合会）

100字でナットク

経団連は日本の大手企業が加盟する団体で、その政策提言は日本の経済政策に重要な影響を与えている。自民党は経団連の意向を政策に反映することで、毎年多額の企業献金を受けている。

日本の経済３団体

日本の経済3団体

日本経済団体連合会（経団連）

日本の有力企業を中心に構成され、国の経済政策に影響力をもつ団体。

会長：**十倉雅和**（とくらまさかず）氏（住友化学会長）

主な主張

- 法人税の減税
- 社会保障財源として消費税を増税
- 規制改革

十倉雅和
経団連会長

写真：首相官邸 HP

日本商工会議所（日商）

全国の商工会議所をとりまとめる機関。中小企業が多数参加している。

会頭：**小林健**（こばやしけん）氏（三菱商事相談役）

経済同友会

企業経営者が個人で参加し、国内外の問題について議論し、見解を提言する団体。

代表幹事：**新浪剛史**（にいなみたけし）氏（サントリーホールディングス社長）

経団連（けいだんれん）（正式名称「日本経済団体連合会」）は、日本の有力企業が多数加盟する経済団体だ。**日本商工会議所**、**経済同友会**と並び、日本の経済三団体のひとつとされている。

経団連は自民党の支持母体のひとつで、政治に強い影響力をもっているのが特徴だ。日本の経済政策に提言を行うなど、財界の意向を国政に反映させる力をもっている。政府がこれまでに行ってきた法人税減税・消費税増税は、経団連の提言を忠実に実現したものだ。２０２３年９月、経団連の**十倉雅和**（とくらまさかず）会長（住友化学）は「消費税増税から逃げてはいけない」と発言し、さらなる消費税増税の必要性を強調した。

経団連は会員企業に対し、**政治献金**をするよう毎年呼びかけている。献金先の基準となる政策評価では自民・公明与党の政策を高く評価しているため、自民党には毎年多額の企業献金があつまっている。

SPECIAL 国際 政治 経済 社会 環境・健康 情報・科学 文化・スポーツ

WEB 連合（日本労働組合総連合会）

28 政治

連合（日本労働組合総連合会）

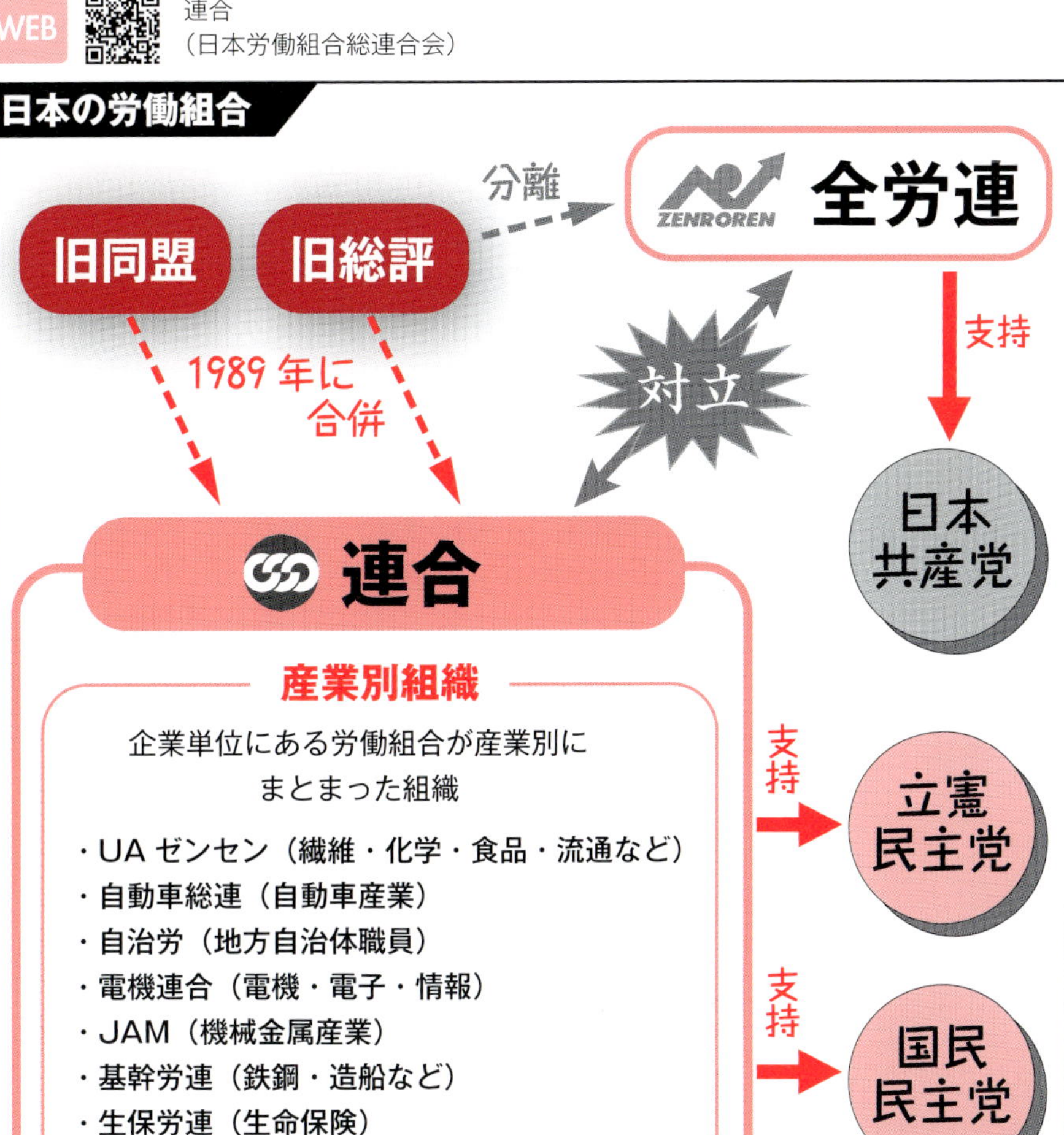

芳野友子連合会長

100字でナットク

連合は、全国の労働組合が集まってつくる連合組織。主に立憲民主党の支持基盤だが、日本共産党とは対立している。連合の芳野会長は共産党との共闘に強く反対し、選挙での野党共闘をはばんでいる。

労働者が団結して、労働条件の改善や賃金の引き上げなどを図るための組織を**労働組合**という。日本の労働組合は企業ごとに組織されることが多い。それらが産業ごとにまとまって産業別組織となり、さらに全国の産業別組織があつまって連合組織（ナショナルセンター）をつくっている。そのひとつが**連合**（日本労働組合総連合会）だ。組合員数は約700万人で、政治的には主に立憲民主党の支持基盤となっている。ただし、共産党系の労働組合がつくる全労連と対立しているため、共産党には批判的だ。

現在の選挙制度では、非自民党勢力は協力しないと自民党に太刀打ちできない。しかし2022年の参院選で、連合の**芳野友子**（よしのともこ）会長は共産党との共闘に強く反対した。選挙は自民党が勝利し、野党の弱体化が際立つ結果となった。労働者の声が政治に届きにくくなっている。

ちょこっと時事

ふるさと納税　個人が自分で選んだ自治体に寄付をすると、寄付額のうち2000円を超える分の住民税や所得税が控除される制度。寄付先の自治体からは様々な返礼品が贈られる。寄付を募るための返礼品競争が過熱したため、返礼品は地場産品で、調達費用が寄付金の3割以下というルールが設けられた。

29
経済

２０２４年度予算

100字でナットク

２０２４年度の一般会計予算は約１１２・６兆円と、史上2番目に大きな予算となった。国の借金は１３００億円を超え、財務省は危機感を募らせている。政府は２０２５年度のプライマリーバランス黒字化を掲げている。

2024年度予算

2024年度 一般会計予算　112兆5717億円（前年度比1.6%減）

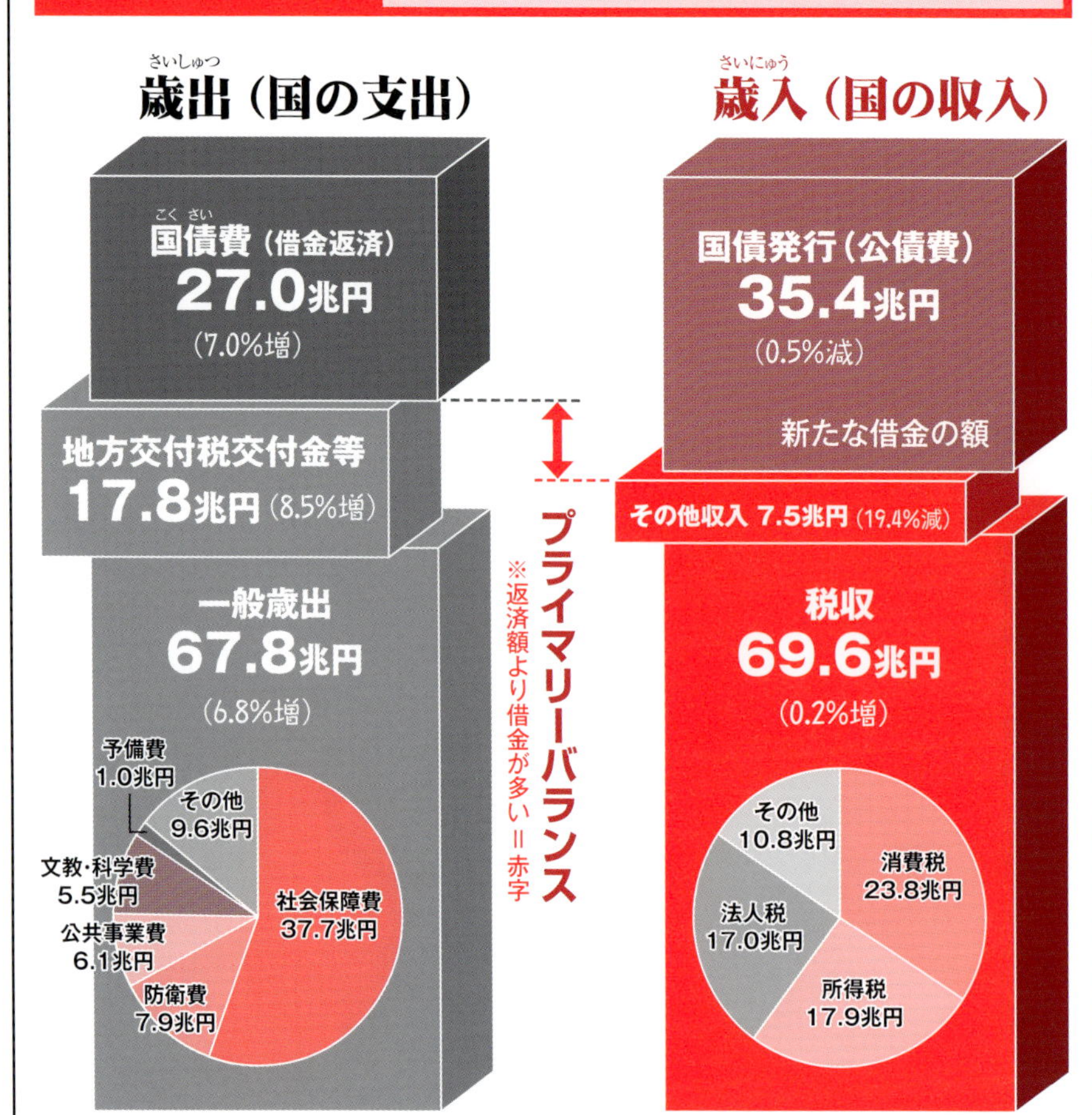

※カッコ内は前年度比

- 予算総額は前年度を下回ったものの、3年連続110兆円超え
- 防衛費はGDPの約1.6%
- 能登半島地震の復旧に備え、予備費を5000億円増額

国の基本的な収入と支出の見積もりを**一般会計予算**という。日本では、政府が年度（4月から翌年3月まで）ごとに予算をつくり、国会の承認を受けて予算が決まる。２０２４年度の一般会計予算の総額は前年度をわずかに下回る**１１２兆５７１７億円**となった。歳出では**社会保障費**と**防衛費**が増えたほか、能登半島地震の復興に備えて**予備費**が増額された。

１１２・６兆円の支出に対し、税金による収入は６９・６兆円しかない。足りない分のほとんどは**国債**を発行してまかなうことになる。国債というのは「○年後に利子をつけて換金します」という約束をして売り出す債券で、要するに国の借金だ。毎年の予算には、この借金の返済分が**国債費**として盛り込まれている。２０２４年度予算の歳出と歳入を比べてみると、国債費２７兆円に対し、国債の発行額は３５・４兆円。つまり、**借金の返済額より、新しく借金する**

WEB 財務省：予算・決算
（国のお金の使い道）

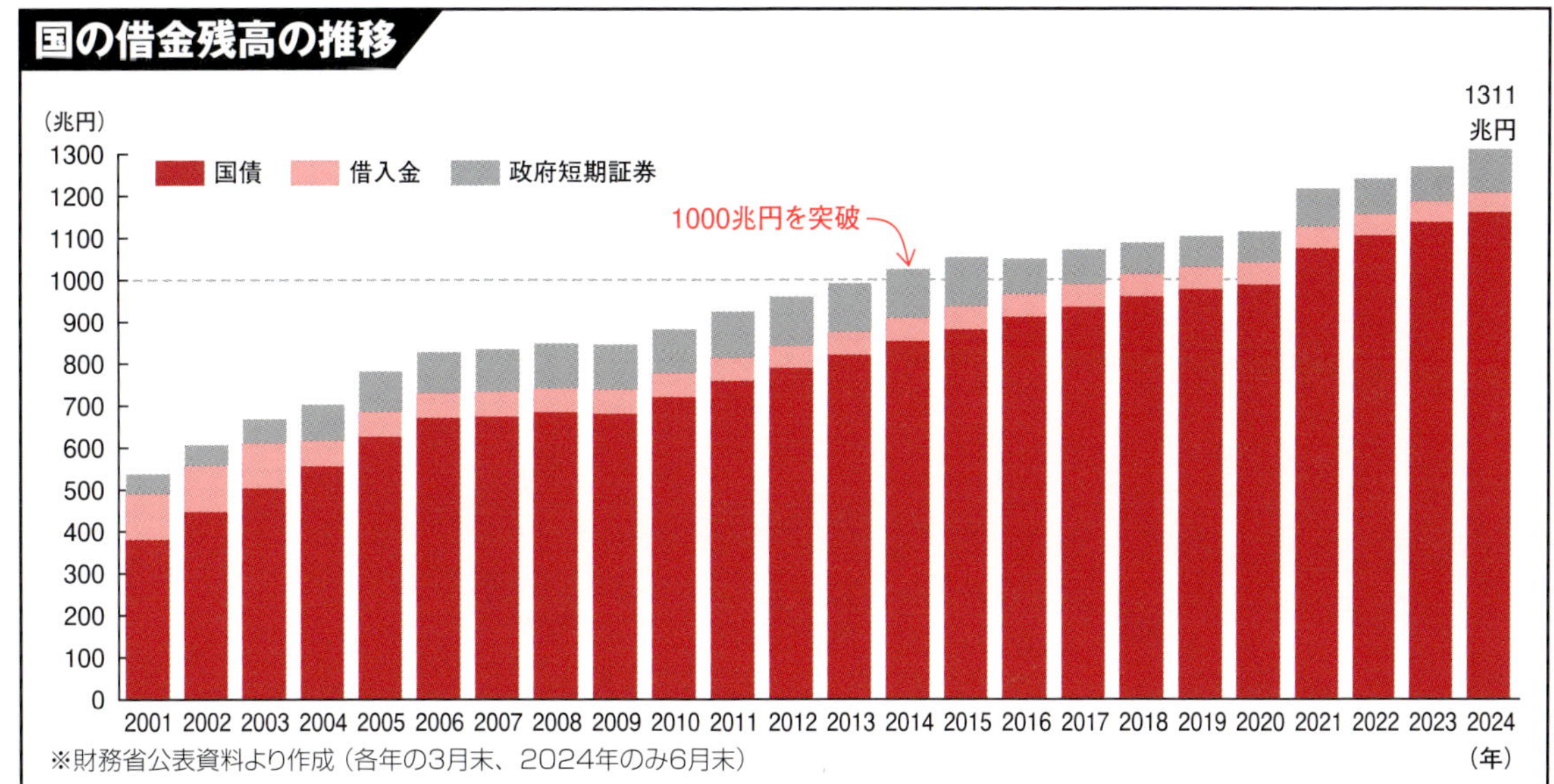

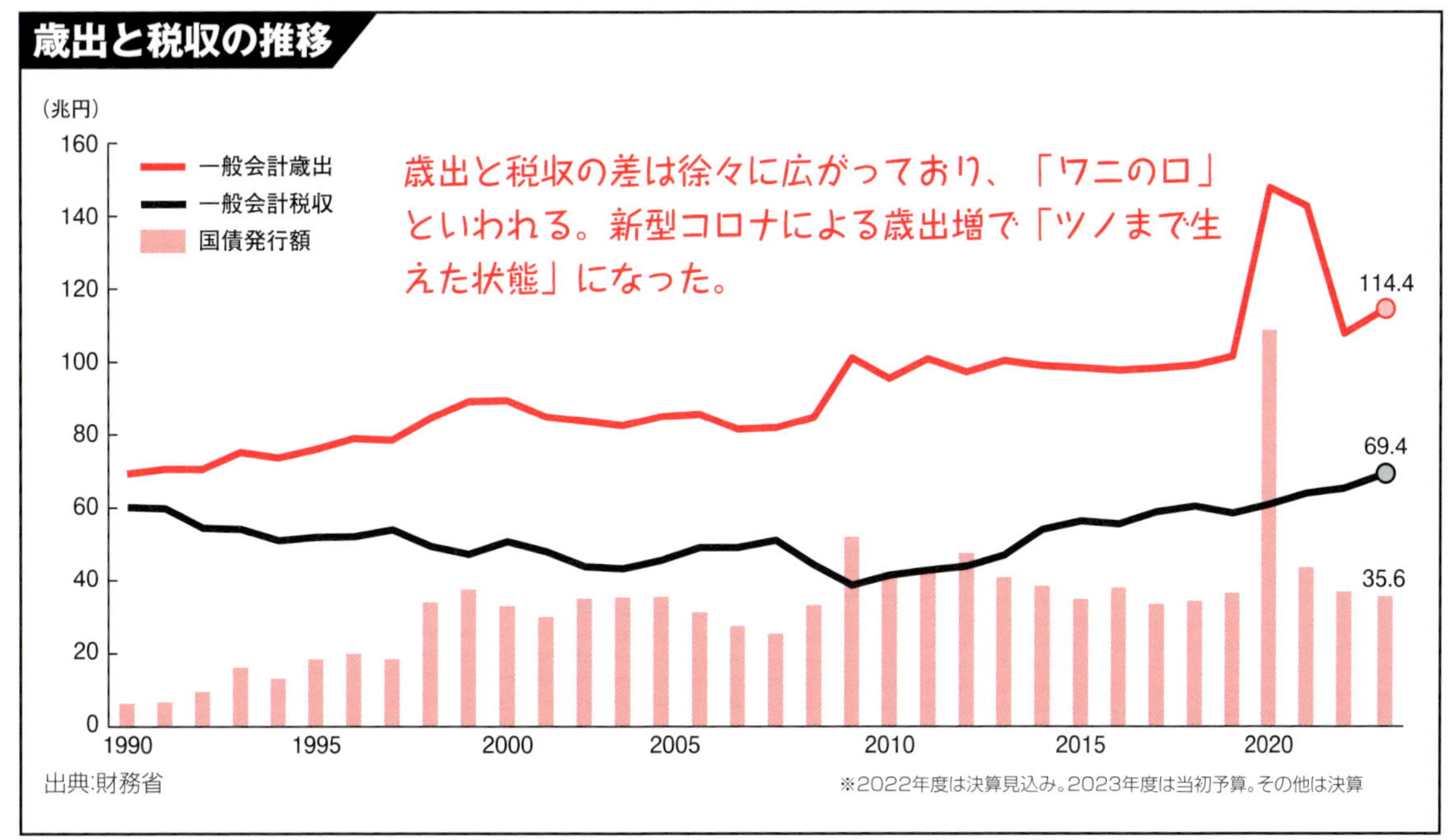

額のほうが多い。この状態は今年に限ったことではなく、もう30年以上も続いている。返すより借りるお金のほうが多ければ、当然借金は増えていく。借金総額は積もりに積もって、2024年には1300兆円を突破した。

　これほどの借金を抱えて、なぜ破綻しないのだろうか？　理由のひとつは、自国通貨である円で借金しているからだ。円を発行すれば少なくとも返済に困ることはない。また、発行した国債のほとんどは国内で消化されているので、外国から返済を迫られる心配もない。

　とはいえ、政府の財布を管理する財務省は、ふくらみ続ける借金に危機感を募らせている。毎年の国債費（借金返済額）と国債発行額の差を**プライマリーバランス**（基礎的財政収支）という。せめて借金をこれ以上増やさないためには、プライマリーバランスを黒字化する必要がある。政府は2025年度の黒字化を目標としている。もっとも、財政破綻を心配しすぎて増税や緊縮を行うと、今度は国民の生活が苦しくなる。国の借金が減っても、国民が貧乏になってしまっては本末転倒だ。

ちょこっと時事

ビール系飲料の税率改正　2023年10月に酒税法が改正され、ビールにかかる税金が350ミリリットル換算で63・35円に引き下げられる一方、第3のビールにかかる税金が引き上げられ、発泡酒と同じ46・99円になった。2026年には、これらが54・25円に統一される。

参照 防衛費の増額（安保3文書）»» P58　マイナス金利政策の解除 »» P72

30
経済
マイナス金利政策の解除

日銀は物価上昇率2%を目指し、長期にわたって大規模な金融緩和政策を続けた。2022年以降に物価は高騰し、金融緩和策は修正を迫られている。2024年3月、日銀はマイナス金利の解除を発表した。

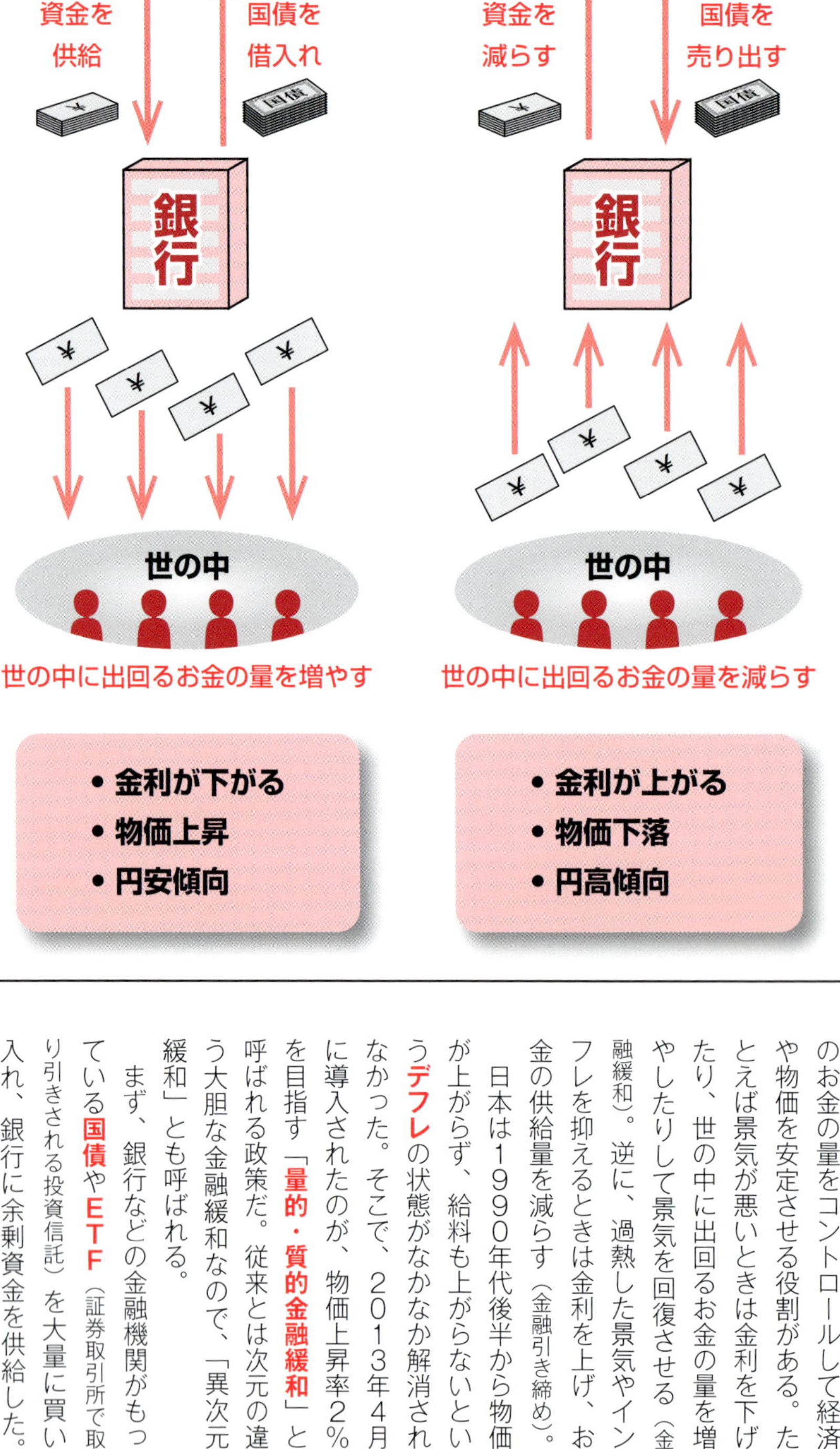

日本銀行（略して日銀）には世の中のお金の量をコントロールして経済や物価を安定させる役割がある。たとえば景気が悪いときは金利を下げたり、世の中に出回るお金の量を増やしたりして景気を回復させる（金融緩和）。逆に、過熱した景気やインフレを抑えるときは金利を上げ、お金の供給量を減らす（金融引き締め）。

日本は1990年代後半から物価が上がらず、給料も上がらないという**デフレ**の状態がなかなか解消されなかった。そこで、2013年4月に導入されたのが、物価上昇率2%を目指す「**量的・質的金融緩和**」と呼ばれる政策だ。従来とは次元の違う大胆な金融緩和なので、「異次元緩和」とも呼ばれる。

まず、銀行などの金融機関がもっている**国債**や**ETF**（証券取引所で取り引きされる投資信託）を大量に買い入れ、銀行に余剰資金を供給した。銀行は余った資金を低金利で貸し出

WEB 日本銀行：金融政策

消費者物価指数の推移

消費者物価指数（生鮮食料品を除く総合）前年同月比

(%)
5.0
4.0
3.0
2.0
1.0
0.0
−1.0
−2.0

2013 2014 2015 2016 2017 2018 2019 2020 2021 2022 2023 2024

異次元緩和を開始
消費税8%増税
マイナス金利導入
イールドカーブコントロール（長短金利操作）開始
目標値
ロシアウクライナ侵攻

消費者物価指数の上昇率は、消費税増税の影響を除くと、物価上昇率の目標値である2%に達していない。

総務省統計局のデータより作成

マイナス金利

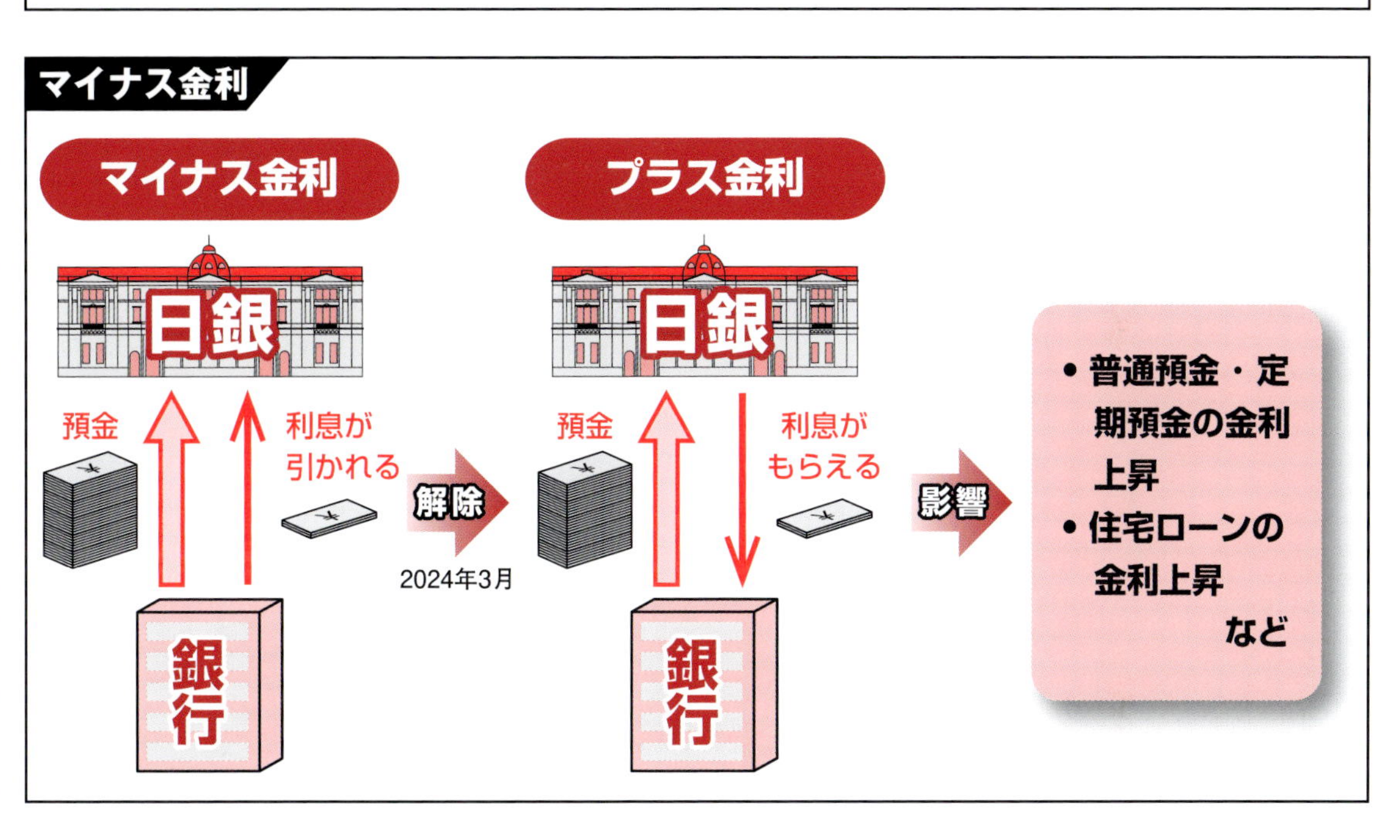

し、世の中に出回るお金の量が増えるという作戦だ。

ところが、どんなに買い入れを続けても、物価は日銀のもくろみ通りには上昇しない。そこで2016年に新たな政策として、金融機関が日銀に預けている当座預金の一部に**マイナスの金利**をつけることにした。銀行に預けたお金にはふつう利息がつくが、金利がマイナスだと逆に利息分が預金から差し引かれる。預金額が大きいほど損失が増えるため、金融機関は預金を引き出して貸し出しなどに回すだろうという狙いだ。

2022年に入ると物価は急速に高騰し、上昇率は2%を超えた。金融緩和政策はその後も続いているが、少しずつ正常に戻していく必要がある。2024年3月、日銀は**マイナス金利政策の解除**を決めた。今後は**無担保コールレート翌日物**（金融機関どうしが短期に資金を調達しあう際の金利）が0〜0.1%（7月に0.25%に引き上げ）の間になるように調整する。

マイナス金利解除の影響で、民間銀行では普通預金や定期預金の金利が上がる。また、住宅ローンの金利も上がっている。

ちょこっと時事

新紙幣発行　2024年7月に、新しいデザインの1万円札と5千円札、千円札の発行がはじまった。表面の肖像画は1万円札が渋沢栄一、5千円札が津田梅子、千円札が北里柴三郎。偽造対策として、角度を変えると肖像が変化して見える3Dホログラムなどが施されている。

参照 物価高 ››› P74　すすむ円安 ››› P76

経済

物価高

100字でナットク

原材料の高騰や円安の影響による物価高が続いている。物価の上昇に賃上げが追いつかず、国民の生活は苦しくなっている。政府は経済対策として、一律4万円の定額減税を実施したが、効果は一時的だ。

消費者物価指数

●消費者物価指数の推移（2020年の平均を100とした指数）

※総務省「2020年基準消費者物価指数」より作成

●消費者物価指数（コアCPI）前年同月比の推移

※総務省「2020年基準消費者物価指数」より作成

モノやサービスの値段（物価）の変動は、総務省が毎月発表する**消費者物価指数**（CPI）で判断できる。

消費者物価指数は、無数にある商品の中から、家計に与える影響の大きい582品目の値段を調べて基準年の値段を100とする指数で表し、家計に占めるウエイトを加味して平均したものだ。このうち、天候による値動きの激しい生鮮食品を除いて計算したものを**コアCPI**という。

2024年8月のコアCPI（生鮮食品を除く総合）は、2020年を100として108.7で、前年同月より2.8%上昇した。物価上昇は3年連続で、消費増税の影響を除くと、バブル景気以来33年ぶりの物価高だ。

品目別にみると、とくに食糧とエネルギー関連の上昇が目出つ。円安やロシアのウクライナ侵攻による資源価格の高騰の影響だ。政府は経済対策として、ガソリン、電気代、都

WEB 総務省統計局：
消費者物価指数（CPI）

良いインフレと悪いインフレ

良いインフレ

デマンドプル型

給料が上がる → 需要が上昇する → 価格が上昇する → 収益が上昇する → 給料が上がる

給料 ¥

悪いインフレ

コストプッシュ型

原材料の高騰 → 価格が上昇する → モノが売れなくなる → 収益が悪化する → 給料が下がる → モノが売れなくなる

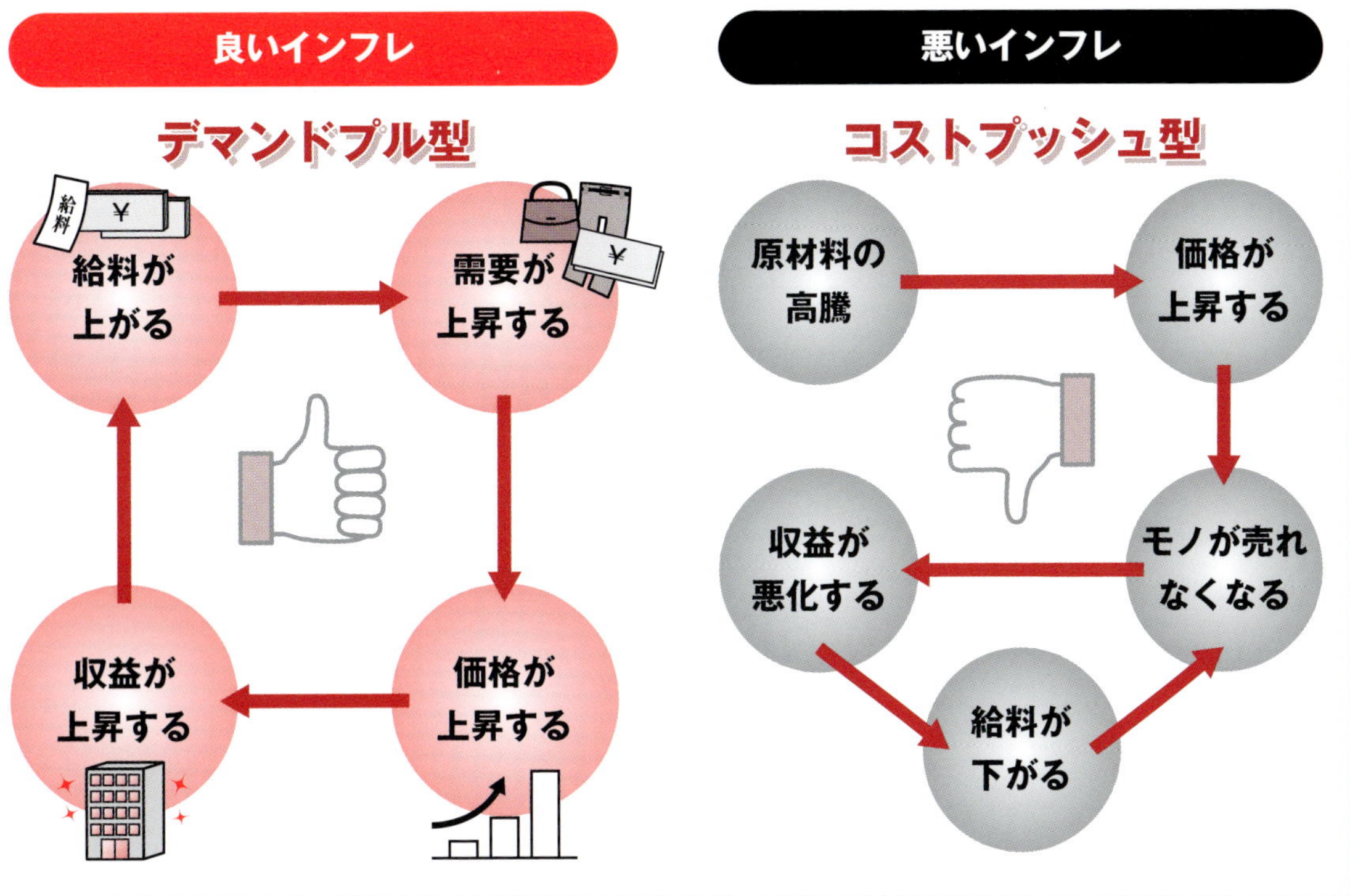

政府の経済対策

年月	内容	予算
2022年4月	**原油価格・物価高騰等総合緊急対策**	**6.2** 兆円
2022年10月	**物価高克服・経済再生実現のための総合経済対策**	**39** 兆円
2023年11月	**デフレ完全脱却のための総合経済対策** ・1人当たり4万円の**定額減税**を実施 ・**住民税非課税世帯**に7万円を**給付**　ほか	**13.2** 兆円

市ガスの負担軽減策を実施していたが、2024年5月で終了した。そのため2024年8月のエネルギーは前年同月比で12%の上昇となっている。

物価が継続して上がることを**インフレ**という。日本は長い間インフレの反対の**デフレ**が続いており、日本銀行はインフレを起こそうと必死になっていた。では、今回のインフレは歓迎すべき事態なのだろうか？　残念ながらそうではない。インフレにも「**良いインフレ**」と「**悪いインフレ**」があるからだ。

「良いインフレ」とは、賃金が上昇してモノがよく売れることで起こるインフレだ。ところが現在の物価高は原材料の高騰によるコストプッシュ型で、賃金は上がらないのに物価だけが上がる「悪いインフレ」なのだ。欧米では日本以上に物価が高騰しているが、人件費も高騰している。一方、日本では賃金の上昇が弱く、国民の生活が苦しくなっている。

政府は2023年11月に13.2兆円規模の総合経済対策をまとめ、1人当たり4万円の定額減税や低所得者への給付を実施したが、効果は一時的だ。

ちょこっと時事

日経平均株価、史上最高値を更新　2024年2月22日の東京株式市場で、日経平均株価が3万9098円68銭で取引を終え、バブル期に記録したこれまでの最高値を約34年ぶりに更新した。7月11日の終値は4万2224円02銭となり、史上初の4万2000円台を記録した。

参照 すすむ円安 ››› P76

32

経済

すすむ円安

円安と円高

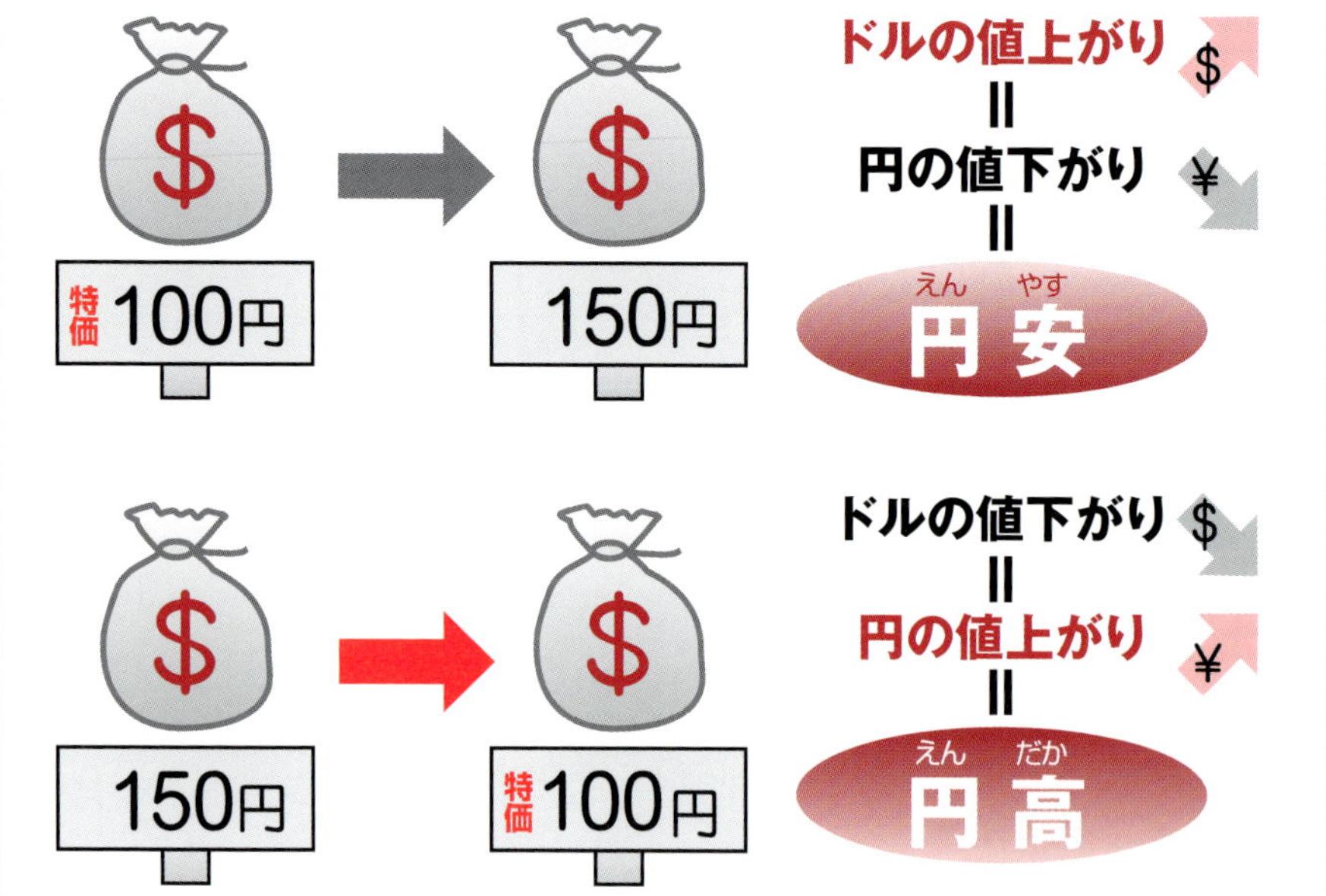

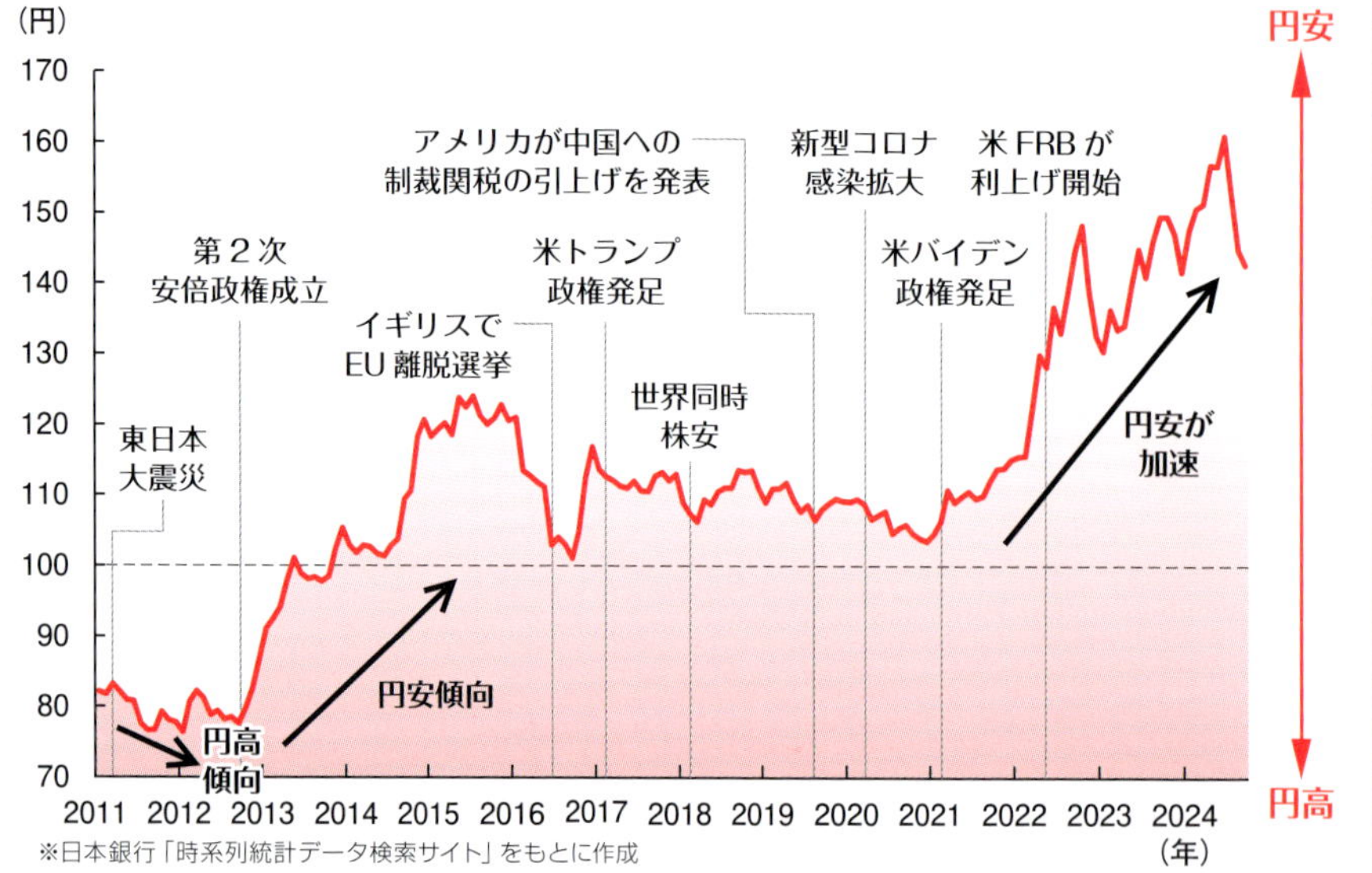

ドルの値上がり $
＝
円の値下がり ¥
＝
円安（えんやす）

特価100円 → 150円

ドルの値下がり $
＝
円の値上がり ¥
＝
円高（えんだか）

150円 → 特価100円

（円）
170
160
150
140
130
120
110
100
90
80
70
2011 2012 2013 2014 2015 2016 2017 2018 2019 2020 2021 2022 2023 2024（年）

円安
円高
東日本大震災
第2次安倍政権成立
イギリスでEU離脱選挙
アメリカが中国への制裁関税の引上げを発表
米トランプ政権発足
世界同時株安
新型コロナ感染拡大
米バイデン政権発足
米FRBが利上げ開始
円高傾向
円安傾向
円安が加速

※日本銀行「時系列統計データ検索サイト」をもとに作成

100字でナットク

「1ドル＝何円」というとき、円の数字が大きくなるのが円安、小さくなるのが円高だ。円安が急速にすすんでいる。円安は輸出産業には有利だが、輸入品の価格が上昇するため、物価高などのマイナス面もある。

たとえば日本からアメリカに旅行するときには、手持ちのお金をアメリカの通貨と交換する。これは、アメリカのお金（ドル）を日本のお金（円）で買うということだ。1ドルを何円で買えるかはそのときの需要と供給によって変動する。仮に、これまで1ドル＝100円だったのが、1ドル＝150円になったとすれば、ドルは50円の値上がりだ。ドルの値上がりは、逆に考えると円の値下がりだから、この変化を**円安**という。逆に、1ドル100円が80円になった場合は20円の**円高**ということになる。

ここ数年の円相場は、円安が急速に進行している。2021年1月に1ドル＝100円台だったものが、2024年6月26日には一時1ドル＝160円台を記録した。

円安がすすんだ原因は、欧米と日本の金融政策が真逆の方向を向いているからだ。アメリカの中央銀行にあたる**FRB**（連邦準備制度理事会）は、物

WEB 日本銀行：教えて！にちぎん
円高、円安とは何ですか？

円安・ドル高のしくみ

欧米

物価高に対応するために
金利を利上げ

↓

利息が増えるので、お金（ドル）を持っているほうが得

日本

デフレ対策のために
金利を低く抑える

↓

お金（円）を持っていても、
ほとんど利息がつかない

投資家

円を売り、ドルを買う

↓

円安・ドル高

$ ¥

●円安のメリット・デメリット

メリット

- 海外に製品を輸出している企業は売上が上昇する。
- 外貨を持っていると、より多くの円に替えることができる。

デメリット

- 海外から製品を輸入している企業は、仕入れ価格や調達費用が上昇してしまう。
- 円を外貨に替えるとき、より少ない外貨しか得られない。

価の上昇に対抗するため、2022年にはいって大幅な**利上げ**を行った。利上げとは、融資を受けるときの金利を上げることだ。金利が上がるとお金を借りにくくなるので、みんなお金を使わなくなる。するとモノが売れないので物価が下がる。つまり、利上げには物価上昇を抑える効果があるのだ。アメリカだけでなく、EUやイギリスも相次いで利上げを行っている。ところが、日本はアベノミクス以来の**金融緩和**（きんゆうかんわ）を継続しており、金利を低いまま据え置いている。投資家は、金利の高い欧米のほうが高い利回りが見込めるので、円を売ってドルを買う。こうして、円安ドル高が一気にすすんだのだ。

円安にはどのような影響があるのだろうか？　たとえば日本からアメリカに製品を輸出して、1個100ドルで売るとしよう。1ドル＝100円なら売上は1万円だが、1ドル＝150円なら1万5千円になる。このように、円安は輸出には有利だが、輸入には不利に働く。また、円安は円の価値を下げる。日本のGDPは世界3位だったが、円安によりドル換算で目減りし、2023年にはドイツに抜かれ、4位に転落してしまった。

ちょこっと時事

円キャリートレード　低金利の円で借り入れをし、その資金を高金利の外貨に転用して運用し、運用益に加えて金利の利ざやを獲得する取引。円キャリートレードが活発になると、ドルなどの外貨を買うために円が売られるため、円安の要因となる。

参照 マイナス金利政策の解除 ››› P72　物価高 ››› P74

33 経済

FTAとEPA

100字でナットク

関税撤廃により自由貿易を拡大するFTA（自由貿易協定）。関税以外でも、投資・人材の移動などで様々な経済連携を強化するEPA（経済連携協定）。国際的な貿易競争で有利になる反面、国内の産業が不利になることもある。

FTAとEPA

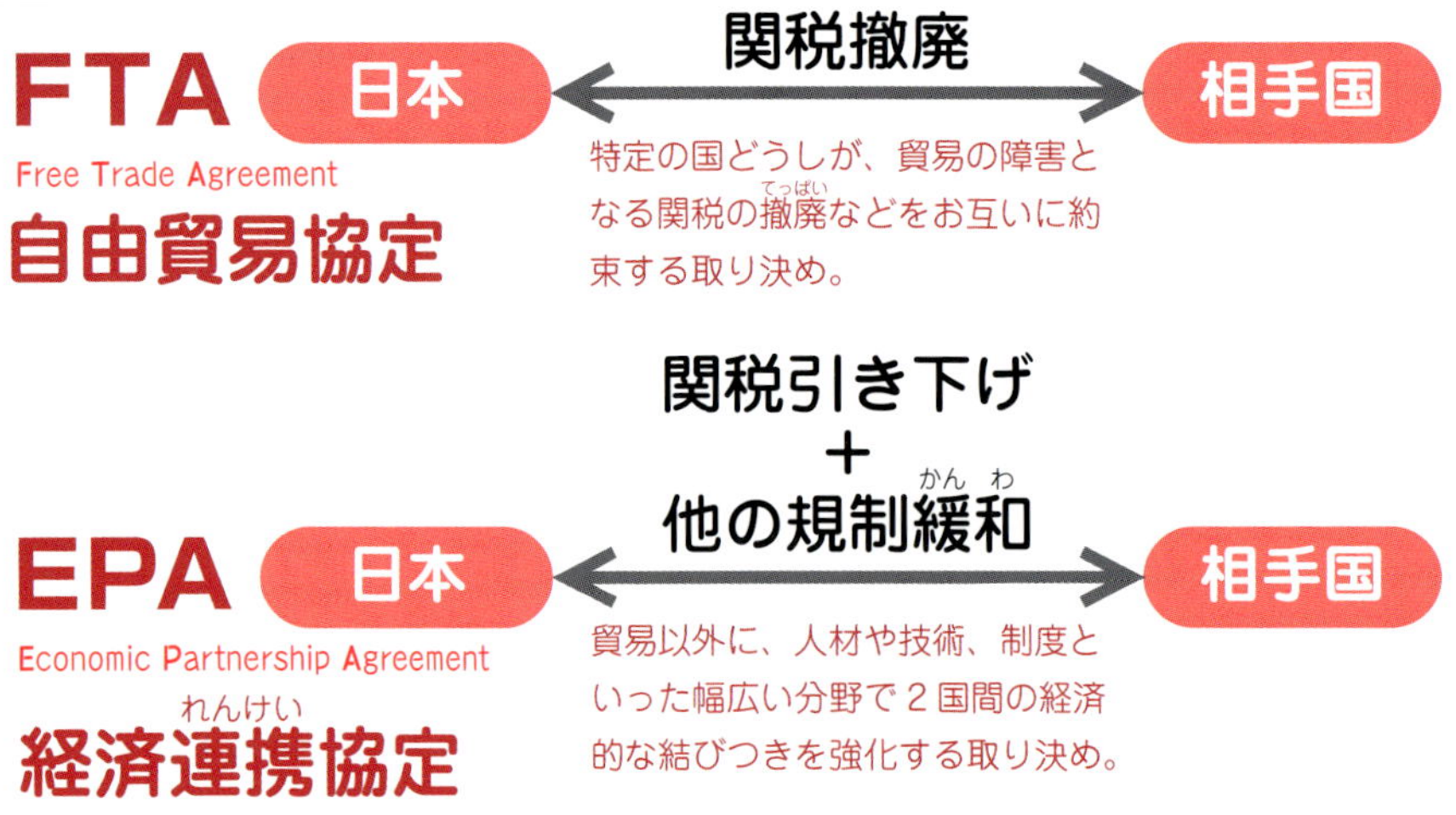

FTA Free Trade Agreement **自由貿易協定**

日本 ⟷ 関税撤廃 ⟷ 相手国

特定の国どうしが、貿易の障害となる関税の撤廃（てっぱい）などをお互いに約束する取り決め。

EPA Economic Partnership Agreement **経済連携（れんけい）協定**

日本 ⟷ 関税引き下げ＋他の規制緩和（かんわ） ⟷ 相手国

貿易以外に、人材や技術、制度といった幅広い分野で2国間の経済的な結びつきを強化する取り決め。

●主要国・地域のFTA／EPAカバー率　（「通商白書2024」より）

	FTAカバー比率※	主要相手国・地域
日本	79%	ASEAN、EU、インド、メキシコ、チリ、スイス、オーストラリア、モンゴル、アメリカ
EU	47%（域内貿易を含まず）	スイス、ノルウェー、アルジェリア、南アフリカ、チリ、メキシコ、韓国、日本、イギリス
アメリカ	46%	USMCA（カナダ、メキシコ）、中米、韓国、オーストラリア、日本
中国	48%	香港、ASEAN、チリ、ペルー、韓国
韓国	78%	アメリカ、EU、ASEAN、インド、チリ

※FTA相手国との貿易額が貿易総額に占める割合（発効済み）

ASEAN（アセアン）（東南アジア諸国連合）
東南アジア10か国（ブルネイ、カンボジア、インドネシア、ラオス、マレーシア、ミャンマー、フィリピン、シンガポール、タイ、ベトナム）による地域共同体。近年、高い経済成長を見せており、世界の「開かれた成長センター」として注目されている。

USMCA（米国・メキシコ・カナダ協定）
アメリカのトランプ大統領（当時）が「NAFTA（北米自由貿易協定）は不公正な競争環境」だとして、NAFTAに代わる新たな通商協定として合意した自由貿易協定。2020年7月に発効。

外国との貿易では、モノを輸入する側が関税を課したり数量を制限したりして、特定の輸入品が自国に入りすぎないようにしている。外国から安い商品が大量に流入すると、国内で同じ商品を作っている人がダメージを受けてしまうからだ。とはいえ、こちらがモノを輸出するときは、相手国に関税をかけてもらいたくない。そこで、国どうしが互いに相手の輸出品の関税を撤廃（てっぱい）しあって、「うちは農産物の関税をゼロにするから、そちらは自動車の関税をゼロにしてね」といった取り決めをするようになった。このような取り決めを**FTA**（自由貿易協定）という。また、関税だけでなく、人の移動や投資などの幅広い分野で経済的な結びつきを強化する取り決めを**EPA**（経済連携（れんけい）協定）という。最近では、FTAと称して幅広い経済協定を結ぶ場合もあり、FTAとEPAの区別はあいまいになっている。

外務省：我が国の経済連携協定（EPA／FTA）等の取組

日本貿易振興機構（JETRO）：EPA／FTA、WTO ビジネス情報とジェトロの支援サービス

日本のFTP・EPA相手国・地域

日本のFTA・EPA＝50か国との間で21のFTA・EPAが署名・発効済

シンガポール
メキシコ
マレーシア
チリ
タイ
インドネシア
ブルネイ
ASEAN（全体）
フィリピン
スイス
ベトナム
インド
ペルー
オーストラリア
モンゴル
TPP（署名済・未発効）
CPTPP（TPP11）（2018年12月発効）
EU（2019年2月発効）
アメリカ（2020年1月発効）
イギリス（2021年1月発効）
RCEP（2022年1月発効）

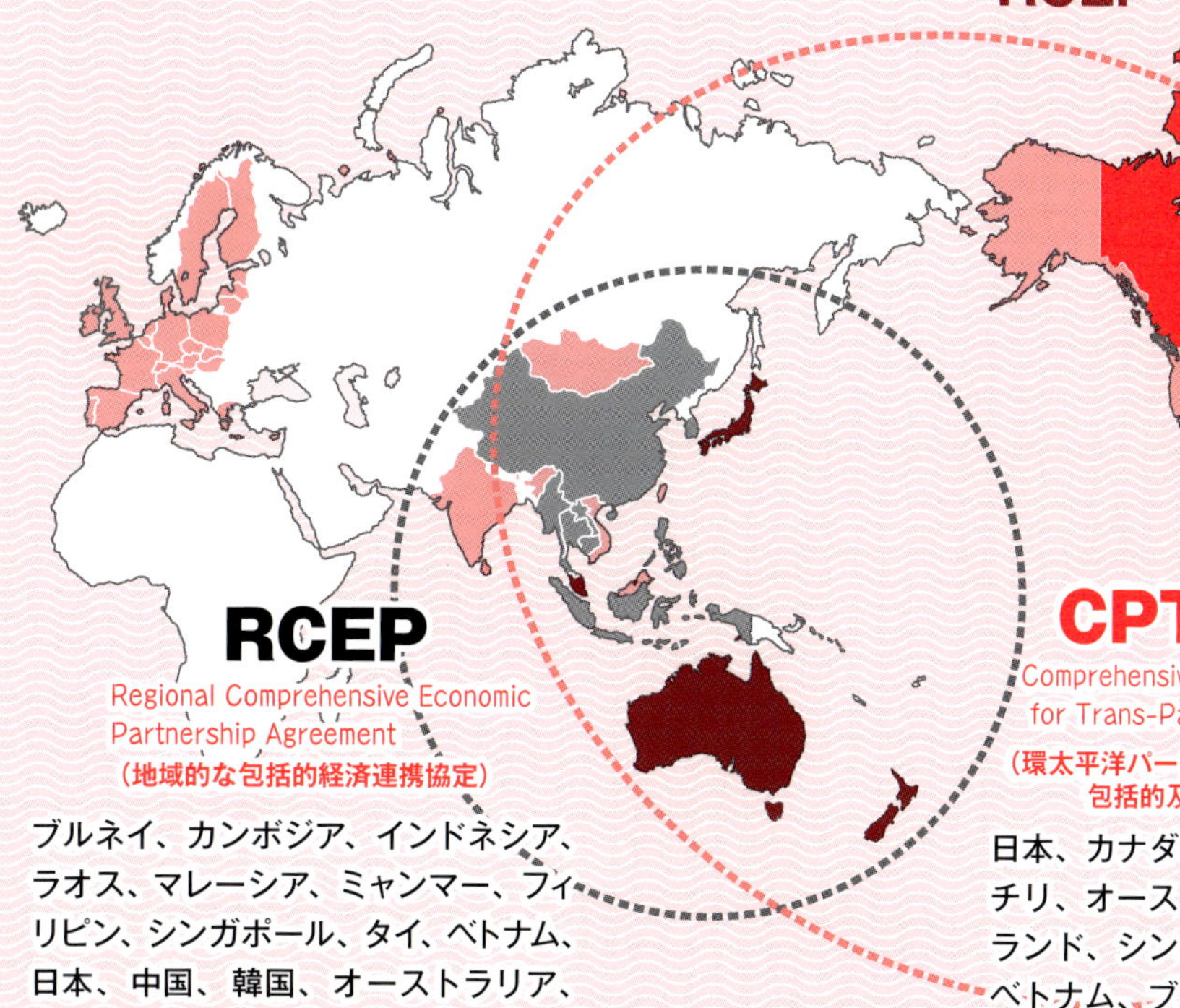

最近では2国間ではなく、複数の国が参加する**多国間FTA**もさかんに結ばれるようになった。TPPやRCEPには日本も参加している。

TPP（環太平洋パートナーシップ協定）は、2018年12月に発効した多国間FTAだ。その名のとおり、太平洋を囲む国々の間の貿易協定で、当初4か国ではじまったものに日本やアメリカなどが参加し、12か国になった。しかし発効直前に**アメリカが離脱**したため、残った11か国による貿易協定となった。**CPTPP**（環太平洋パートナーシップに関する包括的及び先進的な協定）または**TPP11**という。CPTPPにはその後**イギリスが加盟**し、中国、台湾、インドネシアなども加盟を申請している。

RCEP（アールセップ、地域的な包括的経済連携）は、ASEAN10か国と日本、中国、韓国、オーストラリア、ニュージーランドの15か国による多国間FTAだ。2020年11月に署名が行われ、2022年1月に発効した。署名15か国で世界の人口とGDPの3割を占める広域経済圏だ。中国、韓国とのEPAはこれが初となる。日本のFTAカバー率が一気に広がった。

ちょこっと時事

USスチール買収　2023年12月、日本製鉄は米鉄鋼大手のUSスチールを買収すると発表した。買収額は約2兆円。しかし労働組合の全米鉄鋼労連は買収に反発し、大統領選に勝利したトランプ氏も買収に反対しているため、買収は実現が難しくなっている。

34

経済

インボイス制度

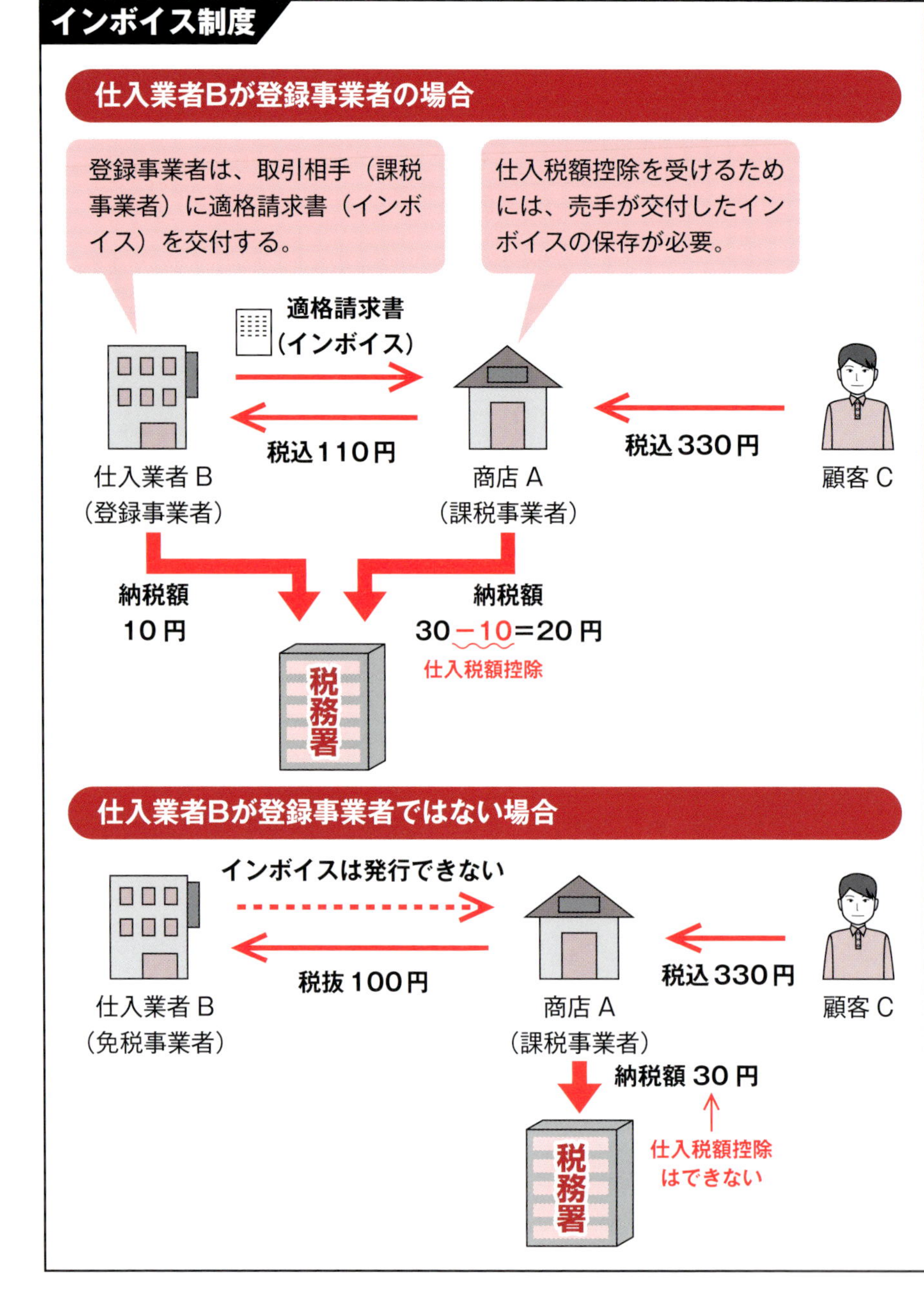

消費税の仕入税額控除を受けるために、仕入先の適格請求書（インボイス）が必要となる制度。２０２３年10月から開始したが、個人事業主などの免税事業者への負担が大きいことから、中止を求める声が強く上がった。

たとえば、商店Aが仕入業者Bから110円で商品を仕入れ、顧客Cに330円で売ったとしよう。これらの値段には**消費税**分の10％も含まれている。このうち、国に納付する必要があるのは最終消費者（顧客C）が支払った税額30円だけだ。このうち10円は仕入業者Bが納付するので、商店Aは30円から10円を引いた20円を納付すればよい。このように、売上に含まれる消費税額から、仕入業者に支払った消費税額を差し引くことを**仕入税額控除**という。

２０２３年10月からはじまった**インボイス制度**は、この仕入税額控除を受けるために、仕入業者から**適格請求書**（インボイス）という書類を受け取らなければならないというものだ。仕入れ業者Bのインボイスがない場合は、商店Aが30円をまるまる納付しなければならなくなる。

ところが、インボイスは消費税の課税事業者でないと発行できない。

WEB 国税庁：
インボイス制度 特設サイト

インボイス制度の影響

影響を受ける職業

企業と取引のある個人事業主やフリーランス（例：個人タクシー、配送請負業、一人親方、日雇い労働者、シルバー人材センターで働く高齢者、俳優、映画監督、脚本家、カメラマン、イラストレーター、デザイナー、アニメーター、小説家、翻訳家、ミュージシャン、Webデザイナーなど）

免税事業者が取引先から適格請求書を要求されたら？

①課税事業者になって消費税を納める

②免税事業者のままで、消費税分を値引きする

③何もしない（取引先の負担増）

税収増：年間 2000 億円

（事務負担の経費のほうがはるかに多いという批判も）

インボイスの例

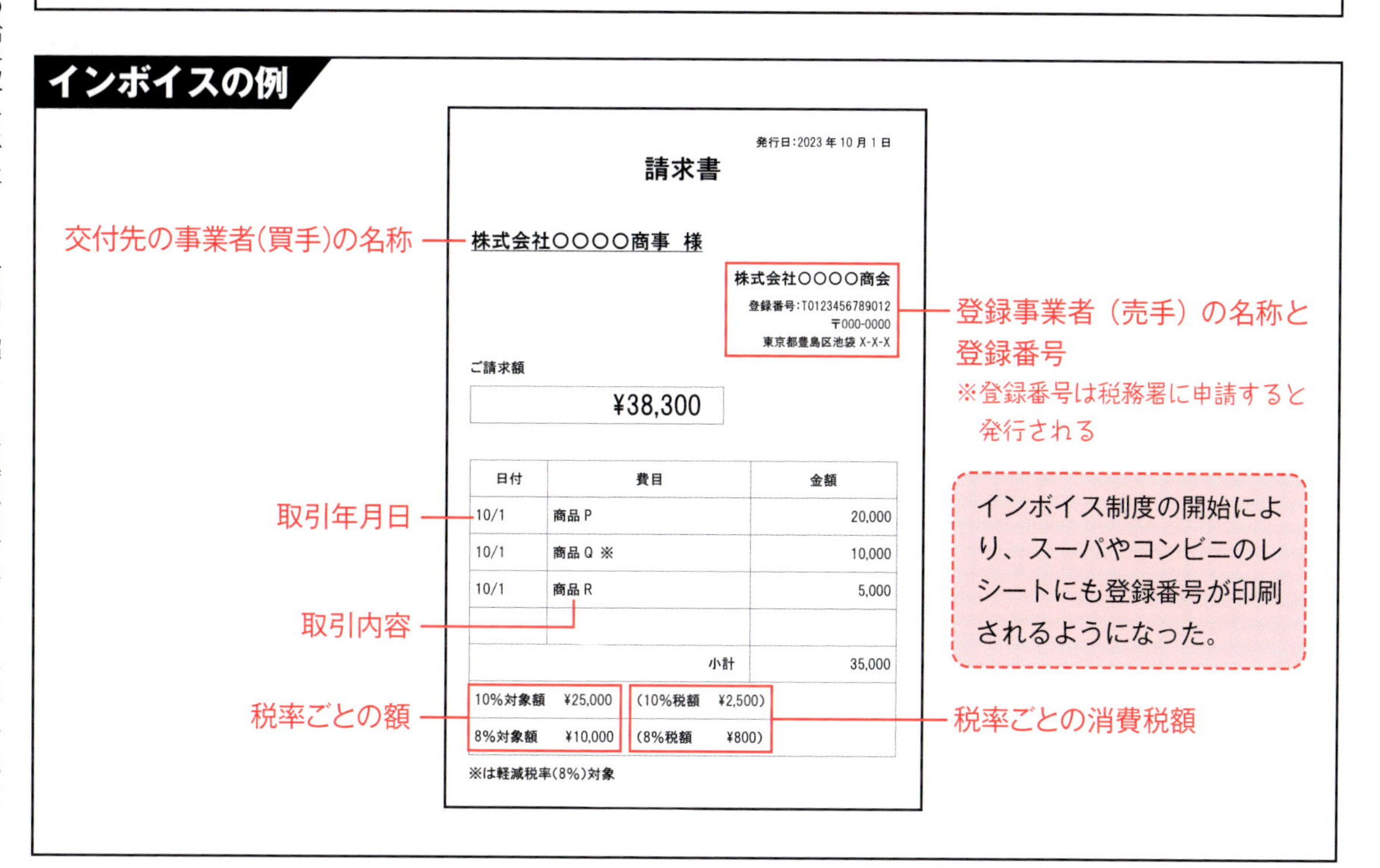

発行日：2023年10月1日

請求書

株式会社○○○○商事　様

株式会社○○○○商会
登録番号：T0123456789012
〒000-0000
東京都豊島区池袋 X-X-X

ご請求額

¥38,300

日付	費目	金額
10/1	商品 P	20,000
10/1	商品 Q ※	10,000
10/1	商品 R	5,000
	小計	35,000
10%対象額　¥25,000	（10%税額　¥2,500）	
8%対象額　¥10,000	（8%税額　¥800）	

※は軽減税率（8%）対象

インボイス制度の開始により、スーパやコンビニのレシートにも登録番号が印刷されるようになった。

年間の売上高が1000万円以下の事業者は消費税の納付が免除されるが、免税事業者のままではインボイスを発行できないのだ。そのため、もし仕入業者Bが免税事業者だった場合は、課税事業者になって消費税10円を納付するか、商店Aと交渉して10円の値下げをするかの選択を迫られる。どちらにしても少ない売上がさらに減ってしまう。個人事業主などからは「これでは暮らしていけない！」という切実な声が上がった。

消費税は、消費者に負担を転嫁していることから「**預り金的な性格をもつ**」という考え方がある。そうだとすれば、免税事業者は預かり金の一部を利益として得ていることになる（これを**益税**という）。インボイス制度は益税を解消するために必要という理屈だ。もっとも、消費税の納税義務は消費者ではなく事業者にあることから、預り金という見方には疑問もある。そもそも免税措置は、売上が少ない事業者を保護するためのものだったはずだ。

インボイス導入から1年。日本商工会議所の調べでは、制度導入により事業者の約5割がコスト増、約8割が事務負担増を感じているという。

ちょこっと時事

年収103万円の壁　アルバイトやパートなどの給与収入は、年103万円を超えると所得税の対象となり手取りが減ってしまう。また、年収が103万円を超えると扶養からはずれるため、扶養者が扶養控除を受けられなくなる。そのため103万円を超えないように「働き控え」が生じるという問題。

実質賃金

100字でナットク

実質賃金とは、サラリーマンの平均の賃金を、物価の変動に合わせて調整したもの。賃金がアップしても、それ以上に物価がアップすれば実質賃金は下がる。実質賃金の低下は経済にどんな影響があるのか。

実質賃金

$$\text{実質賃金} = \frac{\text{名目賃金指数}}{\text{消費者物価指数}} \times 100$$

↑物価が上がると、実質賃金は下がる

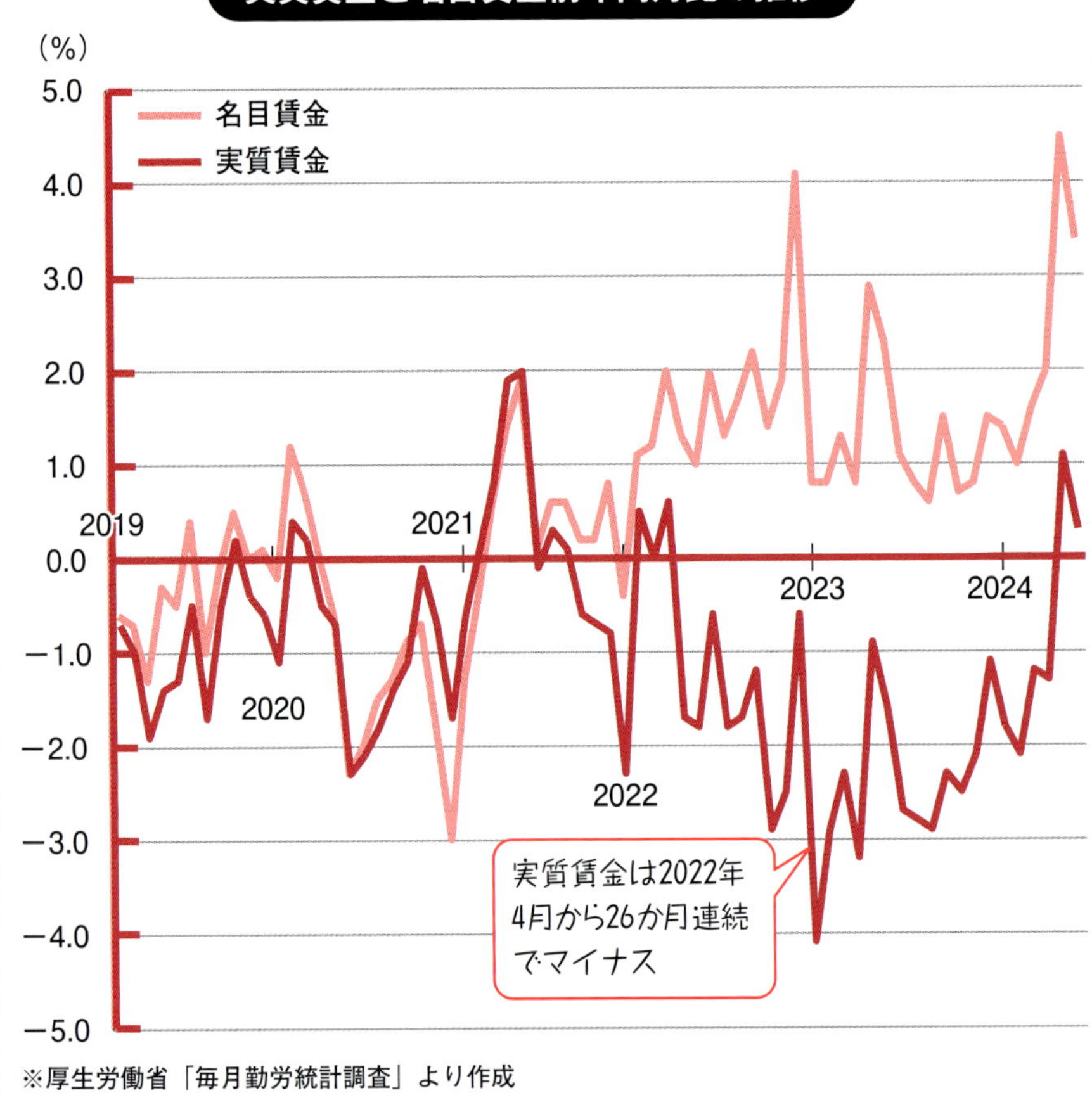

※厚生労働省「毎月勤労統計調査」より作成

働く人に支払われる賃金の変動については、厚生労働省が毎月、**毎月勤労統計**(まいつききんろうとうけい)というデータをとっている。ただし、サラリーマンの給料を一人ずつ調査するのはたいへんなので、会社が支払った給与の総額を求め、それを働く人の人数で割って、平均の賃金を算出する。この金額を**名目賃金**(めいもくちんぎん)という。

名目賃金が上がっても、それだけではサラリーマンの暮らしがよくなったとはいえない。給料のアップ以上に物価がアップしてしまうと、買えるものは少なくなるからだ。そのため賃金の変動をみるときは、物価変動の影響を考慮する必要がある。

たとえば、100円だったものが今月120円に値上がりしたとしよう。一方、名目賃金は100円から108円に上昇したとする。賃金は上がっているにもかかわらず先月買えたものが今月は買えなくなるという状況は、実質的な賃金が下がったといえる。物価上昇

WEB 厚生労働省：統計情報・白書

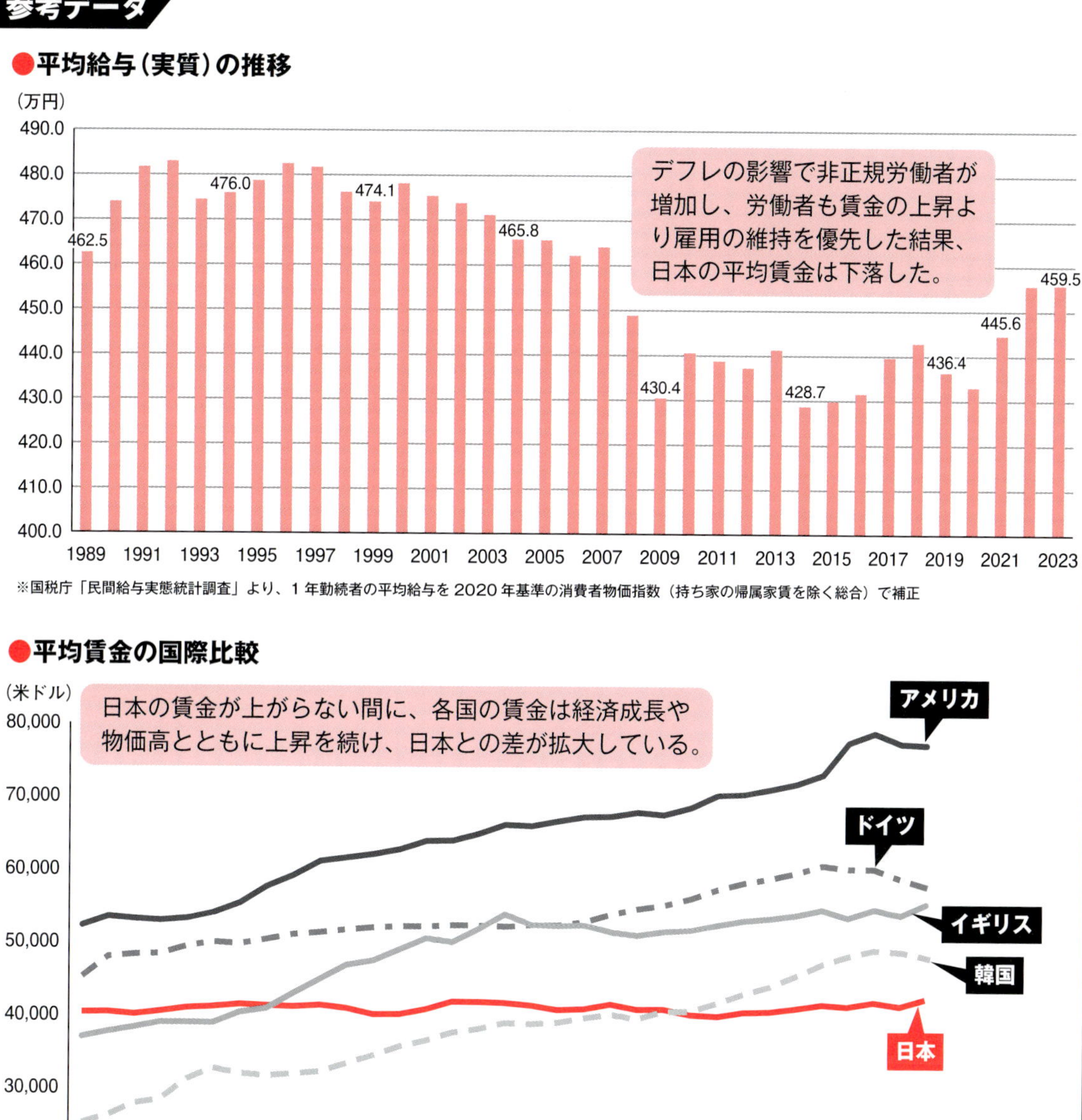

※国税庁「民間給与実態統計調査」より、1年勤続者の平均給与を2020年基準の消費者物価指数（持ち家の帰属家賃を除く総合）で補正
※OECD DATA より作成

を考慮した賃金は、先月の賃金を100とすると、（108÷120）×100＝90の価値しかない。この実際の賃金価値のことを、**実質賃金**（じっしつちんぎん）という。

日本の実質賃金は、2022年4月から2024年5月まで、過去最長となる26か月連続のマイナスを記録した。物価上昇に対し、名目賃金の上昇が追いついていないためだ

そもそも日本の賃金は、ここ30年ほとんど上がっていない。なぜだろうか？ **デフレ**（75ページ）が長い間解消されなかったことが原因のひとつだ。モノの値段を上げることができないため、企業は人件費を抑えることで利益を確保しようとした。その結果、低賃金で賃上げを望みにくい**非正規雇用**が増えたのだ。また、労働者側も**雇用維持を優先**して低賃金を受け入れた。しかし、その間に多くの国では経済成長とともに賃金が上昇したため、日本は先進国の中でも賃金の安い国になってしまった。このままでは優秀な人材が海外に出ていってしまう。

物価が上昇しても賃金が追いつかなければ、消費が冷え込んで経済は失速する。政府は企業に対し、物価上昇を上回る賃上げを訴えている。

ちょこっと時事

最低賃金　企業が従業員に支払わなければならない最低限の賃金。最低賃金法にもとづき、都道府県ごとに毎年秋に改定される。2024年度の最低賃金は全国加重平均で時給1055円。前年度から51円増で、過去最大の引き上げ額となった。

参照 物価高 ››› P74

大阪IR

IR（統合型リゾート）

統合型リゾート（IR）

カジノに国際会議場、ホテル、商業施設、レストラン、劇場、アミューズメントパーク、スポーツ施設、温泉施設などを併設した複合レジャー施設。

Integrated Resort

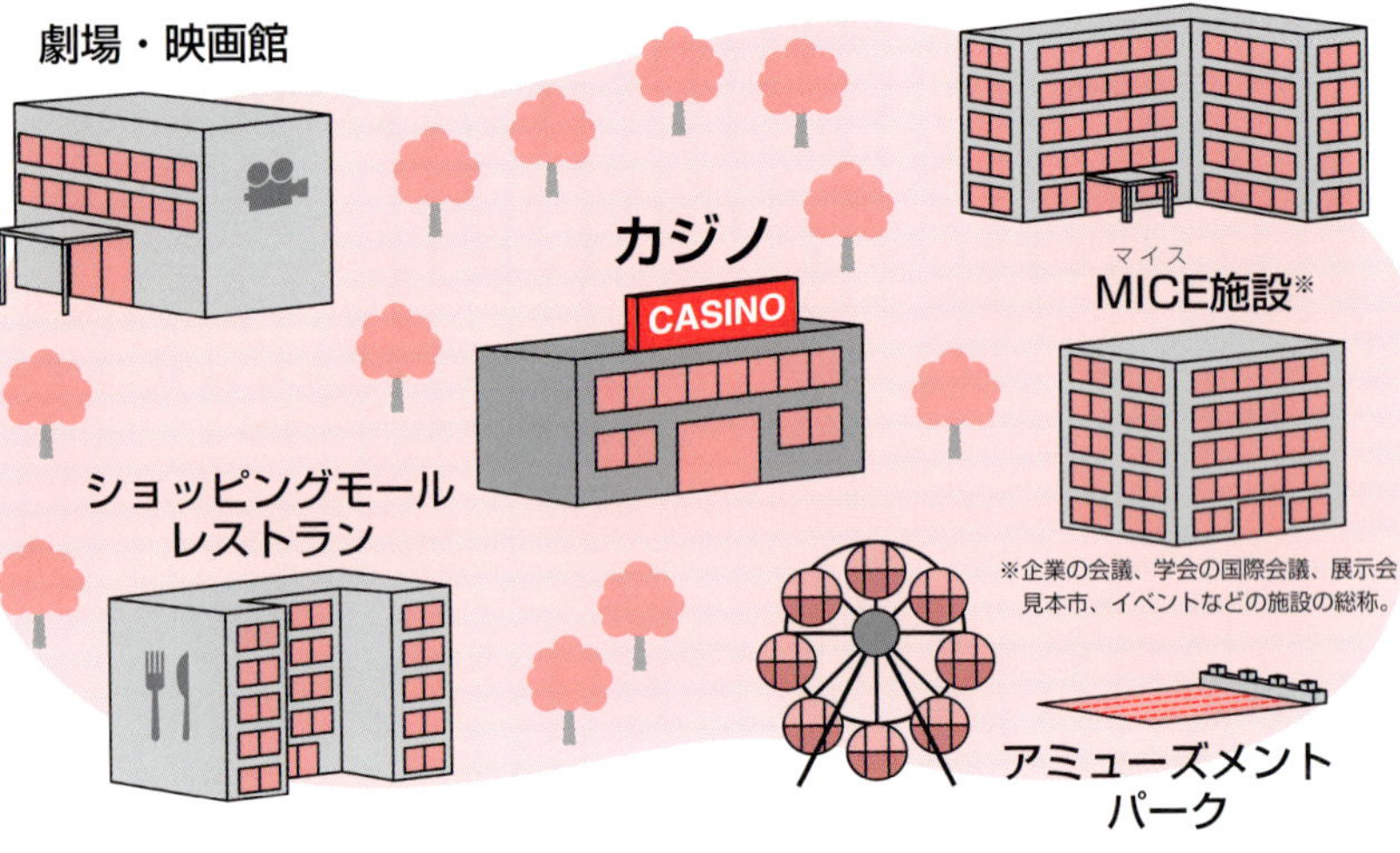

メリット

- 外国人観光客を呼び込むことができる
- 地域雇用や地方自治体の収入が増え、地域振興になる
- 日本の経済成長にも有益

デメリット

- ギャンブル依存症が増加する
- マネーロンダリングに利用されるおそれ
- 依存症や犯罪が増えると、かえって社会的コストが増える

100字でナットク

万博会場となる大阪市の夢洲で、大阪IR（統合型リゾート）の建設工事がはじまった。カジノを含む複合施設で、2030年秋の開業をめざす。地域振興や経済効果が期待される反面、懸念も指摘されている。

IR（アイアール）（統合型リゾート）とは、ホテルや会議場、商業施設、娯楽施設などに**カジノ**を含めた複合施設だ。カジノとは、ルーレットやブラックジャック、スロットマシンなどの、お金を賭けたゲームをする施設（賭博場）のこと。世界にはカジノが合法的に運営されている国が多数あるが、日本では競馬、競輪といった公営ギャンブルを除き、賭博行為は禁止されている。そのため、これまでは民間業者が合法的にカジノを開くことはできなかった。

しかし、カジノには観光客が大勢集まるので、地域振興の効果もあるとして、**カジノ解禁**に向けた議論がすすみ、2018年7月に**統合型リゾート実施法**が成立した。国内最大3か所に、カジノのある統合型リゾートをつくるという内容だ。どこにつくるかは、都道府県や政令指定都市が申請した整備計画をもとに、国が選定する。当初は大阪府・市の

統合型リゾート実施法の概要

場所	国内**3か所まで** ※大阪府・市が認定済み
事業者	**民間企業**（免許制）
監督機関	**カジノ管理委員会**を新設
カジノ税	カジノ収入の**30パーセント**
入場料	**1回6000円**（訪日観光客は無料）
入場制限	**7日間で3回、28日で10回**まで（日本人等※のみ） ※国内居住の外国人も含む
本人確認	**マイナンバーカード**で本人確認
貸付業務	カジノ利用者への貸付を**認める**

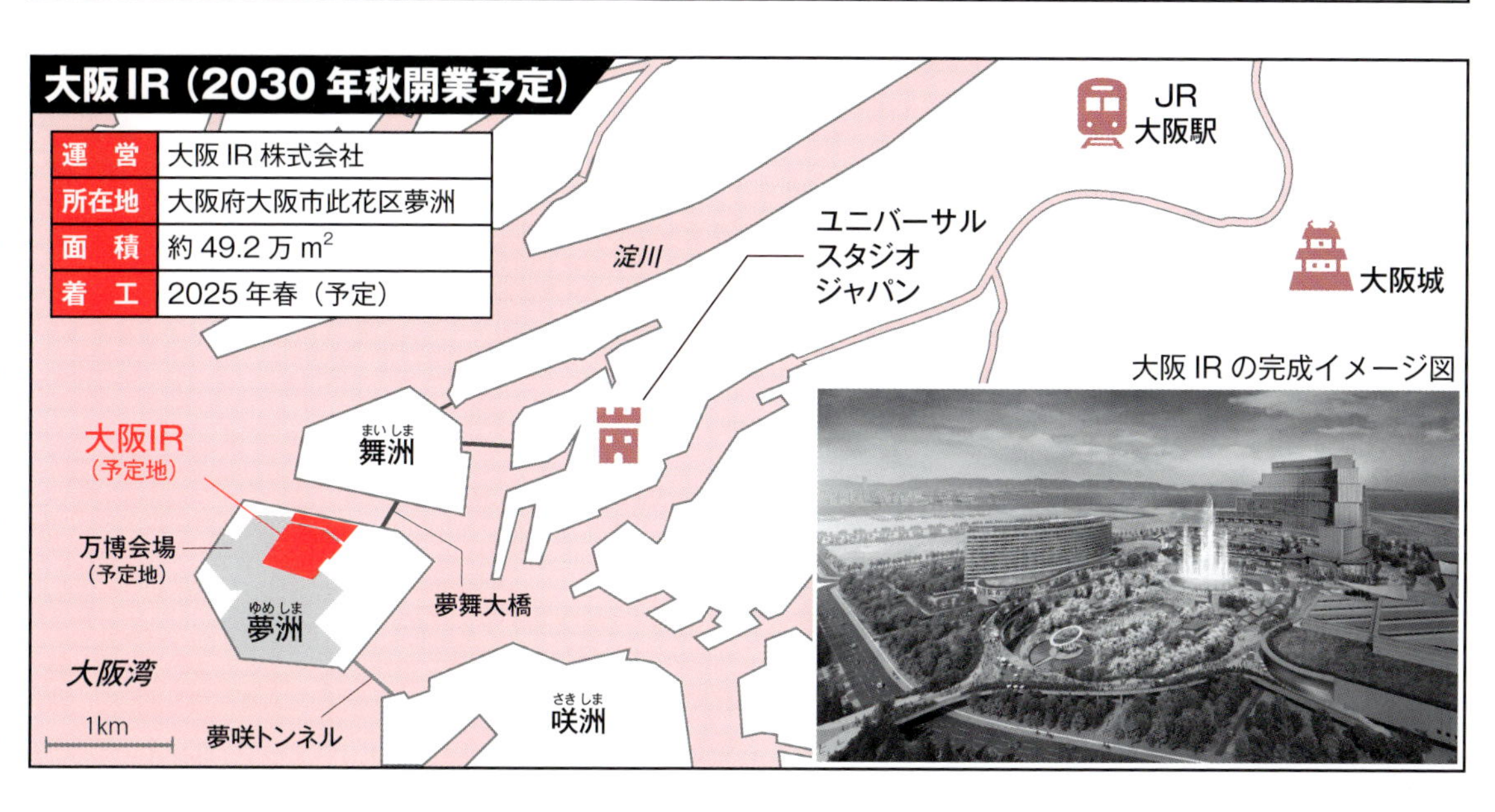

大阪IR（2030年秋開業予定）

運営	大阪IR株式会社
所在地	大阪府大阪市此花区夢洲
面積	約49.2万m^2
着工	2025年春（予定）

大阪IRの完成イメージ図

ほかに横浜市、和歌山県、長崎県が誘致を計画していたが、横浜市と和歌山県が撤退し、指定した期限までに整備計画を申請したのは大阪と長崎の2か所となった。

2023年4月、国は大阪府・市のIR整備計画を認可した。大阪万博の会場となる大阪湾の人工島「**夢洲**」に建設する。運営会社は米MGMリゾーツの日本法人とオリックスを中核とする大阪IRで、年間来場者数約2000万人（うち国内約1400万人）、売上5200億円（うちカジノ事業で約4200億円）を見込む。ただし、来場者数や売上見込みについては「非現実的だ」といった懸念の声もあがっている。

2024年10月には、2030年秋の開業をめざして、準備工事がはじまった。長崎の整備計画は認可されなかったため、当面は大阪IRが国内唯一のIRとなる。

カジノ自体は民営だが、カジノ収入の30%が**カジノ税**として国と自治体に入る。懸念される**ギャンブル依存症**への対策として、日本人等には入場料の徴収や入場回数の制限がある。それでも、客の大半は日本人と見込まれている。

ちょこっと時事

MaaS（マース） 「Mobility as a Service」の略で、ルート検索・予約・決済等を一括で行う交通サービス。地域住民や旅行客のニーズに対応して、公共交通をはじめとする様々な移動サービスを組み合わせて検索できるので、観光地や地方の利便性、既存の公共交通機関の有効活用などが期待される。

参照 大阪・関西万博 >>> P148

37 経済

自動車メーカーの認証不正

100字でナットク

型式指定は、車の性能が一定の基準を満たした際に国が認証する制度だ。そのための試験に不正があったことが、国内の大手自動車メーカー5社で発覚した。国連基準にも違反しており、海外での販売にも影響が出た。

「型式指定」の不正

●型式指定とは

メーカーが試験車両を使ってテスト

↓

データを提出

↓

審査に合格すると「**型式指定**」を取得

↓

同一車種の量産が可能

●見つかった不正

メーカー	車種	内容
トヨタ自動車	7車種	衝突試験の虚偽データ提出など
マツダ	5車種	エンジン出力試験での制御ソフト書き換えなど
ヤマハ発動機	3車種	騒音試験を不適切な条件で行うなど
ホンダ	22車種	騒音試験の成績書の虚偽記載など
スズキ	1車種	ブレーキ試験の成績書の虚偽記載など

自動車は欠陥があると命にかかわるので、発売前に様々な検査を行う。といっても、大量生産される自動車の場合は、1台1台検査する代わりに試験車両を使って定められたテスト（認証試験）を行い、そのデータを国土交通省に提出する。審査に合格すると、同じ車種の量産・販売が認められる決まりだ。この制度を「**型式指定**（かたしきしてい）」という。

テストには審査官立ち合いで行うものと、**メーカーが社内で行う**ものがある。後者は自己申告だから不正をしようと思えばできてしまうが、発覚すれば型式指定が取り消され、その車種全体が販売できなくなってしまう。そんなことになったら大変なので、たいていのメーカーは正しくやっている……はずだった。

2023年4月、ダイハツ工業は海外向け4車種の認証試験（側面衝突試験）で不正があったことを公表した。その後の調査により、新たに

WEB 国土交通省：自動車メーカー５社の
型式指定申請における不正行為について

不正の事例

試験の例	不正の内容
後面衝突試験	基準の**1100kg**で行わず、開発試験の**1800kg**のデータを流用
歩行者保護試験	基準の衝撃角度**50度**ではなく、開発試験の**65度**のデータを流用
騒音試験	法規の**規定を超えた重量**の車両で試験を実施
エンジン出力試験	狙った出力が出るように**コンピュータ制御を調整**

基準より厳しい条件で試験（後面衝突試験・歩行者保護試験・騒音試験）

← 明らかな不正もある（エンジン出力試験）

定められた基準で実施する必要

歩行者保護試験（頭部への衝突）

50°

後面衝突試験

台車

1100kg

25の試験項目で174件の不正が発覚。一部車種の型式指定が取り消しとなる事態となった。

ダイハツの不正発覚をきっかけに、国土交通省が他の自動車メーカーにも調査・報告を指示したところ、2024年6月、大手メーカー5社（トヨタ自動車、マツダ、ヤマハ発動機、ホンダ、スズキ）でも認証試験の不正があったことが発覚した。不正があったのは38車種で、このうち6車種（トヨタ3車種、マツダ2車種、ヤマハ1車種）は現行生産車だったため、国土交通省は基準適合が確認されるまで出荷停止を指示した。

認証試験でクリアしなければならない基準は、**国内基準**と**国連基準**に分けられる。国連基準とは、日本や韓国、ヨーロッパなど62の国・地域が採用している国際基準で、基準に反していればこれらの国でも販売できなくなる。このほかアメリカにはまた別の基準があり、試験内容が複雑で多岐にわたることにも問題がある。メーカー側は一部の不正について、「より厳しい条件で試験した」と釈明したが、国土交通省はあくまでも定められた条件で実施すべきだとした。

ちょこっと時事

CASE（ケース） Connected（コネクテッド：ネット接続）、Autonomous（自動運転）、Shared & Service（カーシェアリングとサービス）、Electric（電気自動車）の頭文字をとった言葉。自動車産業の変革を象徴する4つの分野のこと。

WEB 日本政府観光局
（JNTO）

38 経済

インバウンド

100字でナットク

インバウンドとは、海外から日本を訪れる外国人旅行者や外国人旅行者向けの観光需要のこと。コロナ禍で一時は途絶えていたが、その後円安の影響もあって急速に回復した。２０２４年はコロナ前を超える勢いだ。

インバウンド

●訪日外国人旅行者数の推移

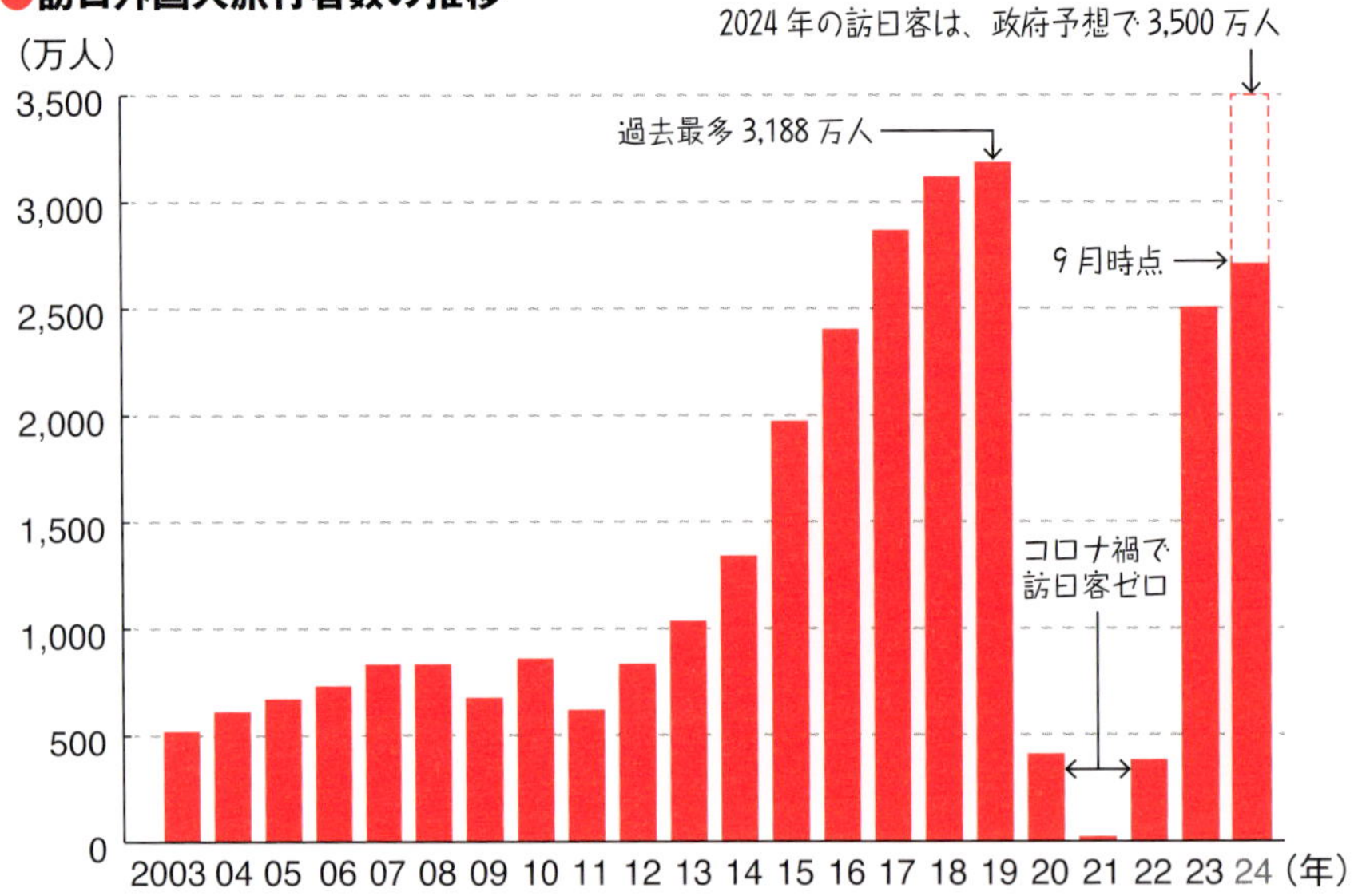

※日本政府観光局公表のデータなどから作成

●訪日外国人旅行消費額（2024年4－6月期）

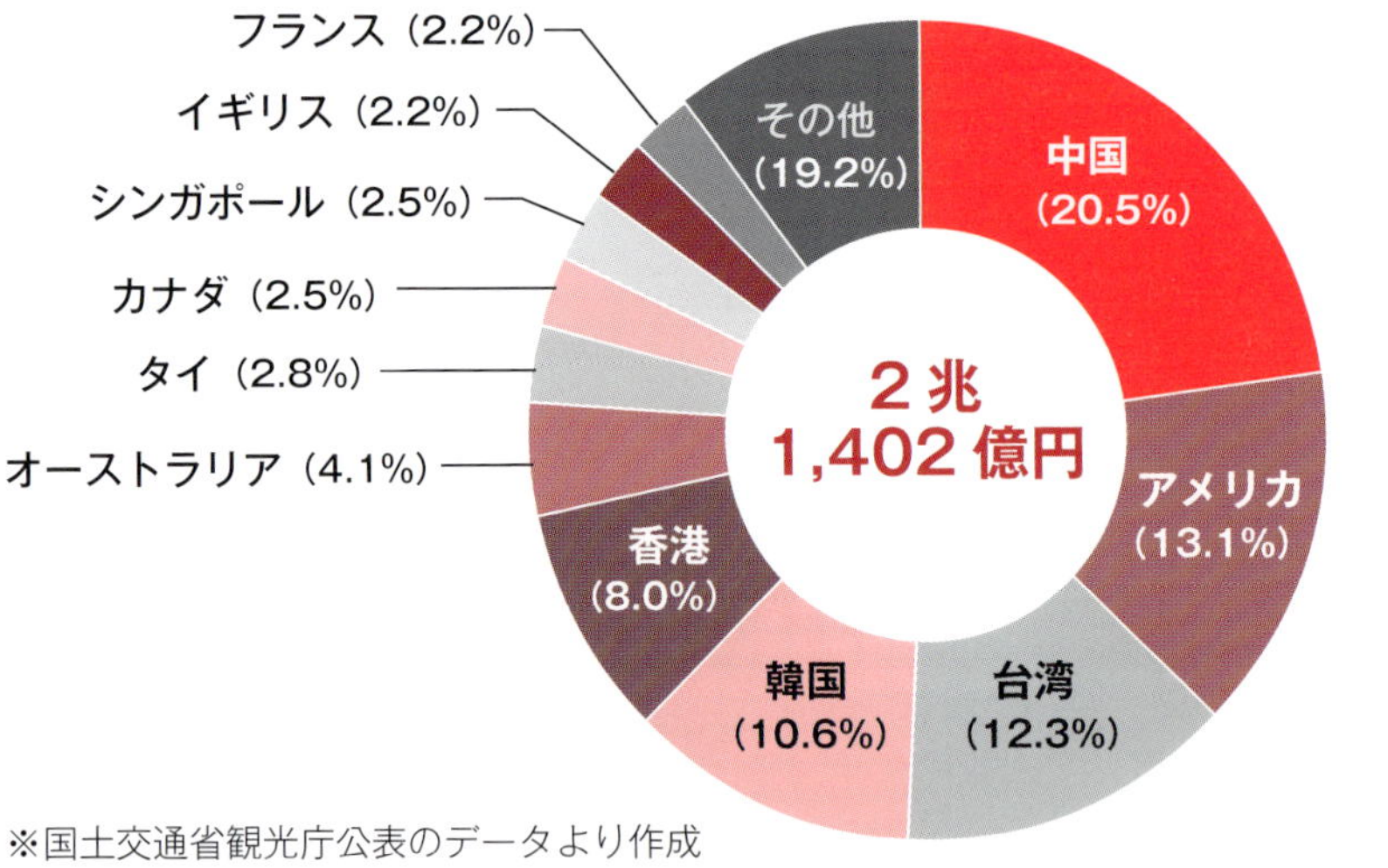

※国土交通省観光庁公表のデータより作成

海外から外国人が日本に旅行に来ることを**インバウンド**という。訪日外国人旅行者数はコロナ禍（か）で一時途絶えていたが、その後円安の影響もあって急速に回復した。２０２３年８月には中国から日本への団体旅行が解禁され、コロナ前を超える勢いだ。

２０２４年７月の訪日外国人旅行者数は単月では過去最高の約３２９万人となった。訪日外国人旅行者による消費額も２０２４年４～６月期に四半期過去最高の２兆１４０２億円を記録した。国別にみると、消費額が最も多いのは中国の４３９０億円（20.5％）で、次いでアメリカ、台湾、韓国の順となっている。日本の観光地はこれまで国内の旅行客をターゲットにしたものが多かったが、外国人訪日客の増加で整備がすすんでいる。政府は２０３０年の目標として、訪日外国人旅行者数６０００万人、消費額15兆円を目指す方針を掲げている。

参照 すすむ円安 ››› P76

WEB 一般社団法人 日本デジタルトランスフォーメーション推進協会（JDX）

39 経済

DX（デジタルトランスフォーメーション）

100字でナットク

DX（デジタルトランスフォーメーション）とは、デジタル化によって業務を変革し、新たな価値を生み出すことだ。旧来のビジネス慣行や老朽化したシステムをITによって刷新し、競争力をつけることが目的だ。

DX

ディーエックス　Digital　Transformation
DX＝デジタルトランスフォーメーション

新しい価値を生むサービスや業務プロセスをつくる

●DXの事例

	DX前		DX後
タクシー配車アプリ	顧客が電話で配車を依頼すると、会社が無線で運転手と連絡をとって近くにいる車両を配車。支払いは現金など。	➡	顧客がスマホ上のアプリで配車を依頼すると、GPSによる位置情報を活用して近くにいる車両を配車。支払いもスマホでキャッシュレス決済。
ストリーミング配信サービス	CDやDVDなどの媒体を購入・レンタルして音楽や映画を鑑賞する。		音楽や映画はインターネット上で配信される。さらに、月額料金で聴き放題・見放題になるサブスクリプションサービスも普及。
キャッシュレス決済 	現金をやり取りする。またはクレジットカードなどで決済する。ポイントを貯める場合はポイントカードを提示する。	➡	決済アプリによって、スマートフォンをかざすだけで決済が完了する。ポイントカードと連携すると、ポイントも自動で貯まる。
ファミレス 	店員を呼んで口頭で料理を注文する。店員が料理を配膳する。		テーブルのタブレット端末や客が自分のスマホで注文する。配膳はロボットが行う。

デジタルトランスフォーメーションを略して**DX**という。トランスフォーメーションは英語で「変形・変革」などの意味。つまりDXとはデジタル化による変革という意味だ。

たとえば、これまで紙に印刷していた社内文書を、データでやり取りできるようにする。それだけなら単なるデジタル化だが、社内文書をインターネットのクラウドに保管し、出先でも閲覧・修正できるようにすれば、出張先での決済やテレワークにも対応できる。DXとはこのように、デジタル化によって新たな価値やサービスを創造することだ。

日本企業は現在、デジタル分野で欧米などの巨大IT企業に大きく出遅れている。ITシステムの老朽化も大きな課題だ。経済産業省は「このままでは2025年以降、年間最大12兆円もの経済損失（いわゆる「**2025年の崖**」）が生じる」と警告し、DXの重要性を訴えている。

ちょこっと時事

オーバーツーリズム 観光地にキャパシティを超える多くの観光客が押し寄せ、様々な悪影響を及ぼすこと。公共交通機関の混雑や交通渋滞、騒音やごみ、環境破壊などで、観光公害とも呼ばれる。コロナ禍後にインバウンド需要が急速に回復する一方で深刻化がすすみ、対策が求められている。

参照 いまさら聞けない最新IT・ビジネス用語 ››› P12　フィンテック ››› P91

WEB 金融庁：NISA特設ウェブサイト

40 経済

新NISA

新NISA

NISA（少額投資非課税制度）
Nippon Individual Savings Account

	これまでのNISA（～2023年）どちらか一つを選択		新しいNISA（2024年～）併用できる	
種類	一般NISA	つみたてNISA	成長投資枠	つみたて投資枠
年間投資枠	120万円	40万円	240万円	120万円
非課税保有期間	5年	20年	無期限	
非課税保有限度額	600万円	800万円	1800万円（うち成長投資枠1200万円）	
投資対象	上場株式・投資信託等	長期・積立・分散投資に適した一定の投資信託	上場株式・投資信託等	長期・積立・分散投資に適した一定の投資信託

※「ジュニアNISA」は2023年で廃止

100字でナットク

投資による利益が非課税となるNISA制度。2024年にはじまった新しいNISAでは、「一般」と「つみたて」の併用が可能になり、非課税期間が無期限になるなど、制度が大幅に拡大された。

NISA（ニーサ）（少額投資非課税制度）とは、投資によって得た利益が非課税になる制度だ。たとえば、値上がりした株を売却して10万円の利益を得た場合、通常の投資では約20％の税金がかかるので、受け取ることができるのは約8万円となる。しかしNISAを利用すれば、10万円を全額受け取ることができる。家計の資産形成を支援するための制度だが、個人資産を投資に向かわせようとする国のねらいもある。

NISAは2014年に始まったが、2024年1月から制度が刷新された。これまでNISAには**「一般」「つみたて」**の2種類があり、どちらか一方しか選択できなかったが、新しいNISAでは両方を併用できるようになった。また、非課税で保有できる期間（一般5年、つみたて20年）が撤廃されて無期限となり、年間に投資できる金額や保有できる金額も拡大された。

WEB 一般社団法人 Fintech 協会

41 経済 フィンテック

100字でナットク

フィンテックとは、IT技術を活用した新しい金融サービスのこと。大規模なシステムが必要だった従来のサービスと異なり、スマホやネットを利用して新たな付加価値を生み出すビジネスとして注目を集めている。

フィンテックとは

フィンテック（FinTech）

ファイナンス（Finance）

テクノロジー（Technology）

決済

- スマートフォンとカードリーダーの組合せで、店舗に専用端末がなくてもクレジットカード決済ができるサービス（モバイルPOS）
- 1枚のカードで複数のカードブランドを利用できるサービス
- 指紋認証や顔認証などの「生体認証」で買い物ができるサービス

送金

- 海外に格安で送金できるサービス（暗号資産）

資産管理・運用

- クレジットカードや銀行口座と連動した家計簿・資産管理アプリ
- 人工知能（AI）で最適な銘柄を提案するサービス（ロボアドバイザー）

融資

- ネット上で小口の融資を募るサービス（クラウドファンディング）
- 投資家と起業家をつなげるマッチングサービス

IT技術を活用した新しい金融サービスや、それらを開発・提供するビジネスを**フィンテック**という。金融（ファイナンス）と技術（テクノロジー）を組み合わせた言葉だ。

スマートフォンを利用した**モバイル決済**や、複数の銀行口座やクレジットカードを一括管理できる**家計簿アプリ**などはフィンテックの身近な例といえる。ほかにも、ネット経由で海外送金を格安に行うサービスや、小口の投資をネットで募るサービスなど、決済、送金、融資、資産運用の様々な分野におよんでいる。

従来、こうしたサービスには大規模なシステムと多額の投資が必要だった。しかし近年はスマートフォンの普及やIT技術により、アイデア次第で付加価値の高いサービスを生み出せる。2021年には**金融サービス仲介業**が開始され、銀行・証券・保険や貸金すべての仲介業務が1つの登録で行えるようになった。

ちょこっと時事

スマホソフトウェア競争促進法　グーグルやアップルなどの巨大IT企業によるスマートフォンOSの寡占状態を規制する法律。2024年6月に可決・成立した。公式ストア以外からアプリをダウンロードできるようにすることや、アプリの課金方法の制限が禁止される。

参照 DX（デジタルトランスフォーメーション）››› P89

42 社会

マイナ保険証

100字でナットク

マイナンバーカードを健康保険証として利用するマイナ保険証。政府は健康保険証をマイナ保険証に一本化し、従来の健康保険証を2024年12月に廃止することを決めた。しかし従来の保険証がだめな理由は特にない。

マイナンバーカード

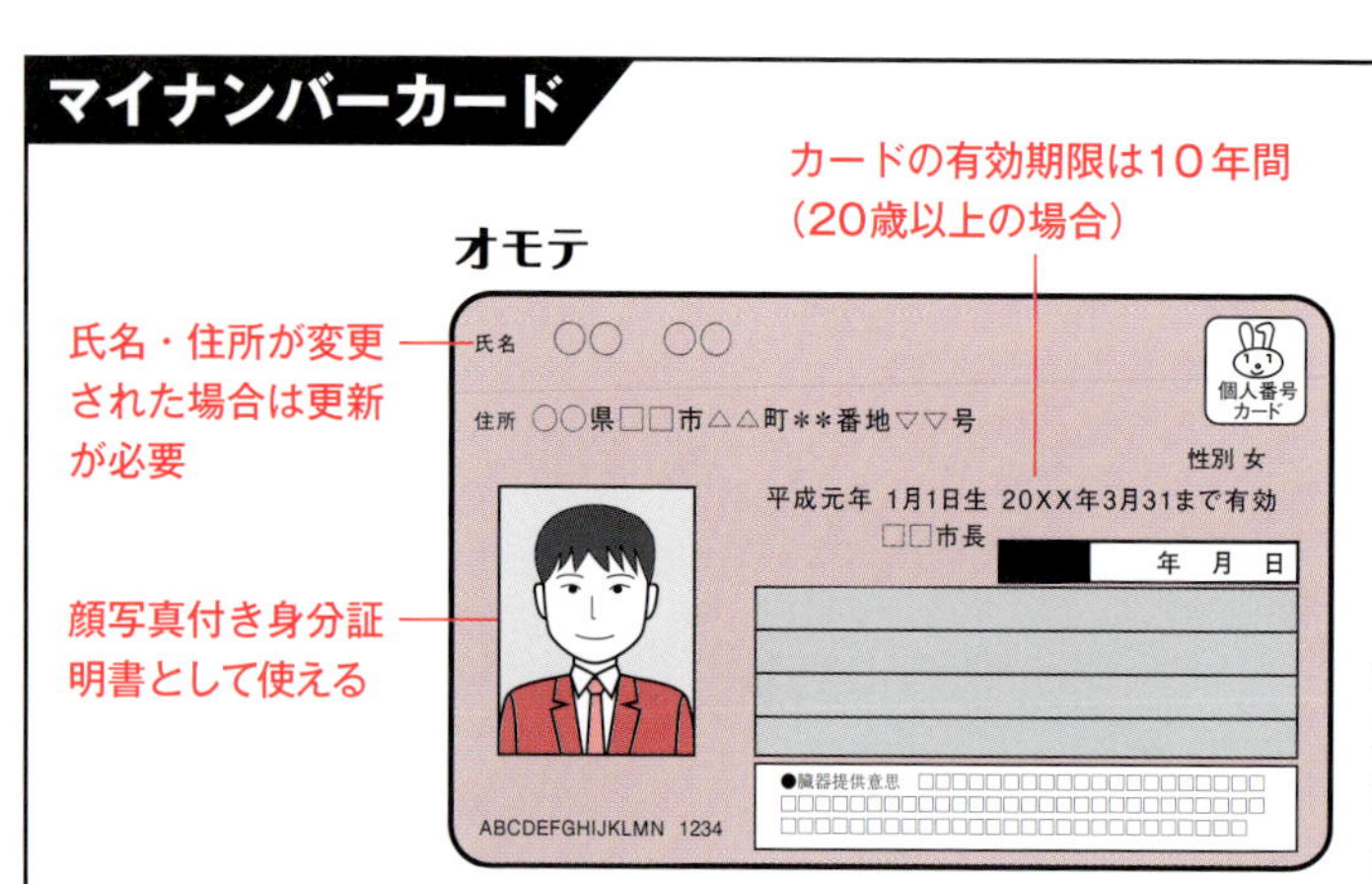

希望者は市区町村の窓口で発行（無料）
2024年9月現在の普及率は**75%**

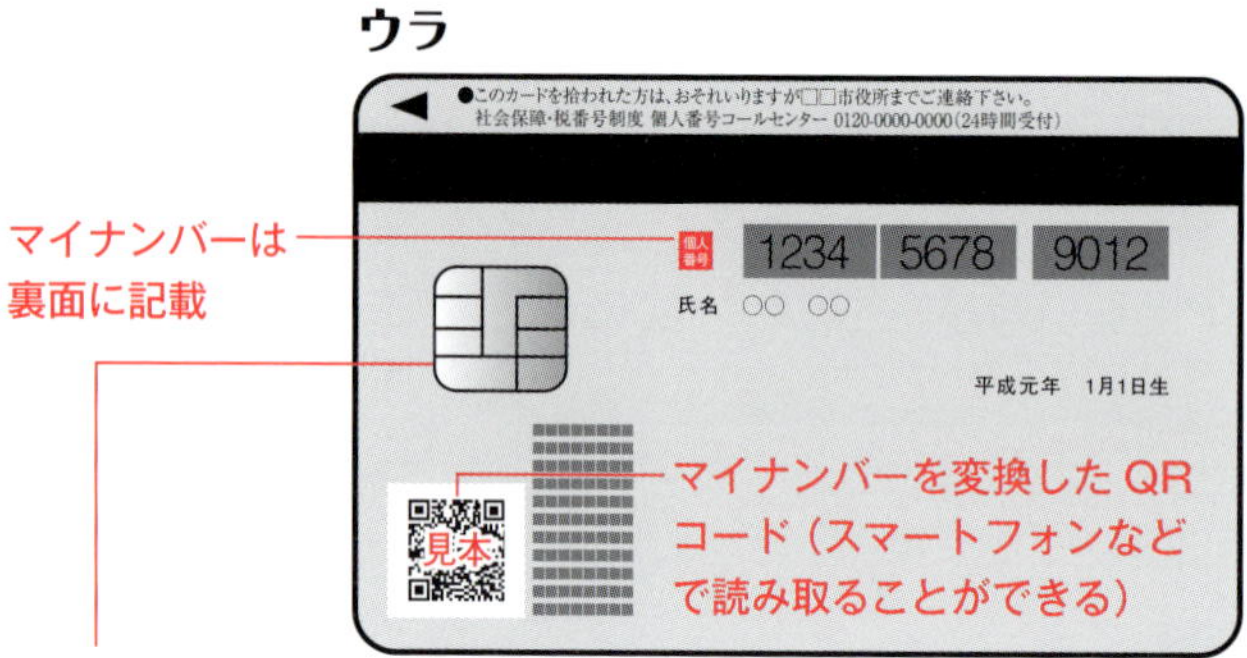

ICチップ
氏名・住所・生年月日・性別・マイナンバー・顔写真の画像データのほか、オンライン認証で利用する電子証明書が格納される（電子証明書の有効期限は5年）。税金や年金の情報は記録されない。

マイナンバーカードの用途

①マイナンバーの証明書類として利用
②コンビニ等から住民票や印鑑登録証明書などを取得
③マイナポータルで、各行政種手続きをオンライン申請
④顔写真付きの身分証明書として利用
⑤健康保険証、図書館カード、社員証、在留カードなど多目的に利用可能

※②～⑤の用途では、裏面のマイナンバーは使用していない

マイナンバー（個人番号）は、生まれたばかりの赤ちゃんから老人まで、国籍にかかわらず日本に住んでいる人全員に重複（ちょうふく）なく割り当てられる12桁の番号だ。複数の機関にバラバラに管理されている個人情報を1つの番号で管理し、同じ個人の情報として扱えるようにする。これにより、関係機関の間での個人情報のやり取りを効率化できる。各種の手続が簡単になるメリットもある。

マイナンバーは銀行の口座にもひも付けできる。預金口座とのひも付けは任意だが、投資信託や証券口座では義務化されている。個人の所得や行政サービスの受給状況を正確に把握して、税金や社会保障費の負担分を徴収しやすくするのがねらいだ。

マイナンバーカードは、マイナンバーが本人のものであることを証明する顔写真付きのICカードだ。希望者に無料で交付され、身分証明書として利用できる。マイナン

マイナ保険証

受診者は受付のカードリーダーにマイナカードをセットし、顔認証か暗証番号入力で本人確認を行う。

顔認証機能付きカードリーダー
写真：パナソニックコネクト（株）

マイナ保険証のメリット

- 引っ越しや転職による**健康保険証の更新が不要**（マイナンバーカードの更新は必要）
- マイナポータルで**健診結果や薬の情報を確認できる**
- 限度額を超える**高額療養費の一次支払いが不要**

現行の保険証はどうなる？

- 2024年12月に**原則廃止**（ただし、1年間の猶予期間を設ける）
- マイナカードを持たない人には有効期間5年の**資格確認書を交付**

●マイナンバーカードをめぐる動き

2015年10月	市区町村から住民へ**マイナンバー**（個人番号）の通知が始まる
2016年　1月	マイナンバーカードの**交付開始**
2017年11月	マイナポータル**本格運用を開始**
2018年　1月	**預金口座**へのマイナンバーひも付け開始（任意）
2020年　9月	**マイナポイント第1弾**（マイナカード作成で最大5000円相当のポイント還元）
2021年　3月	**マイナ保険証運用開始**（10月から本格運用）
9月	**公金受取口座登録制度開始**（給付金等の受取り用の口座をマイナンバーとともに登録）
2022年　1月	**マイナポイント第2弾**（マイナカード取得、マイナ保険証申込み、公金受取口座の登録で合計20,000円相当のポイント還元）
10月	河野デジタル相、**紙の健康保険証を2024年12月に廃止**することを発表
2023年　6月	国会で紙の健康保険証を廃止する等の**法案可決**
	岸田首相、マイナポータルのデータ（29項目）の**総点検を指示**
2023年　8月	マイナ保険証に別人の情報が登録されていた**トラブル**8,441件
2024年　5月	マイナンバーカードの機能を**スマートフォン**で利用可能にする**改正マイナンバー法成立**→マイナ保険証もスマートフォンで利用可能に（2025年春予定）

バーカードの作成は義務ではないが、政府はカードを普及させるため、カードの用途をマイナンバーと関係ない様々なサービスに広げている。2021年3月からは健康保険証としても利用できるようになった。さらに政府は、従来の健康保険証を2024年12月に廃止し、**マイナ保険証**に原則一本化することを決めた。健康保険証は誰もが必要とするものなので、事実上、マイナンバーカードの義務化といえる。

しかし普及を急ぎすぎたため、マイナ保険証に別人の情報をひも付けるトラブルが相次ぎ、政府は対応に追われることになった。処方された薬のデータが共有できる、高額医療費の限度額を超える支払いが免除されるなど、政府はマイナ保険証のメリットを強調するが、マイナ保険証の利用率は登録した人の約14％にとどまっており、現行の保険証を残すべきという声は根強くある。

マイナ保険証を持っていない人については、有効期間5年の「**資格確認書**」が別途交付される。また、現行の保険証についても、廃止後の1年間は猶予期間としてそのまま利用することができる。

ちょこっと時事

マイナ免許証　政府はマイナンバーカードを運転免許証として利用できるようにするマイナ免許証の運用を2025年3月から開始する。従来の免許証も利用でき、どちらか1つか、両方持つこともできる。マイナ免許証は、住所や氏名の変更の際、自治体に届ければ警察への変更届は不要になるなどのメリットがあるという。

43

社会

共同親権

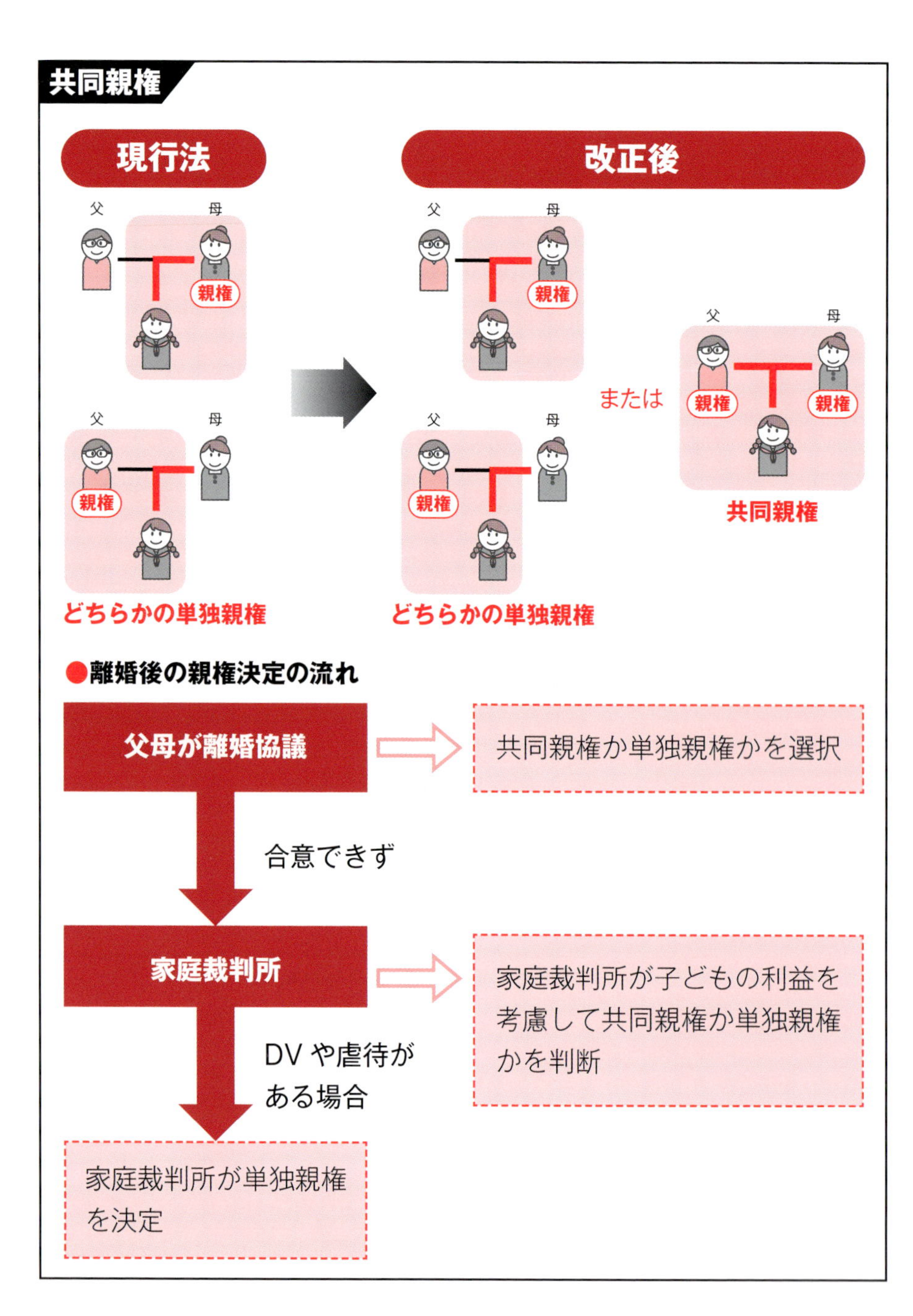

100字でナットク

2024年5月に民法が改正され、離婚した後も父親と母親の両方が親権をもつ共同親権の導入が決まった。共同親権となった場合、進学などの子どもに関する重要な事柄を決めるときには、父母双方の同意が必要となる。

2024年5月、離婚後の「**共同親権**」の導入を柱とする改正民法が参議院で可決・成立した。

親権とは、**未成年の子どもの身の回りの世話**（監護）や**財産の管理**をすること。結婚している間は夫婦が共同で親権をもつが、離婚した後はどちらか一方が単独で親権をもつのがこれまでの決まりだった。どちらが親権をもつかは話し合いによって決めるが、まとまらない場合は家庭裁判所が指定する。

今回の改正により、離婚した夫婦は、**どちらか一方が単独親権をもつか、双方の共同親権にするかを選ぶ**ことができるようになる。もし、一方が単独親権、他方が共同親権を主張して話し合いがつかない場合は、家庭裁判所がどちらにするかを判断する。DVや児童虐待が疑われる場合など、共同親権にすると子どもの利益を害すると判断された場合は、従来どおり単独親権となる。

WEB 法務省民事局：
民法等の一部を改正する法律（父母の離婚後等の子の養育に関する見直し）について

共同親権のメリットとデメリット

共同親権になった場合

両親の合意が必要

- 進学先の決定
- 転居先の決定
- 生命に関わる医療行為　など

両親の意見が一致しない場合は家庭裁判所が判断

どちらかの判断のみで可能

日常の行為

- 習い事の選択
- アルバイトの許可

緊急の事情

- 緊急手術
- 虐待からの避難

●共同親権をめぐる議論

賛成意見		反対意見
子どもと別居する親が子育てに関わりやすくなり、面会交流や養育費の支払いが促進される	子どもとのかかわり	父母の意見の食い違いで子が不利益になったり、合意の必要を盾に支配しようとする
親権争いを防ぐことができる	親権争い	単独親権か共同親権かで争うことになる
虐待や DV がある場合は単独親権にすればよい	虐待・DVの防止	物的証拠のない精神的 DV や虐待を見抜けず、子どもの不利益になる
一方的な子どもの連れ去りを防ぐことができる	連れ去り	連れ去りではなく、DV や虐待から緊急避難の場合もある

また、現在すでに離婚していても、裁判所に申し立てて認められれば単独親権から共同親権に変更できるようになった。

共同親権となった場合、子どもに関する重要な事項（進学先の選択、転居先、パスポートの取得など）には、**父母双方の同意**が必要となる。ただし、日常の行為（食事、買物、習い事など）や窮迫の事情（緊急手術など）がある場合は、どちらかが単独で決定することができる。

共同親権の導入をめぐる議論は、賛成と反対で大きく意見が分かれた。面会交流や養育費の支払いが適切に行われるようになる、子どもの連れ去りがなくなる、親権をめぐる争いが減るなどの賛成意見の一方で、反対意見としては、家庭裁判所が虐待や物的証拠がない精神的ＤＶを見抜けず、適切な判断ができない可能性がある、進学などの際に必要な同意を盾にして、離婚後も相手に支配されるおそれなどがある。

今回の改正では、このほか面会交流の申し立てを祖父母などにも認めることや、養育費の不払いを防止する規定が盛り込まれた。改正法は2026年5月までに施行される。

ちょこっと時事

拘禁刑　受刑者に刑務作業を義務付ける懲役刑と、義務がない禁錮刑を一元化し、拘禁刑を創設する改正刑法が2022年6月に成立した。刑務作業を義務化せず、受刑者の特性に合わせた再犯防止教育や矯正教育を充実させて、再犯者を減らすねらいがある。2025年6月から施行させる予定。

44

社会

袴田さん無罪確定

100字でナットク

2024年9月、静岡地裁は1980年に死刑が確定した袴田巌さんに無罪を言い渡した。事件は当初から捜査機関の捏造の疑いが強かったが、冤罪が晴れるまでには58年間もの長い時間がかかった。

袴田事件

●事件の経過

1966年6月	事件発生
1966年8月	袴田巌さん（当時30歳）を逮捕
1967年8月	味噌タンクから血痕のついた「5点の衣類」が見つかる
1968年9月	静岡地裁が死刑判決
1980年11月	最高裁が上告を棄却 ➡袴田さんの死刑判決が確定

袴田巌さん
写真：共同通信

●冤罪の疑い

①自白の信憑性

- 自白は、連日連夜の**過酷な取り調べ**によって強制されたもので、45通の調書のうち44通は証拠として認められてない。
- 自白によれば犯行着衣はパジャマであり、その後発見された「**5点の衣類**」については自白では触れられていない。

②5点の衣類（半袖シャツ、ズボン、ステテコ、スポーツシャツ、ブリーフ）

- ズボンのサイズが小さく、**袴田さんにははけない**。
- 長期間味噌に漬けられた血痕は黒く変色するはずなのに、衣類に付いた**血痕には赤みが残っている**。
- **DNA鑑定**によれば、血痕は被害者のものでも袴田さんのものでもない。
- 捜査機関が**捏造した可能性**が極めて高い。

1966年、静岡県清水市（現・静岡市）の味噌製造会社の専務宅が全焼する火事があり、焼け跡から刃物でめった刺しにされた一家4人の死体が発見された。

警察は味噌工場の従業員で元プロボクサーだった**袴田巌**さんを容疑者として逮捕した。袴田さんは犯行を否認したが、連日連夜の過酷な取り調べにより自白してしまった。裁判では全面否認したが、**静岡地裁**は袴田さんに有罪を言い渡した。袴田さんは控訴したが、1980年に最高裁が上告を棄却し、袴田さんの**死刑**が確定した。

事件は当初から**冤罪**の疑いがあった。45通にのぼる自白調書は捜査員に強要されたもので、信憑性が薄い。事件から1年以上後になって味噌タンクの中から発見された犯人のものとされる「**5点の衣類**」は、袴田さんとサイズが合わず、長期間味噌に漬け込まれていたにしては血痕

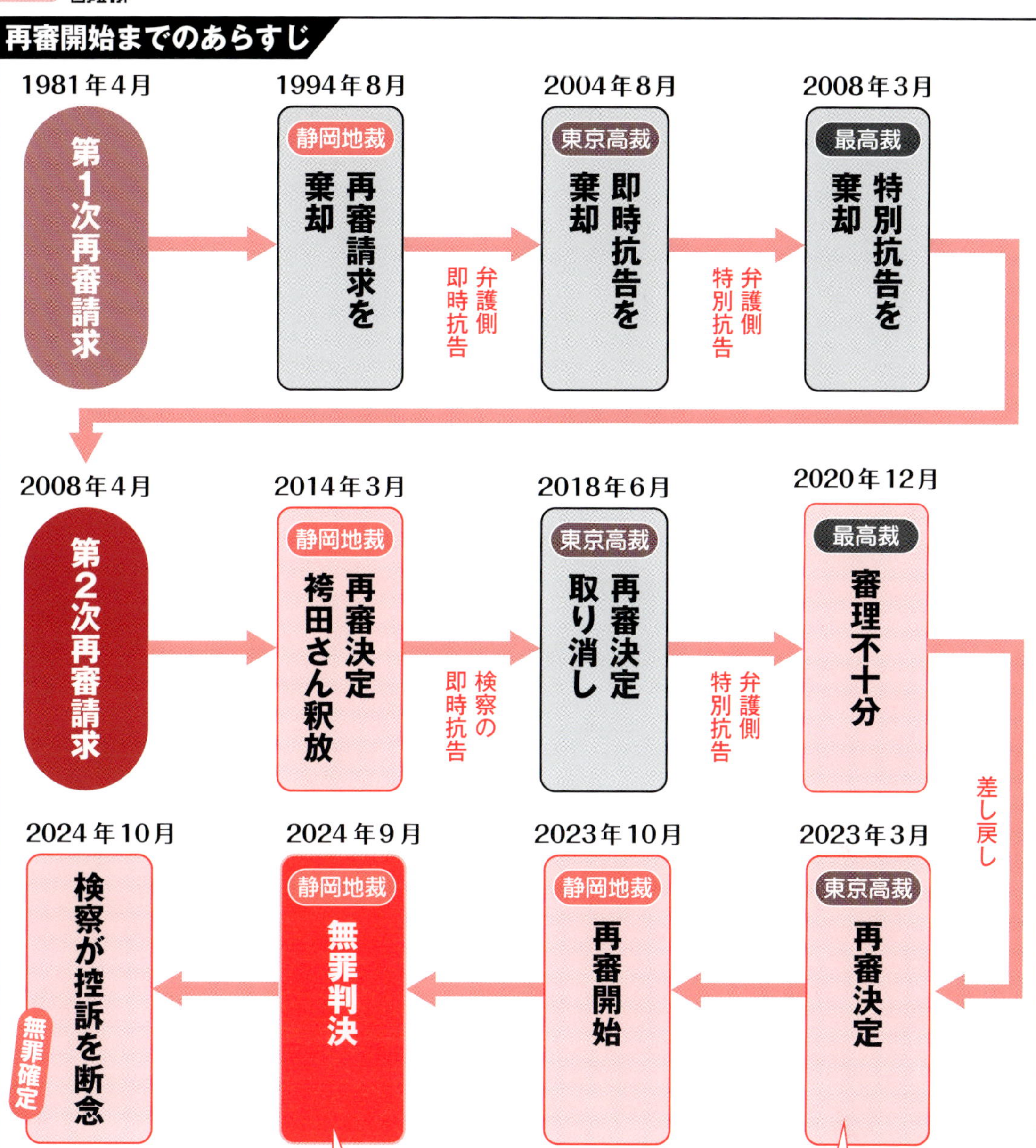

が不自然に赤かった。弁護側が行ったDNA鑑定では、衣類の血痕は被害者のものとも袴田さんのものとも一致せず、捜査機関が**証拠を捏造**(ねつぞう)した疑いが極めて強い。

しかし現行の法律では、どんなに不合理な判決でも、一度確定した判決をくつがえすのは非常に難しい。まず、無罪を言い渡すべき明らかな証拠を地裁に提出し、「**再審**をしてほしい」と請求する。地裁は弁護側と検察側の主張を聞いて、再審するかどうかを決定する。ここで再審が認められても、検察側が異議申し立てをすれば審議は高裁、最高裁と続く。そのため、実際に再審が開かれるまでには何年もかかってしまうのだ。

袴田さんの再審は、死刑確定から43年後の2023年10月にようやくはじまった。2024年9月、静岡地裁は自白調書と「5点の衣類」、袴田さん宅から見つかったとされるズボンの切れ端をいずれも捜査機関の捏造と判断し、袴田さんに**無罪**を言い渡した。検察側は控訴を断念し、袴田さんの無罪が確定した。

事件発生から58年。冤罪を晴らすためにかかった長い年月は取り返しがつかない。

ちょこっと時事

再審制度の見直し　刑事訴訟法に定められている現行の再審制度は、検察側に与えられている提出証拠や不服申し立ての権利の存在などから再審開始まで長期間かかり、冤罪の救済が困難などの問題がある。袴田さんの再審無罪をきっかけに、現行の再審制度を見直す動きがすすんでいる。

45

社会

旧優生保護法をめぐる訴訟

100字でナットク

障害者や精神疾患のある人に不妊手術を行うことを認める「旧優生保護法」について、最高裁は2024年7月、同法が憲法違反であることを認め、強制不妊手術を受けた人への国家賠償を命じる判決を下した。

優生保護法は、まだ戦後間もない1948年につくられた法律だ。現在は改正されて母体保護法という名称に変わったので、改正前の法律を「**旧優生保護法**」と呼んで区別している。

旧優生保護法の目的は「**優生上の見地から不良な子孫の出生を防止する**」こと。背景に、戦後のベビーブームによる過剰人口の抑制や、「国民の質を高める」という優生学的な（誤った）考え方がある。法律は、遺伝性疾患や精神疾患とみなされた人が子どもをつくれないよう、本人の同意を得ずに不妊手術や中絶を行うことを認めていた。

この法律にもとづいて、遺伝性の病気やハンセン病、知的障害、精神障害があるとされた約2万5000人が不妊手術を受けた。そのうち約66％（1万6500件）は、本人の同意を得ずに行われた強制不妊手術だった。手術を嫌がる人に対しては、

旧優生保護法

旧優生保護法（1948～1996年）

第１条 「この法律は、優生上の見地から**不良な子孫の出生を防止する**とともに、母性の生命健康を保護することを目的とする。」

第３条 本人の同意を得れば**優生手術**を行うことができる（遺伝性疾患やハンセン病の人を対象）

第４条 医師が公益上必要であると認めるときは、**同意を得なくとも**手術を行うための審査を都道府県の優性保護委員会に申請できる。

第12条 医師は、**遺伝性ではない精神病疾患**についても保護者の同意があれば手術を行うための審査を申請できる。

（第３条・第４条・第12条）強制不妊手術の規定

旧優生保護法に基づく不妊手術（優生手術）

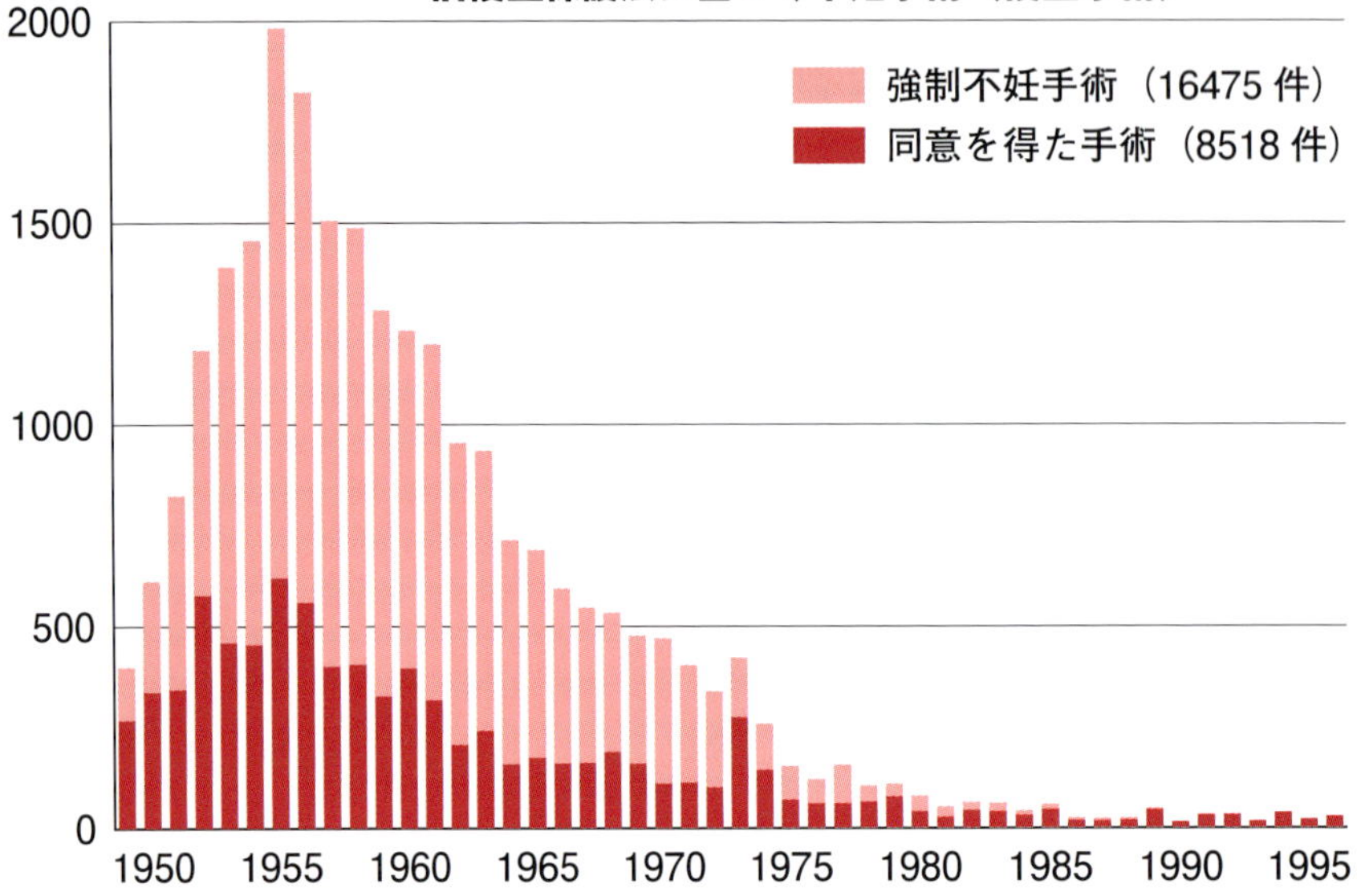

「旧優生保護法に基づく優生手術等を受けた者に対する一時金の支給等に関する法律第21条に基づく調査報告書」より

WEB 旧優生保護法 被害弁護団　こども家庭庁：旧優生保護法による優生手術等を受けた方へ

旧優生保護法をめぐる年表

1948年	**旧優生保護法**が施行 「**不良な子孫の出生防止**」を掲げ、**障害のある人への強制不妊手術を認める**
1996年	「不良な子孫の出生防止」条項が**削除**され、**母体保護法**に改称。
2016年	**国連女性差別撤廃委員会**が、強制手術を受けた人の救済を日本政府に勧告
2018年	宮城県の女性が国に賠償を求めて仙台地裁に提訴 各地で**訴訟が相次ぐ**
2019年4月	被害者に一律320万円を支払う**一時金支給法が成立**
5月	仙台地裁が**違憲判決**。賠償請求は請求権消滅により**棄却**
2022年2月	大阪高裁で**初の賠償命令** 同様の判決が相次ぐ
2024年7月	最高裁が**違憲判決**。国に**賠償命令** **岸田首相**（当時）が原告団に**謝罪**
9月	原告側と政府が**和解合意**

最高裁判決

	原告側	国	最高裁判決
憲法違反	障害があるという理由で子どもを産み育てるかどうかを自分で決めることができず、子孫を残せなくされたのは、憲法13条（個人の尊重、幸福追求権）や憲法14条（法の下の平等）に反する。	見解を示さず	**違憲判断**　障害者の出生を防止するという旧法の目的は立法時の社会情勢を勘案しても正当と言えず、個人の尊厳や法の下の平等を定めた憲法に違反する。
除斥期間	戦後最大の人権侵害であり、手術から20年経過したというだけで免責されるべきではない。	手術から20年以上が経過しているので、損害賠償請求権は消滅している。	**国に賠償命令**　国の政策として長期間障害者を差別し、多数の被害者を出したもので、除斥期間の経過だけで賠償責任を免れるのは著しく正義・公平の理念に反する。

身体拘束や麻酔薬の使用も認められていた。ひどい人権侵害なのは言うまでもない。

法律から「不良な子孫の出生防止」に関する条文が削除されたのは、制定から48年後の1996年。このとき名称も「**母体保護法**」に変更された。しかし国は被害者に対する救済策を講じようとしなかった。

2018年、強制不妊手術を受けた女性が国に賠償を求める裁判を仙台地裁に対して起こし、これをきっかけに全国で訴訟が相次いだ。

裁判で原告側は、旧優生保護法が憲法13条（個人の尊重・幸福追求権）や憲法14条（法の下の平等）に違反すると主張した。これに対し、国は同法の違憲性には反論せず、「不法行為から20年が経過すると賠償請求権が消滅する」という民法の規定（**除斥期間**（じょせききかん））を主張して賠償を認めなかった。

2024年7月、最高裁判所は旧優生保護法は憲法違反であり、賠償請求権が消滅したとする除斥期間の主張は認められないとして、国に賠償を命じる判決を下した。判決後、国が不妊施術を受けた人に1500万円を支払うことで和解が成立した。

ちょこっと時事

技能実習制度の廃止　2024年6月、現行の外国人技能実習制度に代わり、新たに「育成就労制度」を新設する改正法が国会で可決・成立した。現行の制度には、実習先で不当な扱いを受けても転籍ができないなどの問題があったが、新制度では同一分野内での転籍を認めるなど、外国人を労働者として受け入れる目的を明確にしている。

46

社会

こども未来戦略

100字でナットク

2023年に生まれた子どもの数は過去最少の73万人。少子化は将来の日本の経済や社会に大きな影響を及ぼす。政府は対策として「こども未来戦略」を策定し，2030年までに少子化トレンドを反転させるとしている。

出生数・出生率・婚姻件数の推移

出生数・出生率・婚姻件数の推移

合計特殊出生率
万人
第1次ベビーブーム（1947～49年）
第2次ベビーブーム（1971～74年）
ひのえうま※（1966年）
1.20
2023年 過去最少 72.7万人
出生数
婚姻件数
47万4717組

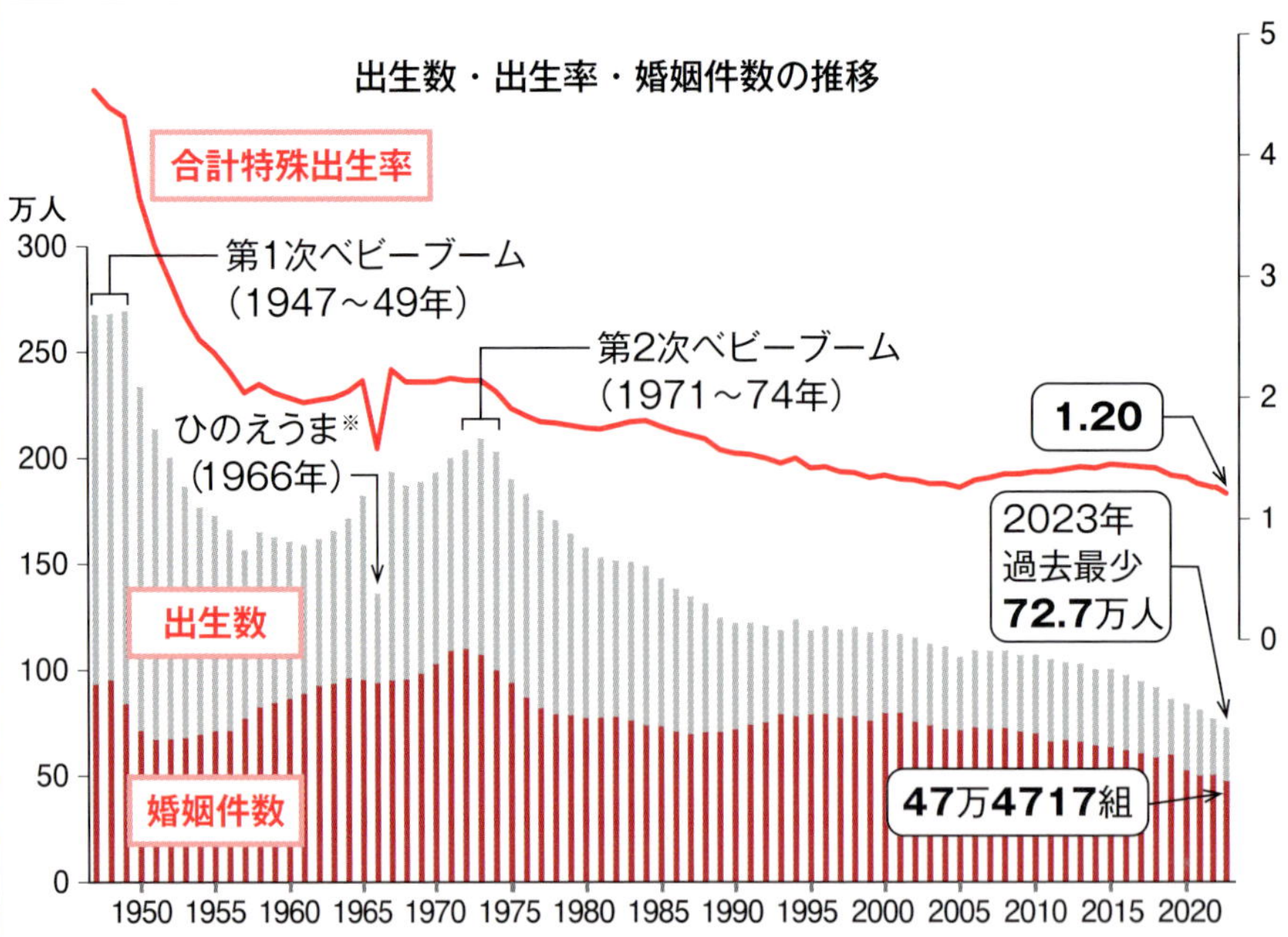

※ひのえうま（丙午）：60年を周期とする干支の43番目。この年に生まれた女性は気性が荒く、夫を早死にさせるという迷信があり、1966年には出生率の低下を起こした。次のひのえうまの年は、2026年。

出典：厚生労働省「人口動態統計」

出生数 72万7288人 過去最少

死亡数 157万6016人 戦後最多

婚姻件数 47万4741組 昨年より減少

厚生労働省によると、2023年に国内で生まれた子どもの数（**出生数**）は過去最少の72万7288人で、8年連続の減少となった。1人の女性が一生の間に生む子供の平均数を表す「**合計特殊出生率**」は**1・20**で、こちらも8年連続の減少だ。

2023年の婚姻件数は47万4741組と、減少傾向は変わらない。婚姻件数の減少は出生数に影響するので、出生数は今後さらに減少する可能性がある。

一方、2023年の死亡数は157万6016人で、戦後最多となった。ガンや心臓病が多くを占めるが、老衰による死亡が大幅に増加しており、約10人に1人が天寿をまっとうしている。高齢化の影響が大きく出たかたちだ。

出生数より死亡数のほうが多いので、当然、日本の人口は減っている。現在の日本の人口は**約1億2400万人**（2024年4月現在）で、前年

WEB こども家庭庁：
こども未来戦略とは

こども未来戦略の主な内容

3つの基本理念

- 若者・子育て世代の所得を増やす
- 社会全体の構造や意識を変える
- すべてのこどもと子育て世帯をライフステージに応じて切れ目なく支援していく

内容	説明	施行日
児童手当	所得制限を撤廃 対象を18歳までに拡大 第3子以降は月額3万円に増額	2024年10月～
ひとり親世帯の児童扶養手当	子どもが3人以上のひとり親世帯は、加算部分の支給額を引き上げ	2024年11月～
妊娠・出産	10万円相当を給付	2025年4月～
育児休業給付	両親が14日以上の休業を取得した場合、最長28日間の給付	2025年4月～
時短勤務	2歳未満の子どもがいる親が時短勤務する場合、賃金の10%を上乗せ支給	2025年4月～
こども誰でも通園制度	親が働いていなくても、3歳未満の子どもを保育所などに預けられるようにする	2026年4月～
国民年金保険料	自営業者などが加入する国民年金の保険料を、子どもが1歳になるまで免除	2026年10月～
支援金制度	財源確保のため、国民から支援金を健康保険や後期高齢者医療保険などの社会保険料に上乗せして徴収（2026年度月250円）	2026年4月～

からの1年間で55万人も減少している。ピークだった2008年の1億2808万人と比べるとおよそ408万人減少した。出生数が減少した背景には、若い世代が結婚したり、子どもを産み育てていくための経済的基盤や、将来の見通しをもてなくなっているという問題がある。こうした現状に対し、岸田首相（当時）は「**異次元の少子化対策**」の検討を表明。その具体策として、2023年6月に「**こども未来戦略方針**」、12月に「**こども未来戦略**」を発表した。

2030年までに少子化の傾向を反転させるため、今後3年間を集中取組み期間とし、**児童手当の所得制限撤廃**、就労要件を問わず保育園を利用できる「**こども誰でも通園制度**」の創設、両親がともに育休をとった場合の給付金の引き上げなどの加速度プランを実施する。プランの財源3.6兆円のうち1兆円は**子ども・子育て支援金**として社会保険料に上乗せし、国民や企業から徴収する（1人平均月額250円から450円）。

2024年6月、加速度プランを実施するための**子ども・子育て支援法**などの改正法が参議院で可決・成立した。

ちょこっと時事

消滅可能性自治体　民間の有識者らがつくる「人口戦略会議」は2024年4月、将来消滅する可能性のある自治体が日本全国の4割にのぼるとする報告書を公表した。若年女性人口が2050年までに半減する可能性が高い744市町村を消滅可能性自治体と位置付けたもの。

参照 日本の年金制度 ››› P104

47
社会
建築・物流・医療の2024年問題

100字でナットク

2019年の「働き方改革」で導入された時間外労働の上限規制が、2024年4月から建築・自動車運転業務・医師にも適用された。それによって生じる様々な問題は「2024年問題」と呼ばれている。

残業時間の上限規制

改正前

行政指導による上限

年間6か月まで
時間の上限なし

残業時間
月45時間、年360日間

法定労働時間
1日8時間、週40時間

1年間＝12か月

働き方改革（2019年4月～）

行政指導による上限

年間6か月まで
月100時間、年720時間

残業時間
月45時間、年360時間

法定労働時間
1日8時間、週40時間

1年間＝12か月

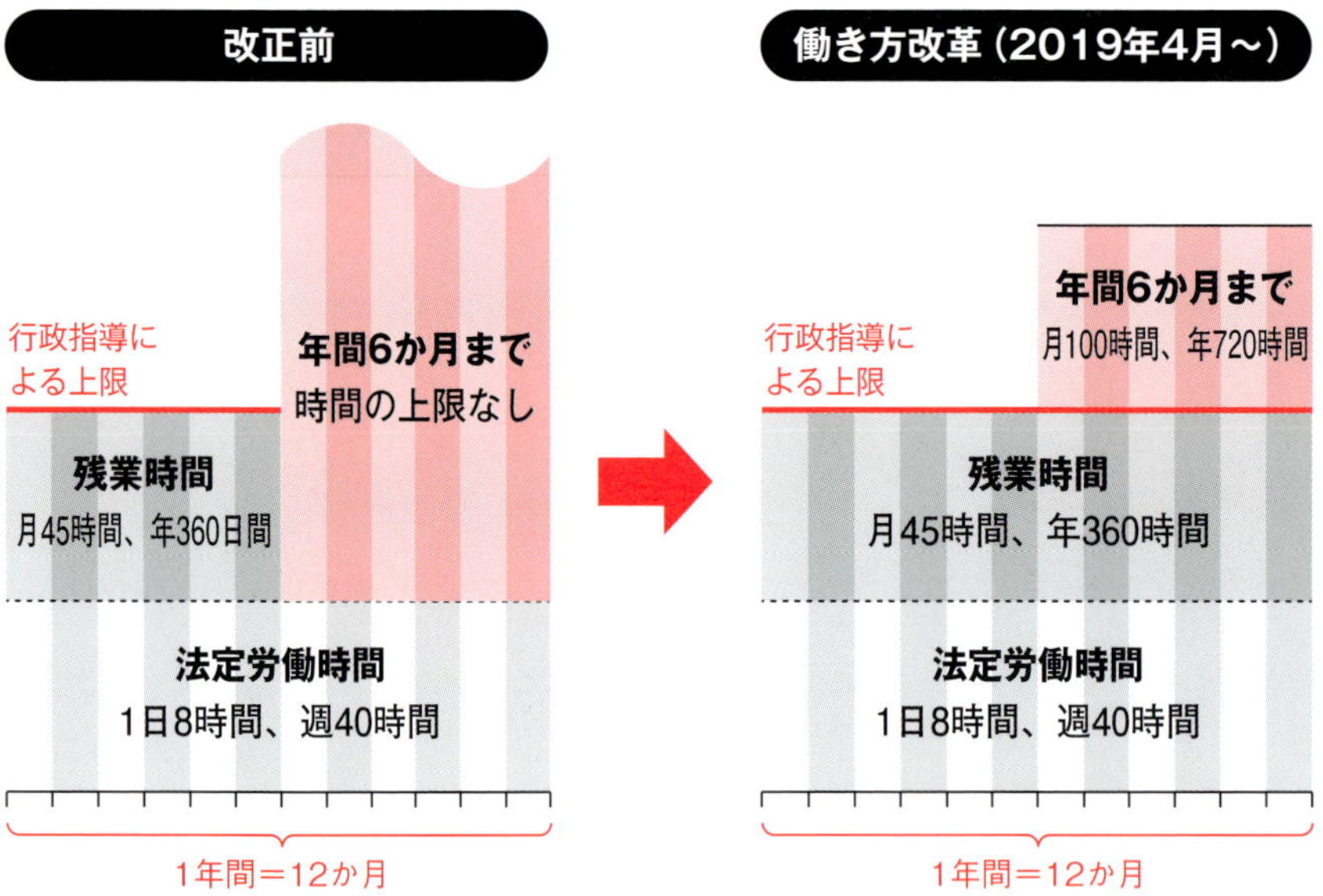

●**残業時間の上限規制**

①原則として**月45時間、年360時間**まで
②特別な事情があって労使が合意する場合
- 45時間を超える月は6か月まで
- **月100時間未満**（休日労働を含む）
- 2～6か月間の月平均が**80時間以内**（休日労働を含む）
- **年720時間以内**（休日労働を除く）

③違反すると6か月以内の懲役または30万円以下の罰金
④建築・自動車運転業務・医師については2024年4月まで猶予期間を設ける

労働基準法は、労働時間の上限を1日8時間、週40時間までと定めている。ただし、労使間で協定を結べば、この上限を超えて働かせることができる。従来、この協定（労働基準法第36条の規定に基づくので「**36協定**」という）さえ結んでいれば、会社は事実上無制限に社員に残業をさせることができた。

2019年4月に施行された「**働き方改革関連法**」により、この残業時間に明確な上限が設定された。時間外労働は原則「**月45時間、年360時間**」まで。繁忙期などのやむを得ない場合でも、休日労働を含めて月100時間未満、2～6か月の月平均が80時間以内、年間では720時間以内（休日労働含まず）としなければならない。違反した場合は会社や経営者に6か月以下の懲役または30万円以下の罰金が科される。

ただしこのルールは、**建設業**、**自動車運転業務**、**医師**についてはすぐ

WEB 厚生労働省：
建設業・ドライバー・医師の時間外労働の上限規制 特設サイト「はたらきかたススメ」

2024年問題

2024年問題

2024年4月から、建築作業員・自動車運転手・医師の残業時間の上限規制を開始

残業時間の上限

建築 年720時間

運転 年960時間

医師 年1860時間（特例に限る）

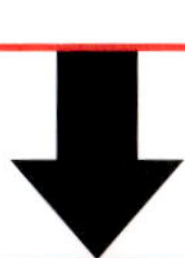

1人当たりの労働時間が減少

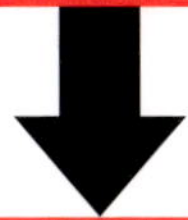

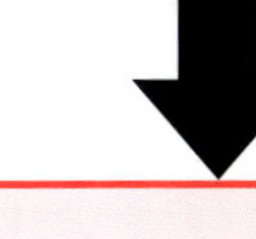

建築
- 作業員の収入減少
- 工期の遅れ・延長
- 工事費の増額

運転
- ドライバーの収入減少
- 運送会社の売上減少
- 輸送能力の低下

医師
- 地域医療、救急医療の確保が困難に

には適用されず、5年間の猶予期間が設けられていた。その猶予期間が2024年4月に終わり、これらの業種の時間外労働にも上限がつくようになった。

2024年4月から、建設業の時間外労働にも一般と同じ年720時間などの上限が適用された。ただし、**災害時の復旧・復興事業については、一部の上限が緩和**される。

一方、長時間労働が多いトラックやバス、タクシー運転手などの**自動車運転業務**については、月100時間未満、2～6か月の月平均が80時間以内などの制限は適用されず、**年960時間が時間外労働の上限**となった。また、拘束時間や休息時間などの基準も改正された。

医師の時間外労働も、**年960時間が上限**となった。さらに研修医や地域医療の確保に必要な場合など、特例として年1860時間までの時間外労働が認められる。

これらの業種にも時間外労働に上限が設けられたことで、長時間労働の是正が期待される一方、各分野への様々な影響が懸念されている。それぞれ**建築・物流・医療の2024年問題**という。

ちょこっと時事

ライドシェア　一般人が自家用車を用いて、顧客を目的地に有料で送り届けるサービス。日本では原則禁止されていたが、人員不足によるタクシー不足が深刻かしていることから、2024年4月に一部地域・時間帯に限定して解禁された。タクシー会社が運行管理し、タクシーと同じ料金体系となる。

48 社会

日本の年金制度

100字でナットク

日本の公的年金制度は、国民の老後の生活をどの程度保障できるのか。厚生労働省が5年に1度公表している「財政検証」によれば、モデル世帯の場合で、現役世代の収入の50％まではギリギリ保障できるという。

日本の公的年金制度

2F　**厚生年金**

1F　**国民年金（基礎年金）**

第１号被保険者	第２号被保険者	第３号被保険者
自営業・学生	会社員・公務員	会社員・公務員の配偶者（専業主婦・夫）
毎月一定額の保険料を納付→65歳から老齢基礎年金を受給	毎月給料の一定割合を納付（会社が半額負担）→65歳から老齢基礎年金＋老齢厚生年金を受給	保険料は厚生年金から拠出→65歳から老齢基礎年金を受給

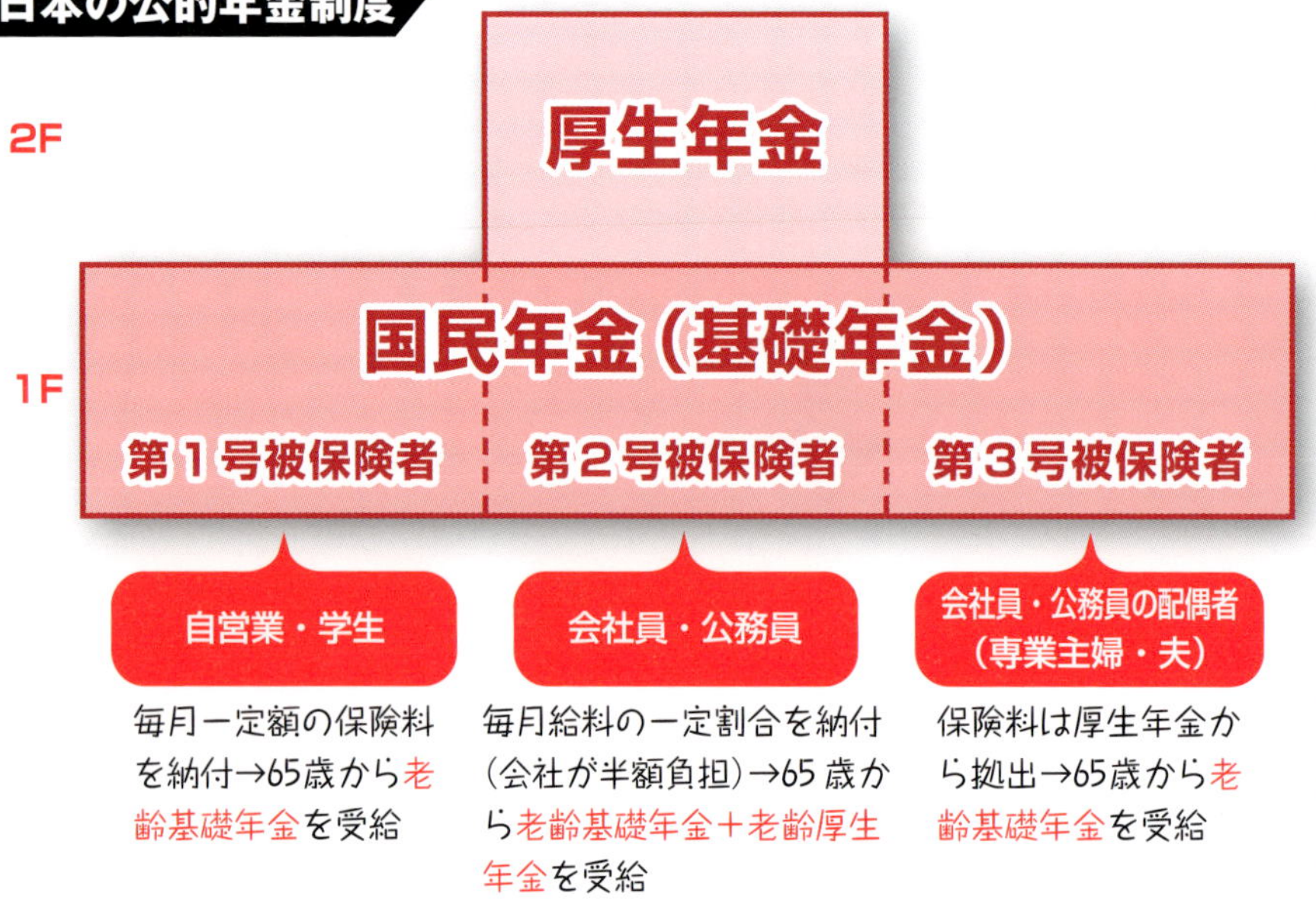

公的年金は何年で元が取れる？

【1】自営業の場合

（A）**国民年金の保険料**：月額 16,980円×480か月（40年間）＝8,150,400円

（B）**老齢基礎年金の受給額**：816,000円／年

元が取れる年数：（A）÷（B）＝ 約10年

【2】独身会社員（月収30万円）の場合

（A）**厚生年金の保険料（本人負担分）**：月額27,450円×504か月＝13,834,800円
（27,450円＝30万×18.30％÷2）

（B）**年金の受給額**：816,000円（基礎年金）＋828,727円（厚生年金）
＝1,644,727円／年
（828,727円＝30万×（5.481/1000）×504か月）

元が取れる年数：（A）÷（B）＝ 約8年5か月

※保険料、受給額はいずれも2024年度の額（実際の保険料、受給額は年度によって異なります）

年金とは、前もって保険料を払い込んでおくことで、定年退職やケガなどで収入が得られなくなったときに、定期的に金銭の給付を受けられる制度だ。日本には、国が運営する公的年金があり、20歳以上の国民は全員加入が義務付けられている。

日本の公的年金は「2階建て」といわれる。日本に住んでいる20歳以上60歳未満の人全員が加入する**国民年金**が1階部分（基礎年金）。会社員や公務員が加入する**厚生年金**が2階部分だ。

保険料の支払い期間は40年間。将来、それに見合った年金をもらえるのだろうか？　意外かもしれないが、65歳から支給される老齢基礎年金だけでいうと、現時点では約10年受給すれば元は取れる。その後は長生きした分だけ得になるので、じつは保険としてはかなりおトクだ。

ただし、老後の生活を公的年金だけでまかなえるかというと、それは

WEB 日本年金機構

マクロ経済スライド

年金の受給額は、毎年の物価（賃金）の上昇率に連動して上昇するが、本来の上昇率より下げて年金額を抑制する。

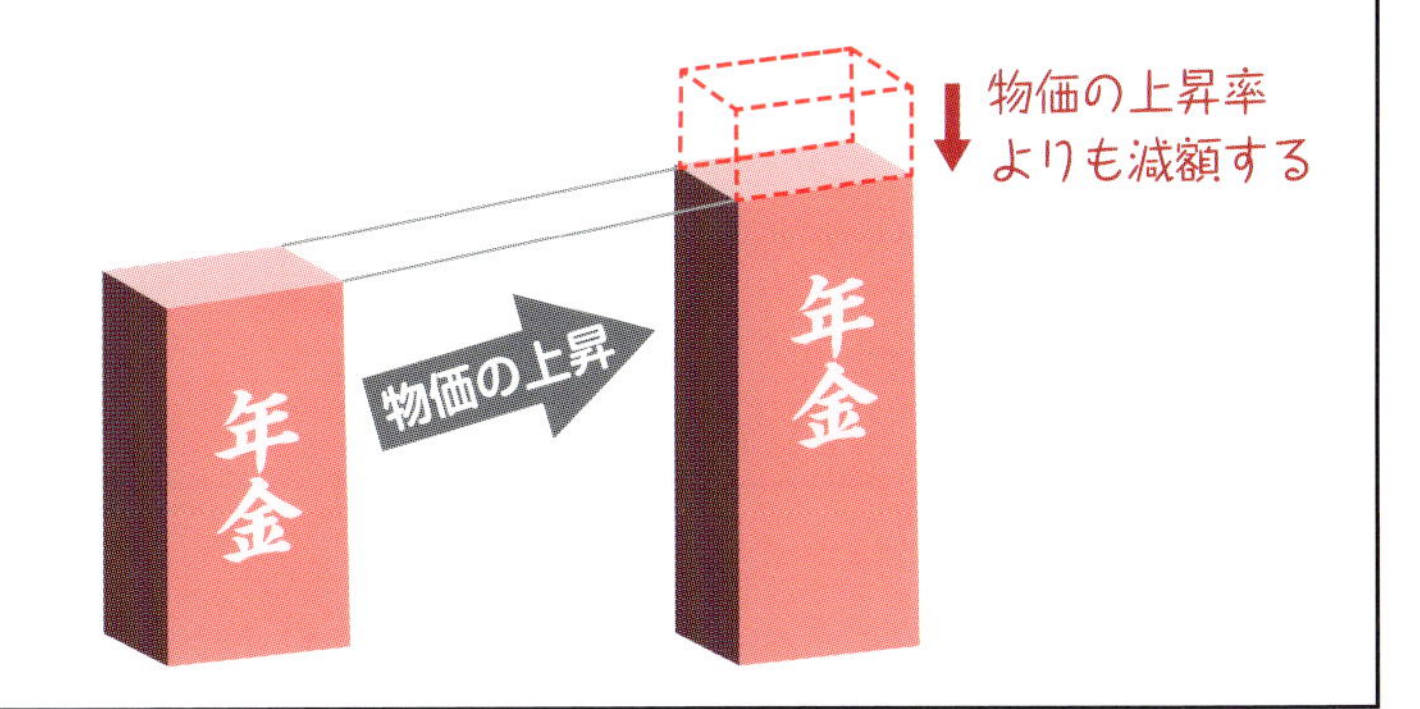

2024年の財政検証

①成長型経済移行・継続ケース

物価上昇長と賃金上昇が比較的順調にすすんだ場合。

	2024年度	2037年度
年金額	22.6万円	24.0万円
所得代替率	61.2%	57.6%

②過去30年投影シナリオ

物価上昇と賃金上昇がほぼ横這いの場合。

	2024年度	2037年度
年金額	22.6万円	21.1万円
所得代替率	61.2%	50.4%

所得代替率

モデル世帯の将来の年金受給額と、現役男子の手取り収入との比率。大きいほど現役世代と年金生活者の格差が少ない。

所得代替率の例
（2024年度）

37万円
現役男性の平均手取り収入

計22.6万円
夫の厚生年金
夫婦の基礎年金

所得代替率：22.6÷37＝61.2%

また話が別だ。厚生労働省によれば、現在65歳でもらえる老齢厚生年金と老齢基礎年金（国民年金）の月額平均は、それぞれ14万3504円と5万8070円。国民年金だけでは生活は苦しい。

しかも、急速にすすむ少子高齢化によって、現役世代の保険料負担は今後ますます増える。そのため現在は、毎年の年金額を物価や賃金の上昇率より低めに調整する**マクロ経済スライド**という制度が導入されている。これにより公的年金の受給額は実質的に減っていき、現役世代の収入との差が広がっていくことになる。

厚生労働省は、公的年金制度の将来の見通しを5年に1度検証し、結果を「**財政検証**」として公表している。2024年7月に公表された最新の財政検証によると、現在65歳の**モデル世帯**（共働きでない夫婦で40年厚生年金に加入）の将来の受給額は、経済成長と労働参加があまり進まない場合（過去30年投影ケース）で、現役世代の平均手取り収入の50・4％になる見込みだという。50％より下がる場合には何らかの措置を講じることが法律で定められており、すでにギリギリの状態だ。

ちょこっと時事

遺族年金の見直し　家系を担う配偶者などがなくなった場合に遺族に支給される遺族年金は、現行では遺族が夫か妻かで支給期間が異なり、女性の遺族に手厚い制度になっている。政府は20～50代で子どものいない夫婦の遺族年金の支給期間を男女とも5年とする。現状では男女の賃金格差が解消されていないため、段階的に施行する方針。

 参照 こども未来戦略 ››› P100

ジェンダーギャップ指数

100字でナットク

男女が平等かどうかを世界146か国で比べたランキングで、日本は先進国で最低の118位だった。少子高齢化がすすむなか、女性の社会進出や男女間の格差の解消は喫緊の課題だが、政府の取り組みは遅れている。

世界男女平等ランキング

日本 順位：**118位**／146か国（先進国中最低の順位）　点数：**0.663**（0.00＝不平等　1.00＝平等）

分野	項目別（順位）	男性：女性
経済分野（120位）	労働力の男女比（80位）	1：0.77
	類似労働における男女の賃金格差（83位）	1：0.62
	勤労所得の男女比（98位）	1：0.58
	管理職の男女比（130位）	1：0.17
	専門職・技術職の男女比（ー位）	ー
教育分野（72位）	識字率の男女比（1位）	1：1.00
	初等教育就学率の男女比（ー位）	ー
	中等教育就学率の男女比（1位）	1：1.00
	高等教育就学率の男女比（107位）	1：0.97
健康分野（58位）	出生数の男女比（1位）	1：0.94
	平均寿命の男女比（68位）	1：1.04
政治分野（113位）	国会議員の男女比（129位）	1：0.12
	閣僚の男女比（65位）	1：0.33
	国家元首の在任年数の男女比（80位）	1：0.00

※世界男女格差指数は、各国の開発レベルを切り離し、純粋に男女の格差を数値化して国をランク付けしている。各国の生活レベル、幸福度のようなあいまいな要素は考慮しない。「ー」はデータ不足で集計されていない。

男女間の平等がどのくらい実現されているかを、世界各国で比べた2024年のランキングで、日本は**146か国中118位**と、先進国の中では最低の順位だった。

このランキングは、スイスにある国際機関「**世界経済フォーラム**」が毎年公表しているもので、各国の男女間の平等の度合いを「経済」「教育」「健康」「政治」の4分野・14項目に分けて調査している。冒頭のランキングはその総合順位だ。

分野別にみると、日本は経済分野では120位、教育分野72位、健康分野58位、政治分野113位と、軒並み順位が低かった。とくに、**男女間の賃金格差が大きい**こと、**女性の管理職が13%**しかいないこと、**国会議員のうち女性議員は約16%**に過ぎないことなどが順位を押し下げている。

なぜ、こうした男女格差が解消されないのだろうか？　長時間労働や

WEB 世界経済フォーラム（英語） 内閣府：男女共同参画局

男女格差の少ない国

※世界経済フォーラム「Global Gender Gap Report 2024」より

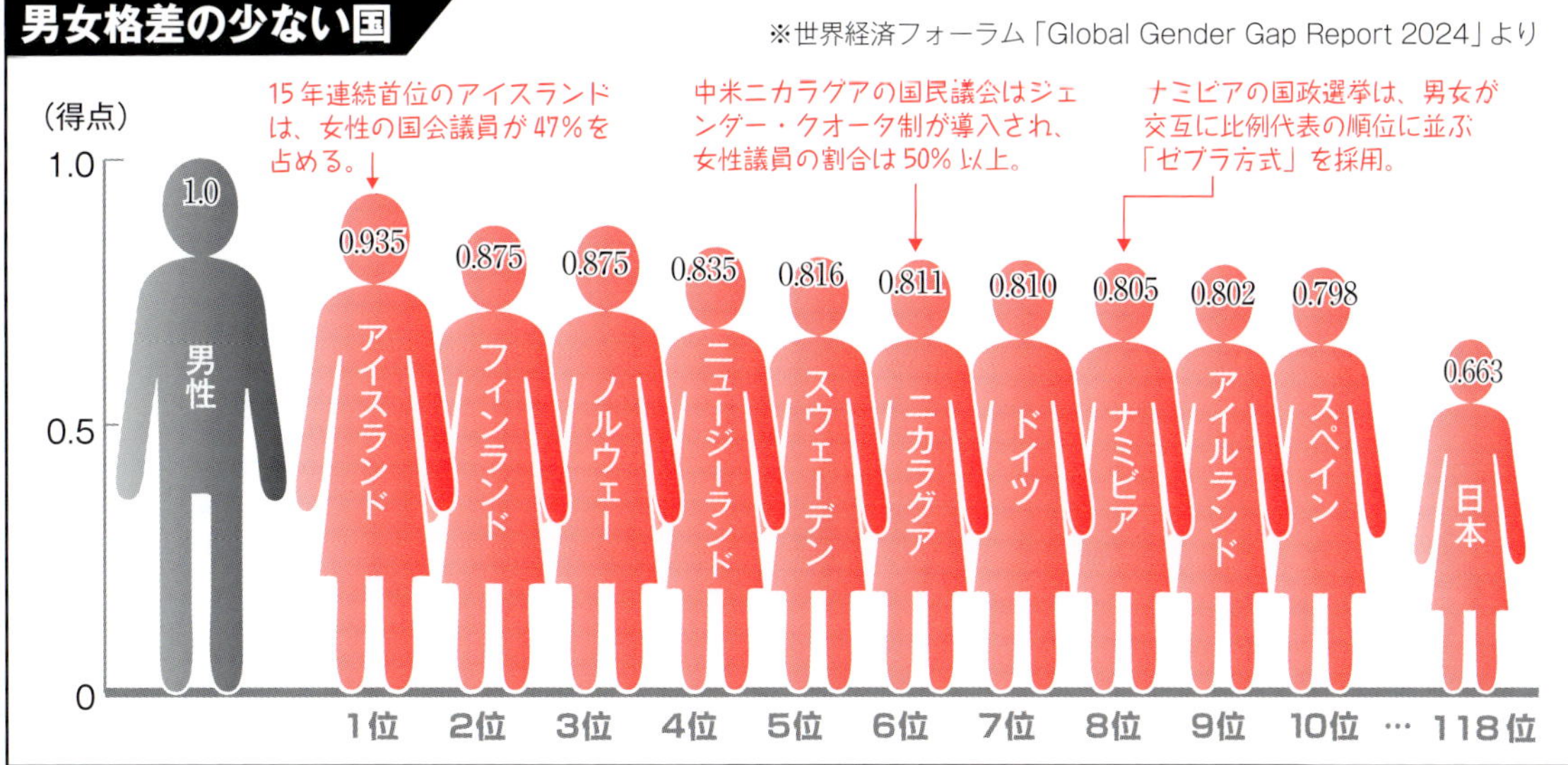

男女格差解消への取り組み

日本の女性労働力は、年齢階級別にすると独特の「M字カーブ」を描く

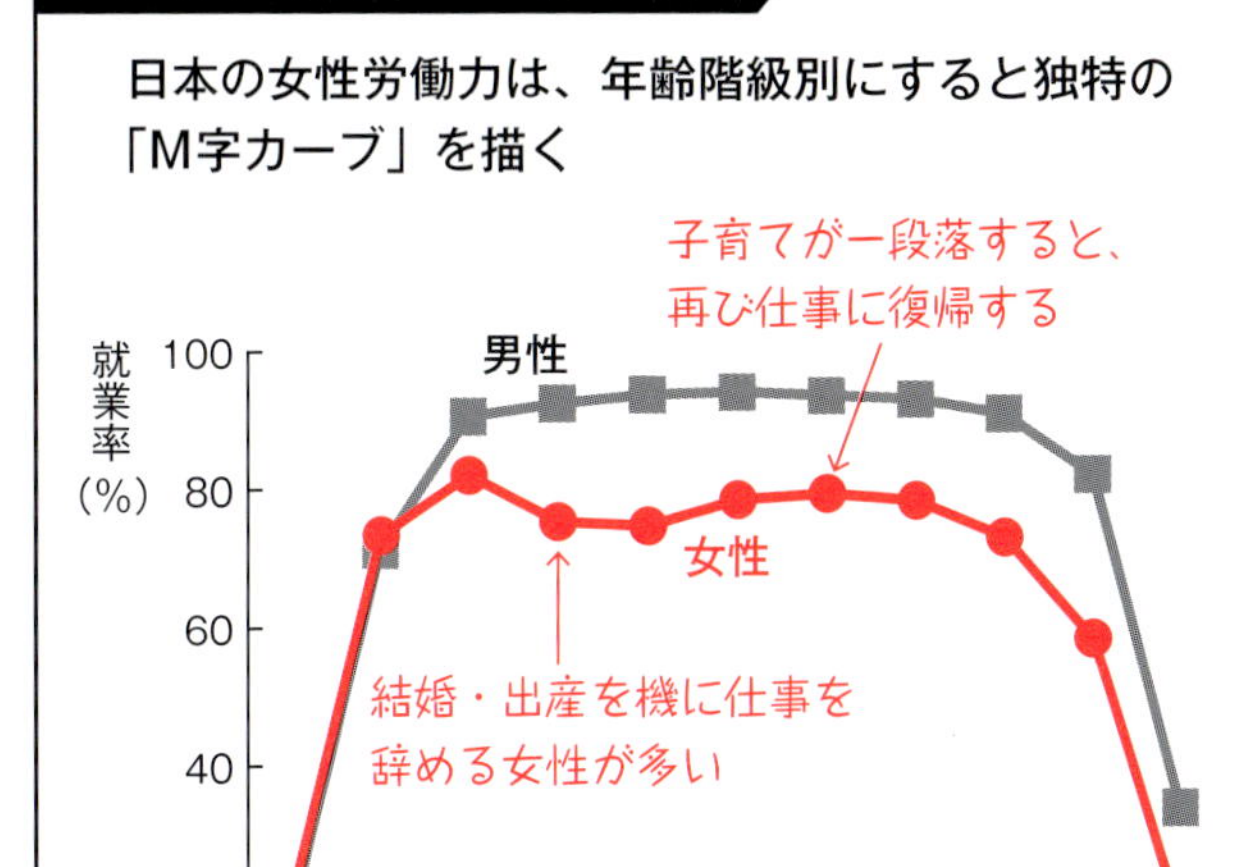

女性活躍推進法

2020年までに指導的地位に占める女性の割合を**30％**に

12.7％
（2022年の女性管理職割合）

候補者男女均等法

選挙で男女の候補者数を**均等**にする

23.4％
（2024年衆院選小選挙区の女性候補割合）

保育所不足など、子育てをしながら働く環境が整っていないことが原因のひとつだ。また「男性は仕事、女性は家庭」という価値観も未だに根強く残っており、結婚や出産を機に仕事を辞める女性が多い。企業側も、どうせ「寿退社」するんだからと、女性に責任ある仕事をまかせない環境がいまだにある。子育てが一段落してから仕事に復帰するときも、パートなどの非正規雇用しか選べないことが多い。こうしたことから、女性が職場でキャリアを積むのは、男性より難しい場合が多いのだ。

しかし、日本はいま少子高齢化がすすみ、若い働き手がどんどん少なくなっている。働く女性を増やすことは、日本経済にとって真剣に取り組むべき課題なのだ。

政府は、2016年に施行した**女性活躍推進法**で「会社役員や管理職など指導的な地位にある女性の割合を、2020年までに30％に引き上げる」という方針を掲げたが、達成できなかった。政治分野では、2018年に選挙で男女の候補者数を均等にする**候補者男女均等法**も成立したが、単なる努力義務にすぎず、守られていない。

ちょこっと時事

国立大学の授業料値上げ　2024年9月、東京大学は来年度の入学者から学部の授業料を約11万円引き上げる方針を明らかにした。国立大学の授業料は国が標準額を定めているが、各大学の判断で最大1・2倍まで増額できる。標準額からの値上げは7大学目で、背景には近年の物価高に加え、国からの運営費交付金の減額などがある。

参照 選択的夫婦別姓 ››› P64　SDGs（持続可能な開発目標）››› P108

SDGs（持続可能な開発目標）

100字でナットク

SDGsは、次の世代以降も発展を続けていくために、2030年までに世界が達成すべき17の目標だ。目標達成への取り組みは、各国政府だけでなく、企業や個人にも求められている。どんな内容か知っておこう。

SDGsとは

SDGs（エスディージーズ）＝持続可能な開発目標
（Sustainable Development Goals）

①貧困をなくそう
あらゆる場所のあらゆる形態の貧困を終わらせる。

②飢餓をゼロに
飢餓を終わらせ、食料安全保障及び栄養改善を実現し、持続可能な農業を促進する。

③すべての人に健康と福祉を
あらゆる年齢のすべての人々の健康的な生活を確保し、福祉を促進する。

④質の高い教育をみんなに
すべての人々に包摂的かつ公正な質の高い教育を提供し、生涯学習の機会を促進する。

⑤ジェンダー平等を実現しよう
ジェンダー平等を達成し、すべての女性及び女児の能力強化を行う。

⑥安全な水とトイレを世界中に
すべての人々の水と衛生の利用可能性と持続可能な管理を確保する。

⑦エネルギーをみんなにそしてクリーンに
すべての人々の、安価かつ信頼できる持続可能な近代的エネルギーへのアクセスを確保する。

⑧働きがいも経済成長も
包摂的かつ持続可能な経済成長及びすべての人々の完全かつ生産的な雇用と働きがいのある人間らしい雇用（ディーセント・ワーク）を促進する。

⑨産業と技術革新の基盤をつくろう
強靭（レジリエント）なインフラ構築、包摂的かつ持続可能な産業化の促進及びイノベーションの推進を図る。

⑩人や国の不平等をなくそう
各国内及び各国間の不平等を是正する。

⑪住み続けられるまちづくりを
包摂的で安全かつ強靭（レジリエント）で持続可能な都市及び人間居住を実現する。

⑫つくる責任つかう責任
持続可能な生産消費形態を確保する。

⑬気候変動に具体的な対策を
気候変動及びその影響を軽減するための緊急対策を講じる。

⑭海の豊かさを守ろう
持続可能な開発のために海洋・海洋資源を保全し、持続可能な形で利用する。

⑮陸の豊かさも守ろう
陸上生態系の保護、回復、持続可能な利用の推進、持続可能な森林の経営、砂漠化への対処、ならびに土地の劣化阻止・回復及び生物多様性の損失を阻止する。

⑯平和と公正をすべての人に
持続可能な開発のための平和で包摂的な社会を促進し、すべての人々に司法へのアクセスを提供し、あらゆるレベルにおいて効果的で説明責任のある包摂的な制度を構築する。

⑰パートナーシップで目標を達成しよう
持続可能な開発のための実施手段を強化し、グローバル・パートナーシップを活性化する。

SDGs（エスディージーズ）とは、2030年までに世界が一丸となって達成すべき目標（ゴール）のことだ。英語の「Sustainable Development Goals」の略で、日本語では「**持続可能な開発目標**」という。2015年に国連で採択（さいたく）された。

SDGsには全部で**17の目標**がある。内容は開発途上国向けのもの（目標①～⑥）、先進国や企業が取り組むべきもの（目標⑦～⑫）、地球全体で取り組むべきもの（目標⑬～⑰）など幅広い。また、17の目標それぞれの下に、より具体的な**ターゲット**も設定されている。たとえば目標①「貧困をなくそう」のターゲットは「1日1・25ドル未満で生活する極度の貧困を終わらせる」「貧困状態にある人の割合を半減させる」といった具合だ。ターゲットの数は全部で169にのぼる。

これらの目標やターゲットは互い

WEB 外務省：JAPAN SDGs Action Platform

SDSN（持続可能な開発ソリューション・ネットワーク）Japan

SDGs達成状況

出典「Sustainable Development Report 2024」

●世界の達成度ランキング（2024年）

順位	国名	スコア
1	フィンランド	86.4
2	スウェーデン	85.7
3	デンマーク	85.0
4	ドイツ	83.4
5	フランス	82.8
6	オーストリア	82.5
7	ノルウェー	82.2
8	クロアチア	82.2
9	英国	82.2
10	ポーランド	81.7
11	スロベニア	81.3
12	チェコ	81.3
13	ラトビア	81.0
14	スペイン	80.7
15	エストニア	80.5
16	ポルトガル	80.2
17	ベルギー	80.0
18	日本	79.9
19	アイスランド	79.5
20	ハンガリー	79.5

●日本の達成状況（2024年）

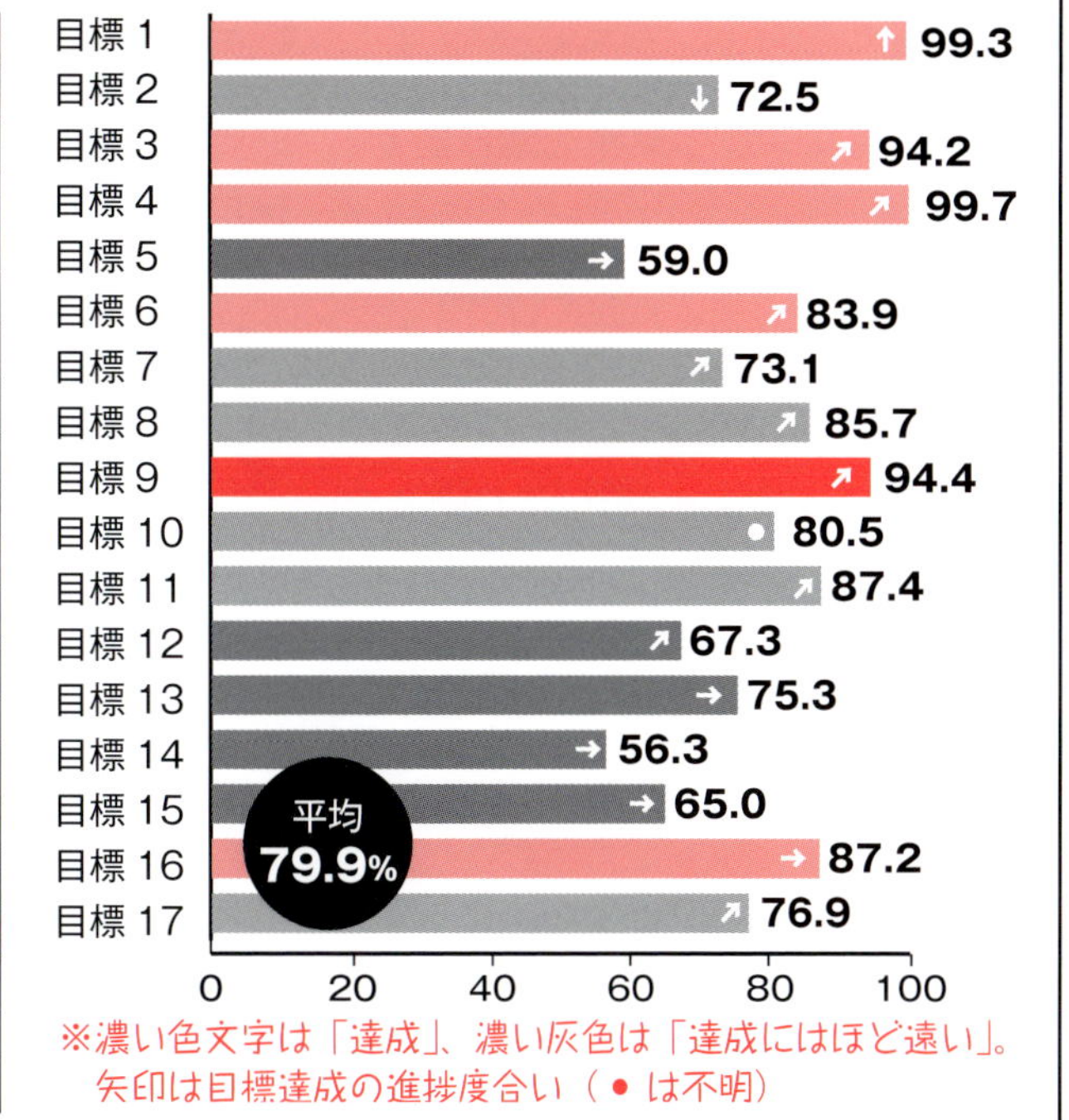

※濃い色文字は「達成」、濃い灰色は「達成にはほど遠い」。矢印は目標達成の進捗度合い（●は不明）

新型コロナウイルスの影響

新型コロナの影響で、2020年にはコロナ前の予測より1億1900万～1億2400万人が極度の貧困に陥った。

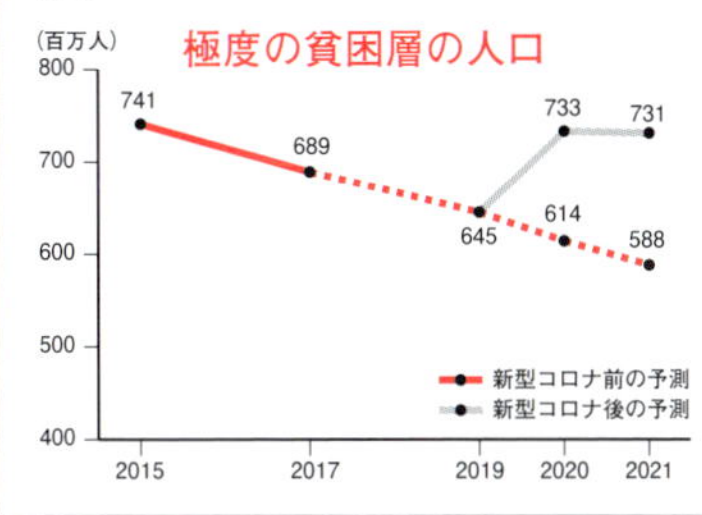

新型コロナは世界の飢餓を悪化させた。2020年に世界全体で栄養不足に陥った人の数は7億2000万～8億1100万人にのぼる。

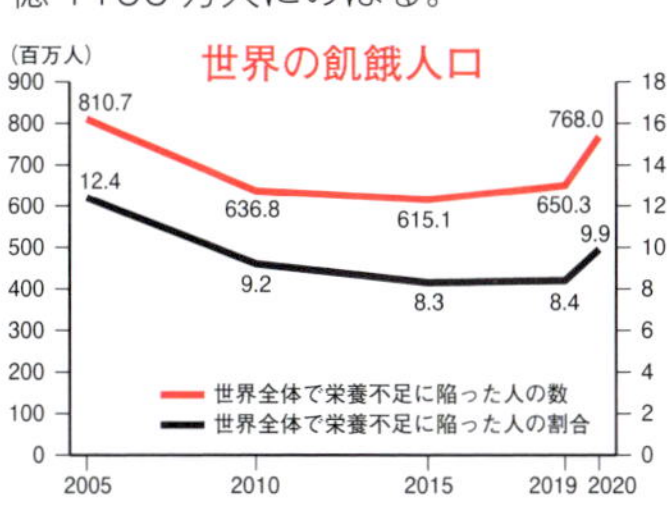

新型コロナにより、2億5500万人分のフルタイム雇用に相当する仕事が失われた。

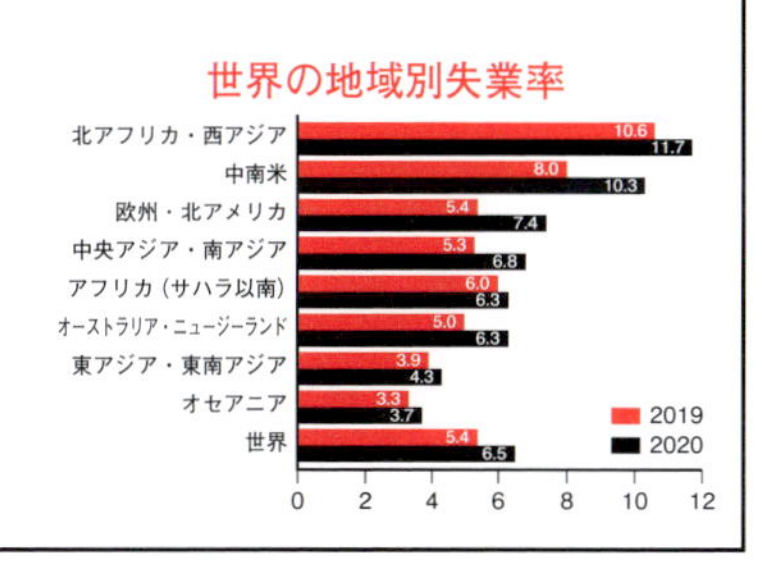

に関連し合っている。特定の目標だけでなく、すべての目標を同時に達成させることが重要だ。また、SDGsの達成状況は国ごと、目標ごとに確認することができる。日本の達成状況は2024年現在で**世界18位**（2023年は21位）。ジェンダー平等、気候変動など5つの目標が「深刻な課題あり」との低評価だ。

なぜこのような目標が必要なのだろうか？ それはズバリ、**世界が存続するため**だ。

人類はここ数世紀の間にめざましい経済発展をとげたが、利益を優先してきた結果、地球温暖化や資源の枯渇、環境破壊、貧困や格差といった深刻な問題をたくさん抱えるようになってしまった。このまま放っておくと問題はますます深刻になり、世界は「持続不可能」になってしまう。そこで、次の世代以降も世界が存続できるように、**問題の解決と発展を両立させていこう**ということになった。それが「**持続可能な開発**」だ。

SDGsのゴールまで残り5年だが、新型コロナウイルスやウクライナ侵攻の影響で、進捗が大きく遅れている。169ターゲットのうち、軌道に乗っているのは16%のみだ。

ちょこっと時事

リスキリング 技術革新やビジネスモデルの変化などに対応して、新たな知識やスキルを身につけること。世界経済フォーラム（WEF）は2020年の年次総会（ダボス会議）で、「2030年までに全世界で10億人をリスキリングする」という目標を掲げた。

参照 パリ協定 ››› P122

WEB 厚生労働省

51 社会

ジョブ型雇用

100字でナットク

日本従来型のメンバーシップ型雇用に対し、担当する業務が明確なジョブ型雇用の導入がすすんでいる。長時間労働解消や同一労働同一賃金にはジョブ型雇用が適しているが、どちらの雇用形態にも一長一短がある。

メンバーシップ型雇用とジョブ型雇用

	メンバーシップ型雇用	ジョブ型雇用
	一括採用してから業務を割り当て	必要な業務を担当する人を個別に採用
メリット	・担当業務がなくなっても別の業務に配置替えになるので、解雇されにくく、雇用が安定する。 ・社員教育などでキャリアを積むことができる。	・ジョブディスクリプション（職務記述書）により、担当業務の範囲や勤務条件が明確になるため、長時間労働や不合理な待遇差が生じにくい。 ・中途採用で転職しやすい。
デメリット	・仕事の範囲が明確でないので長時間労働になりやすい。 ・会社の都合で転勤や配置替えになるので、働きながら子育てや介護をするのが難しい。 ・正社員と非正規社員との間に待遇差が生まれやすい。 ・転職がしにくい。	・担当業務がなくなれば解雇される。 ・職場内でキャリアアップするのが難しい。 ・企業側としては組織への帰属感が低下し、人材が流出しやすい。

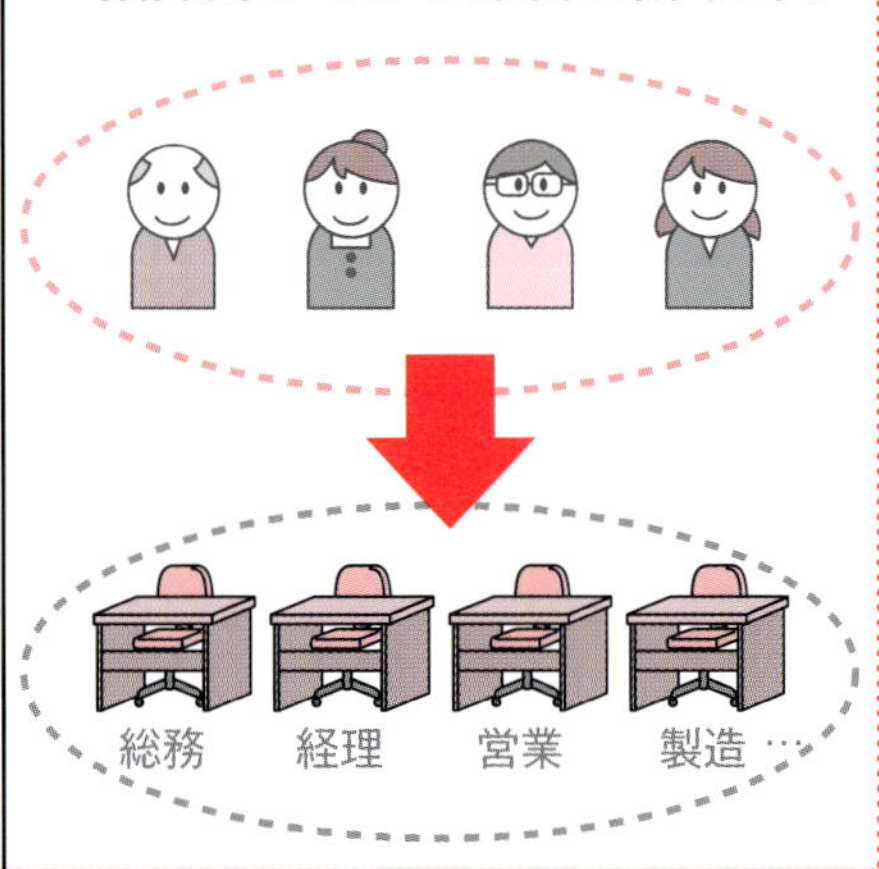

総務　経理　営業　製造…

日本の企業は、新卒一括採用でとりあえず必要な人数を雇ってから、各自に仕事を割り振ることが多い。人事異動で就職後に勤務地や仕事内容が変わることもめずらしくない。「就職＝会社のメンバーになること」であるこのような雇用形態は**メンバーシップ型雇用**と呼ばれる。

これに対し、欧米ではやるべき仕事がまずあり、それをこなしてもらうために人を雇う。このような雇用形態を**ジョブ型雇用**という。

メンバーシップ型雇用では、一度就職すれば雇用は安定する反面、正社員と非正規社員との待遇の違いを生みやすいため、**同一労働同一賃金**のさまたげになっている。一方、ジョブ型雇用では担当業務がなくなればすぐ解雇されるが、仕事内容や条件が前もって決められているので、長時間労働や不合理な待遇差は生じにくい。このように、どちらの雇用形態にも一長一短がある。

WEB こども家庭庁：学校設置者等及び民間教育保育等事業者による児童対象性暴力等の防止等のための措置に関する法律（こども性暴力防止法）

52 社会
日本版DBS

日本版DBSの概要

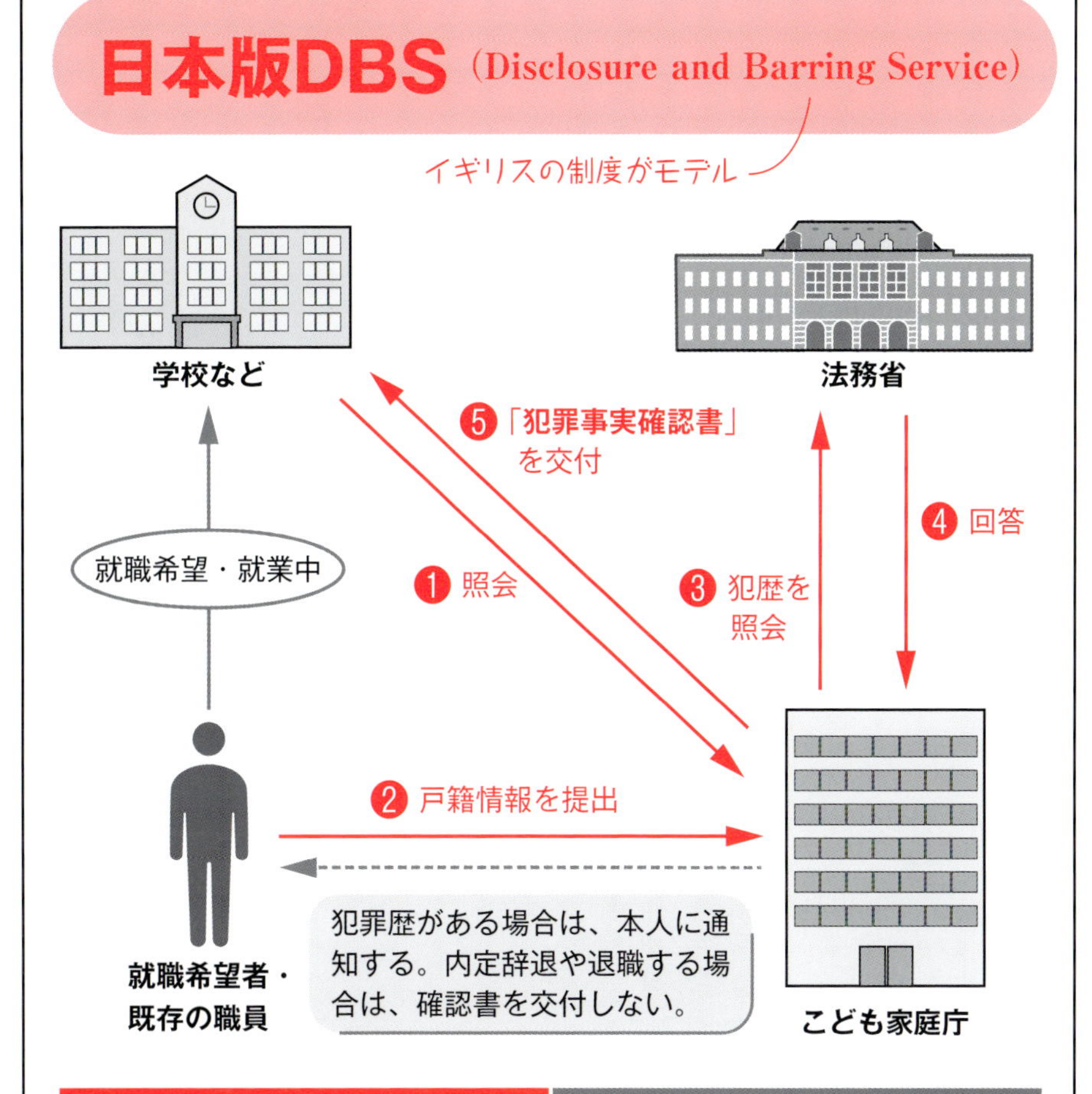

義務となる対象事業者		認定制度の対象事業者
小中高校	幼稚園	放課後児童クラブ（学童クラブ）
認定こども園	認可保育施設	認可外保育施設
児童相談所	児童養護施設	子ども向けのスポーツクラブ
特別支援学校		子ども向けのダンススクール
	など	学習塾　など

100字でナットク

2024年6月、「日本版DBS」を導入するための子ども性暴力防止法が参議院で可決・成立した。学校や幼稚園に、職員の性犯罪歴の有無を確認することを義務付ける。子どもの性被害を未然に防ぐのが目的だ。

「**日本版DBS**」は、子どもと接する仕事に就く人に**性犯罪歴**がないかどうかを確認する制度だ。子どもに対する性犯罪は周囲が気づきにくいことから、被害を未然に防ぐ目的で導入された。

学校、幼稚園、認可保育園などには、職員全員の照会が義務付けられる。民間の学習塾や子どもスポーツクラブなどは任意だが、希望して**認定事業者**になると照会が義務付けられ、広告に「認定事業者なので安全です」などと表示できるようになる。

照会の対象となるのは不同意性交や児童ポルノ禁止法違反、痴漢、盗撮などで有罪になった人。実刑判決の場合は20年間、執行猶予や罰金刑の場合は10年間、性犯罪歴として記録に残る。

制度は2026年度中にはじまる予定。照会の結果、犯罪歴がある職員には、子どもに接しない業務への配置転換などが求められる。

ちょこっと時事

フリーランス新法　2023年4月、誰にも雇われずにフリーランスで働く人を保護するフリーランス新法が国会で可決・成立し、2024年11月に施行された。発注者に対し、業務内容や報酬額を書面やメールで明示することや、納品後60日以内に報酬を支払うことなどを義務付け、報酬の不当な減額を禁止する。

WEB 特定非営利活動法人 東京レインボープライド　LGBT法連合会

53 社会

トランスジェンダー

100字でナットク

トランスジェンダーとは、出生時の性別と自認する性別が異なる人。戸籍上の性別を変更する場合、現行法では生殖能力をなくす手術が必要となるが、2023年10月、最高裁はこの要件を違憲とする判断を出した。

トランスジェンダーとは、生まれたときに割り当てられた性別と、自分の自認する性別が異なる人のこと。身体的性と性自認の不一致を医学的に解消する必要がある場合は**性同一性障害**と診断されるが、病気ではないので近年では「**性別不合**」などともいわれる。

LGBTの最初の3つは性的指向（好きになる人の性別）に着目したものだが、Tのトランスジェンダーは性的指向とは関係がない。たとえばトランスジェンダーの女性（出生時は男性で性自認は女性）が男性を好きなら、同性愛ではなく異性愛だ。

日本の現行法でトランスジェンダーの人が戸籍上の性別を変更するには、**生殖能力をなくす手術が必要**などの要件がある。2023年10月、最高裁はこの手術要件を「**違憲**」とする初めての判断を出した。判決を受け、国は性同一性障害特例法の改正の検討をはじめるとしている。

性同一性障害特例法

性同一性障害特例法

2人以上の医師が性同一性障害と診断している人で、「**性別変更の5要件**」を満たしている場合は、戸籍上の性別変更が可能

性別変更の5要件（性同一性障害特例法）

①18歳以上
②現在結婚していない → 2024年7月 既婚のトランスジェンダー女性が戸籍上の性別変更申し立て（京都家裁で審理中）
③未成年の子どもがいない

手術要件
④生殖不能要件：生殖腺（卵巣や精巣）がないか、その機能を永続的に欠く
⑤外観要件：変更する性別の性器に似た外観を備えている

↓

手術要件は人権侵害として提訴

↓

2023年10月の最高裁判決

④の生殖不能要件を「**違憲**」と判断
⑤の外観要件については**判断せず** → 高裁差戻し

2024年7月の高裁判決
「手術が常に必要ならば、**憲法違反の疑い**」として「手術なし」で性別変更認める

SPECIAL　国際　政治　経済　**社会**　環境・健康　情報・科学　文化・スポーツ

同性婚

WEB 公益社団法人 Marriage For All Japan

同性婚の必要性

	 法律婚	 事実婚（異性間）	 同性カップル
婚姻届の提出・受理	○	×（提出しない）	×（受理できない）
戸籍	同じ戸籍	別の戸籍	別の戸籍
姓	同姓	別姓	別姓
住民票の記載	妻／夫	妻／夫（または未届）	同居人
同居・協力・扶助義務	○	○	？
貞操義務（浮気への損害賠償）	○	○	認められた裁判例あり
法定相続権	○	×	×
配偶者控除（所得税）	○	×	×
関係解消時の財産分与	○	○	？
子どもの親権	共同親権	原則母親	一方のみ
社会保険・健康保険の扶養家族	○	○	×
遺族年金	○	○	×
病院での面会・手術同意	○	△	△

●同性婚をめぐる訴訟

2021年3月	札幌地裁「違憲」	2023年6月	福岡地裁「違憲状態」
2022年6月	大阪地裁「合憲」	2024年3月	東京地裁「違憲状態」
2022年11月	東京地裁「違憲状態」	2024年3月	札幌高裁「違憲」
2023年5月	名古屋地裁「違憲」	2024年10月	東京高裁「違憲」

100字でナットク

日本でも同性婚を認めるべきだという声が高まっている。同性婚が認められなくても大多数の人にとって不都合はないが、少数派の人の選択肢を増やすことにつながる。人権を尊重するなら、少数派の声に耳を傾けるべきだ。

同じ性別の人同士が愛し合うことはもちろん犯罪ではない。しかし現在の日本は同性同士の結婚を認めておらず、同性カップルは法律上さまざまな不都合をこうむる場合がある。最近では**同性パートナーシップ制度**を設けている自治体も増えているが、**同性婚**を認めるべきだという声が次第に強くなってきた。世界的にも同性婚を認める国は増えており、先進7か国（G7）で認めていないのは日本だけだ。

同性婚をめぐっては、全国5か所で「同性婚を認めないのは憲法に違反している」と国を訴えた**集団訴訟**が起こされている。現在の司法判断は、同性婚の法制化を国にうながす判断が優勢だ。特に2024年3月には、高裁も違憲判決を下している。

なお、**憲法24条**は婚姻は「両性の合意」に基づくとしているが、この規定は強制的な結婚を禁止するものと解釈するのが一般的だ。

ちょこっと時事

SOGI（ソジ） 性的指向（Sexual Orientation：どのような相手に性的魅力を感じるか）と、性自認（Gender Identity：自分の性別をどのように認識しているか）を組み合わせた言葉。LGBTが性的少数者のみを表すのに対し、多数派の人も含めた包括的な性のあり方を表す。性的指向や性自認に関する差別的な言動を「SOGIハラ」という。

参照 選択的夫婦別姓 ››› P64

55

環境・健康

日本の原子力発電所

100字でナットク

原子力発電は、ウランの核分裂を制御して熱エネルギーを取り出す仕組み。現在日本には33基の現役原子炉があり、そのうちの13基が稼働している。使用済み燃料の処分や事故対策など、解決の難しい課題も残されている。

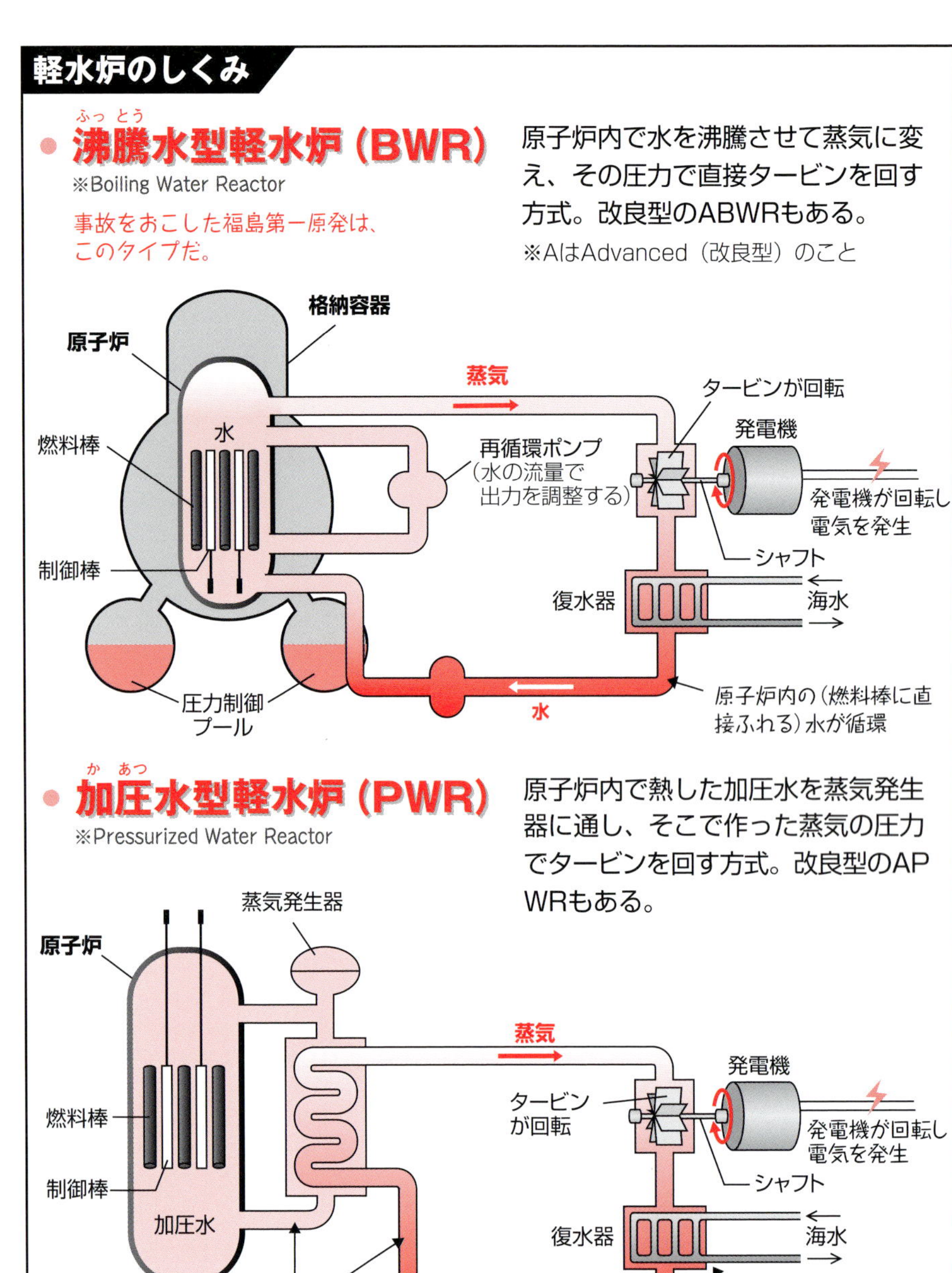

物質の原子は、中心にある原子核と、その周囲を回る電子で構成されている。原子核は陽子と中性子という粒子が結合してできている。**ウラン235**という物質の原子の原子核が中性子を吸収すると、原子核が分裂し、大きな熱エネルギーが放出される。これが**核分裂**だ。このとき、壊れた原子核から飛び出した中性子は別の原子核に吸収され、連鎖的に核分裂が起きる。**原子力発電**は、この核分裂の連鎖反応を原子炉の中で人工的に起こし、それによって生じる熱エネルギーを利用して発電する発電方式だ。

現在日本の原子力発電所では、原子炉の中を水で満たす**軽水炉**と呼ばれる原子炉が使われている。**沸騰水型軽水炉**（BWR）は原子炉の中で水を沸騰させ、その蒸気の力でタービンを回すタイプ。**加圧水型軽水炉**（PWR）は高圧の水を原子炉で加熱し、その熱で別の配管の水を蒸気に

WEB 電気事業連合会：原子力発電

原子力規制委員会

ちょこっと時事

革新軽水炉　既存の軽水炉をベースに、安全機能を組み込んだ次世代型の原子炉。政府は2023年2月に閣議決定された「GX実現に向けた基本方針」で、革新軽水炉をはじめとする次世代革新炉の開発・建設に取り組む方針を示している。

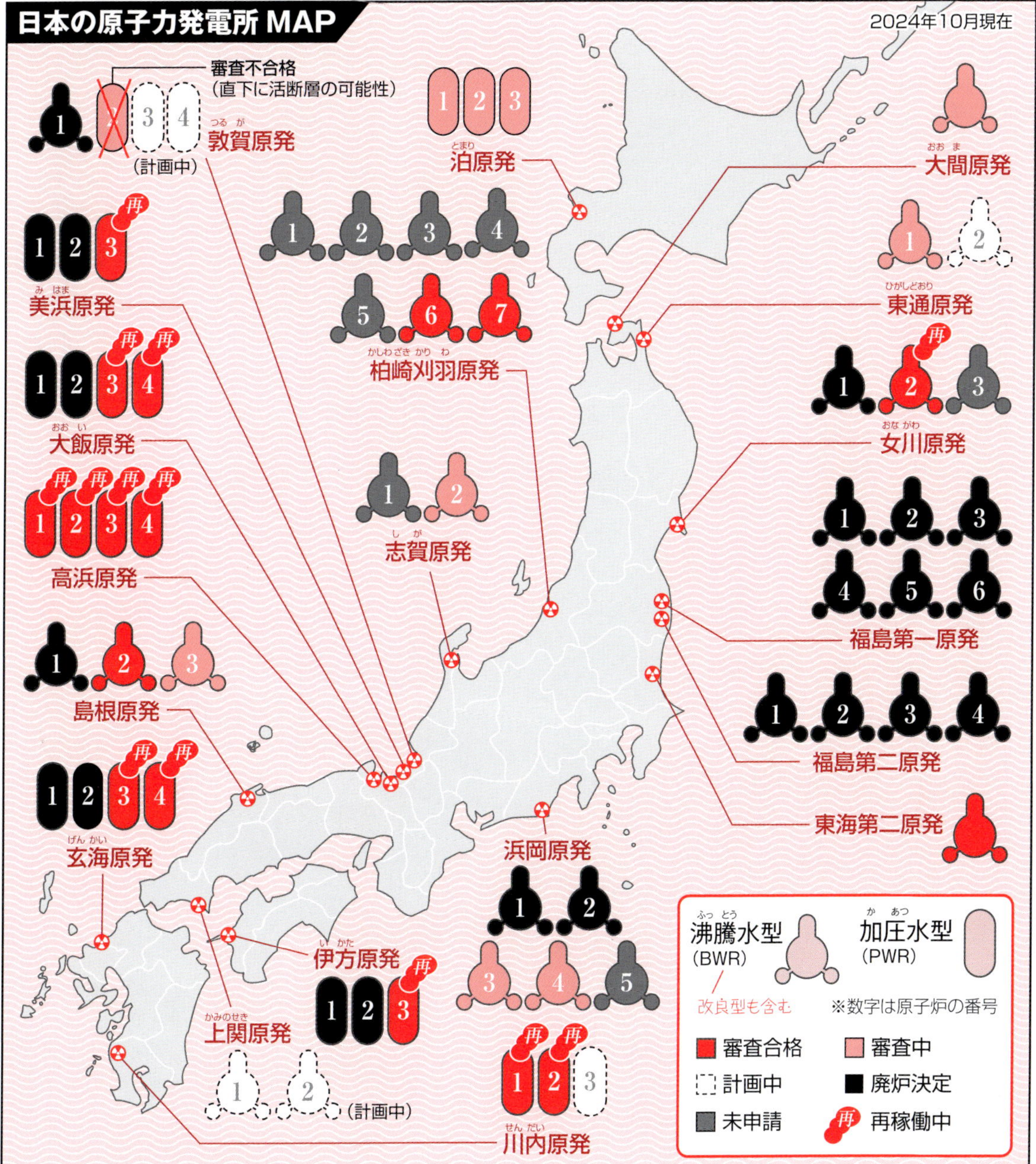

変えるタイプだ。

現在日本国内には、現役の原子炉が33基ある（沸騰水型が17基、加圧水型が16基）。2011年3月の**福島第一原発の事故**（120ページ）により、国内で稼働していた原子炉は定期検査の時期を迎えた順に運転を停止し、そのまま運転再開ができなくなってしまった。従来の安全基準のままでは、同じような事故を防げる保証がないからだ。

そのため政府は、**原子力規制委員会**という機関を新たに設け、地震・津波対策や過酷事故対策を強化した新規制基準を作成した。各電力会社は、新基準に合格したものから順次再稼働をすすめていく方針だ。現在までに17基が審査に合格し、そのうち13基が再稼働しているが、審査に合格しても、地元自治体の同意が得られず再稼働の見通しが立っていない原子炉もある。

原発の運転期間は原則40年、安全審査により最長60年までに制限されていた。しかし、2025年から施行される**GX脱炭素電源法**により、審査などによる停止期間を運転期間から除くことで、**60年を超える運転が可能**になった。

参照 核燃料サイクル ››› P116　核のごみ ››› P118　福島第一原発の処理水放出 ››› P120

56
環境・健康

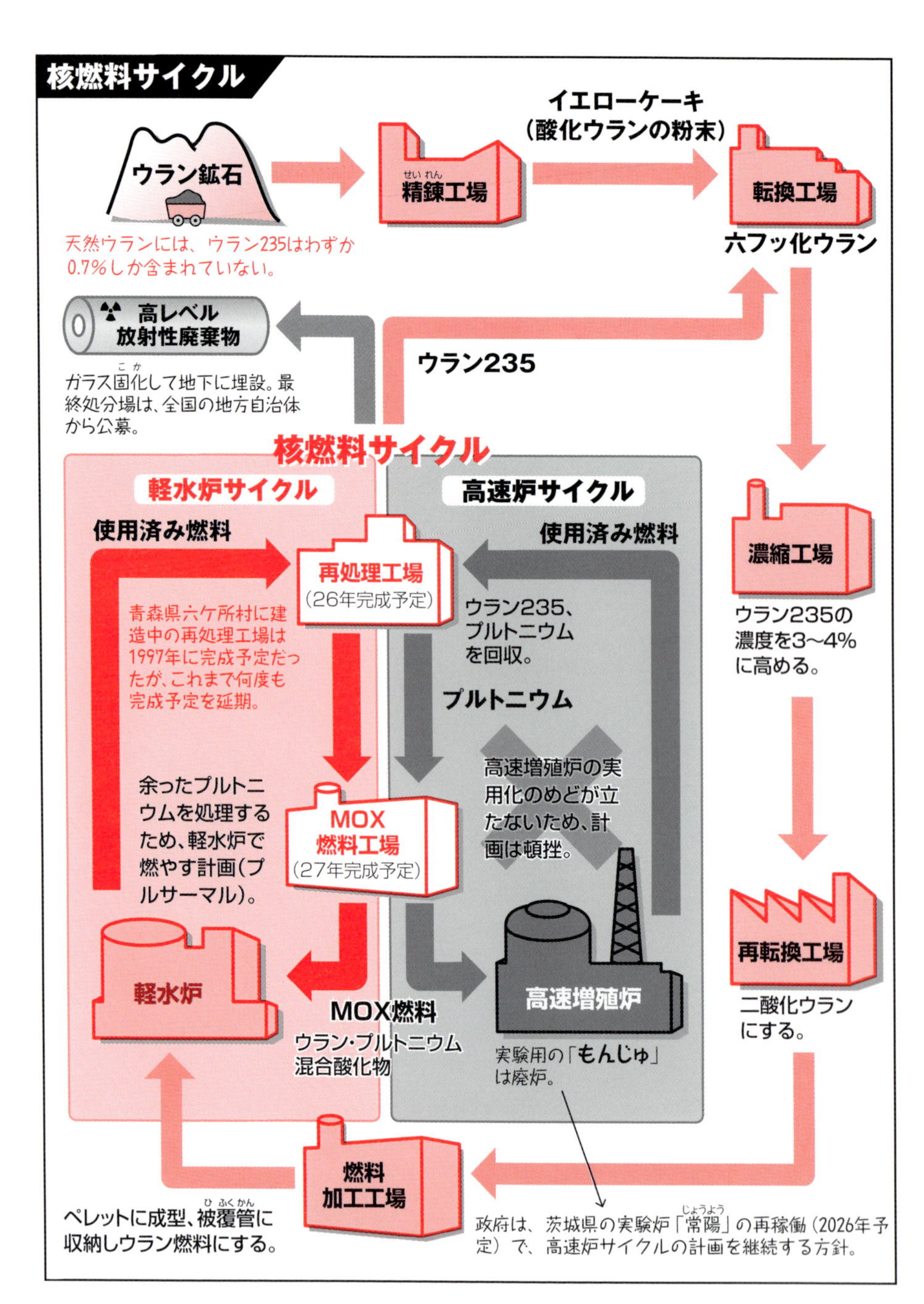

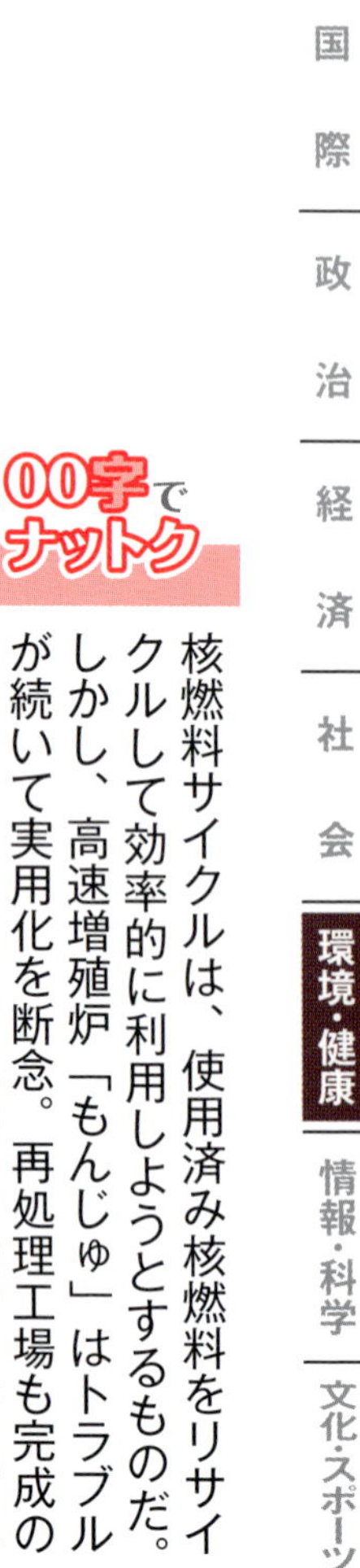

核燃料サイクルは、使用済み核燃料をリサイクルして効率的に利用しようとするものだ。しかし、高速増殖炉「もんじゅ」はトラブルが続いて実用化を断念。再処理工場も完成のめどが立たず、計画は何度も延期されている。

原子炉で使い終わった核燃料を、ゴミとして処分せず、もう一度燃料としてリサイクルするのが**核燃料サイクル**だ。

核燃料に含まれる物質の中で、核分裂によってエネルギーを生み出すのは**ウラン235**という物質だ。この物質はウラン鉱石に約0.7%しか含まれていないため、原発では濃度を3～4%に高めて使う。残りはほとんどが核分裂しない**ウラン238**という物質だ。原子炉で核燃料を使うと、ウラン238から**プルトニウム239**という物質ができる。このプルトニウムをウランと混ぜて、**MOX燃料**という燃料に加工し、**高速増殖炉**という原子炉で利用するのが、核燃料サイクルの当初のアイデアだった（高速炉サイクル）。

高速増殖炉は、原子炉の中でウラン238をプルトニウムに変化させる。使っている間に燃料のプルトニウムが増えていくので、非常に効率

プルサーマル

プルサーマル（プル＝プルトニウム、サーマル＝軽水炉）

プルトニウムとウランを混合したMOX（モックス）燃料（Mixed Oxide Fuel）を、軽水炉で利用すること。

通常の燃料：ウラン235（3〜4%）／ウラン238

MOX燃料：プルトニウム（4〜9%）／ウラン238／ウラン235（0.7%）

高速増殖炉が実用化できないため、余ったプルトニウムを処分するための苦肉の策ともいえるが、事故時の危険性が増大する、再処理のコストが引き合わないなどの問題点も指摘されている。現在、国内ではMOX燃料に加工できないので、フランスの企業に再処理を委託している。六ケ所村の工場が完成すれば、それを国内で行える。

六ケ所村と再処理工場※MAP

※再処理工場を運営する日本原燃（にほんげんねん）株式会社は、全国9電力会社などが出資

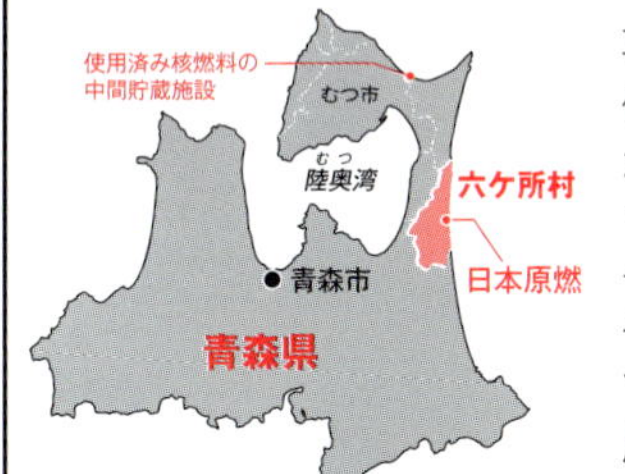

再処理工場は、原子力発電所で使用された「使用済み核燃料」から核燃料のウランとプルトニウムを取り出して精製するリサイクル工場。
それらの原料をMOX燃料工場で原子力発電所（軽水炉）で使用する「MOX燃料」に加工する。

●再処理工場の建設計画・年表

年	出来事
1985	青森県が原子力関連施設の受入れを決定
1993	建設工事を開始（完成予定 1997 年）
1997	最初の**完成延期**
2005	ウラン脱硝塔のトラブルなどで**完成延期**
2006	アクティブ試験（試運転）開始
2009	高レベル放射性廃液の漏えいなどで、17回目の**完成延期**
2011	東日本大震災で一時電源喪失
2014	原子力規制委員会に「新規制基準」の審査を申請
2015	新基準適合確認で 23 回目の**完成延期**
2017	非常用電源建屋に雨水流入のトラブルなどで 24 回目の**完成延期**
2020	原子力規制委員会が「適合」認定
2020	安全対策などで 25 回目の**完成延期**
2022	安全審査の遅れで、26 回目の**完成延期**
2024	27 回目の**完成延期**

がいいのだ。

しかし、高速増殖炉は冷却材にナトリウムを使うため、取り扱いが非常に難しい。福井県敦賀（つるが）市に建設された実験用の高速増殖炉「**もんじゅ**」は、1995年にナトリウム漏（も）れ事故を起こして運転を停止した。2010年に運転を再開したが、その後もトラブルが相次ぎ、運転できない状態になった。政府は2016年、**もんじゅの廃炉**を決定した。

高速増殖炉が使えないため、たまる一方のプルトニウムを少しでも処理するために、政府は従来の軽水炉の原発でMOX燃料を使う**プルサーマル**という方法で稼働させることに方針転換した（軽水炉サイクル）。しかし、MOX燃料で再稼働した原発は現在4基しかなく（2030年までに12基以上に増やす予定）、再処理コストが引き合わないうえ、危険性が高いなど問題点も指摘されている。

いずれにしろ核燃料サイクルの完成には、青森県**六ケ所村**（ろっかしょむら）に建設中の**再処理工場**と**MOX燃料工場**の稼働が前提となる。再処理工場の完成予定は何度も延期されており、現在は再処理工場が2025年、燃料工場が2026年に完成する計画だ。

ちょこっと時事

GX（グリーントランスフォーメーション）　温室効果ガスを発生させる化石燃料を、太陽光発電、風力発電などの再生可能エネルギーに転換していく取組のこと。原子力発電も発電時には温室効果ガスを排出しないため、政府はGXを原発推進の根拠のひとつとしている。

参照 日本の原子力発電所 ››› P114　核のごみ ››› P118

57

環境・健康

核のごみ

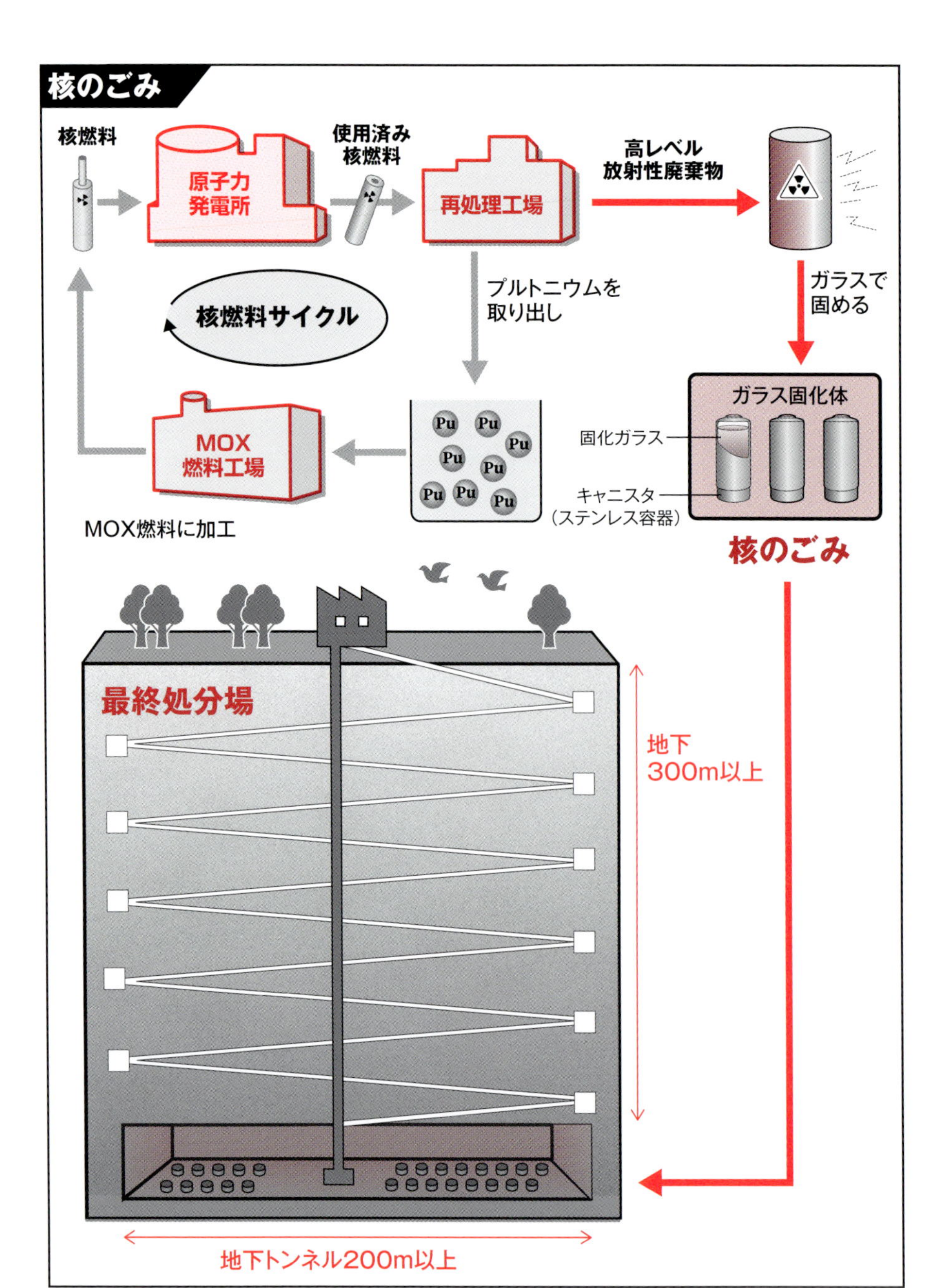

100字でナットク

使用済み核燃料をリサイクルした後にできる「核のごみ」はきわめて高い放射線をもつ。国は地下深くに埋めて処分する方針だが、処分地のめどは立ってない。再処理工場の完成が遅れ、中間貯蔵施設も必要になっている。

政府と電力会社は、原子力発電所で使用した核燃料から、プルトニウムを取り出して再び燃料として使う**核燃料サイクル**を推進している（116ページ）。使用済み核燃料からプルトニウムを取り出した後の残りかすは、非常に高い放射能をもつ廃液となる。これをガラスで固め、ステンレス容器に収めたものがガラス固化体、いわゆる「**核のごみ**」と呼ばれるものだ。できた直後は近寄ると20秒で人が死んでしまうくらい強い放射線が出ている。放射線は徐々に少なくなるが、無害になるまでに約**10万年**かかるという。

原子力発電を続ける限り、核のごみは溜まっていくが、これを最終的にどこに処分するかはまだ決まっていない。ロケットで宇宙に捨てる、南極の氷の下や海底に捨てるといった案もあったが、ロケットは墜落したら大惨事になるし、南極や海に廃棄物を捨てるのは国際条約で禁止さ

WEB
電気事業連合会：高レベル放射性廃棄物の地層処分って？
資源エネルギー庁：放射性廃棄物について

海洋プラスチックごみ問題 海洋に流出した大量のプラスチックごみの問題。流出量は世界中で年間800万トンにのぼるという。プラスチックは紫外線などによって細かい粒子（マイクロプラスチック）に分解され、鳥や魚の体内に蓄積される。食物連鎖によって多くの生物に影響を及ぼすおそれが指摘されている。

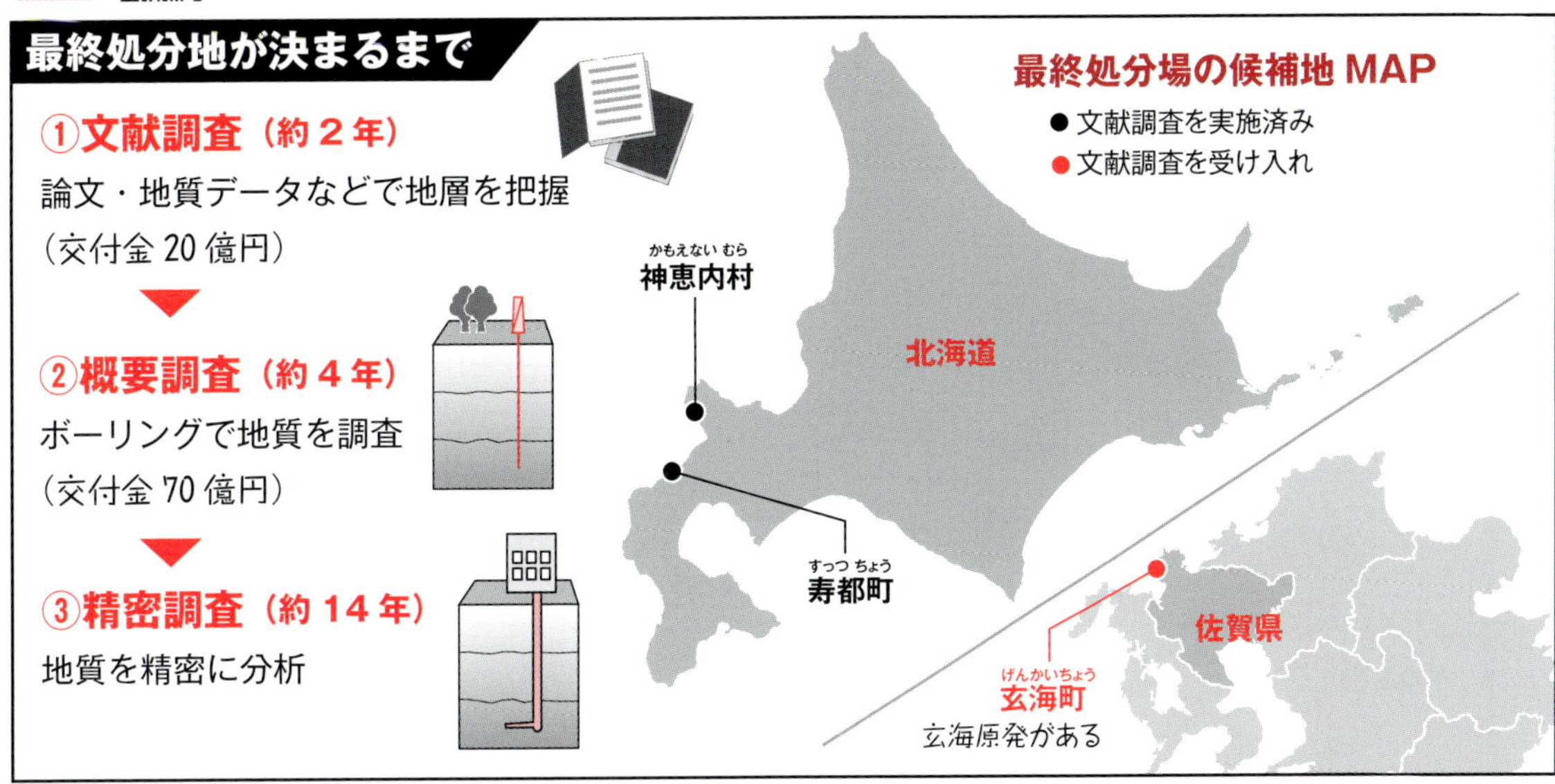

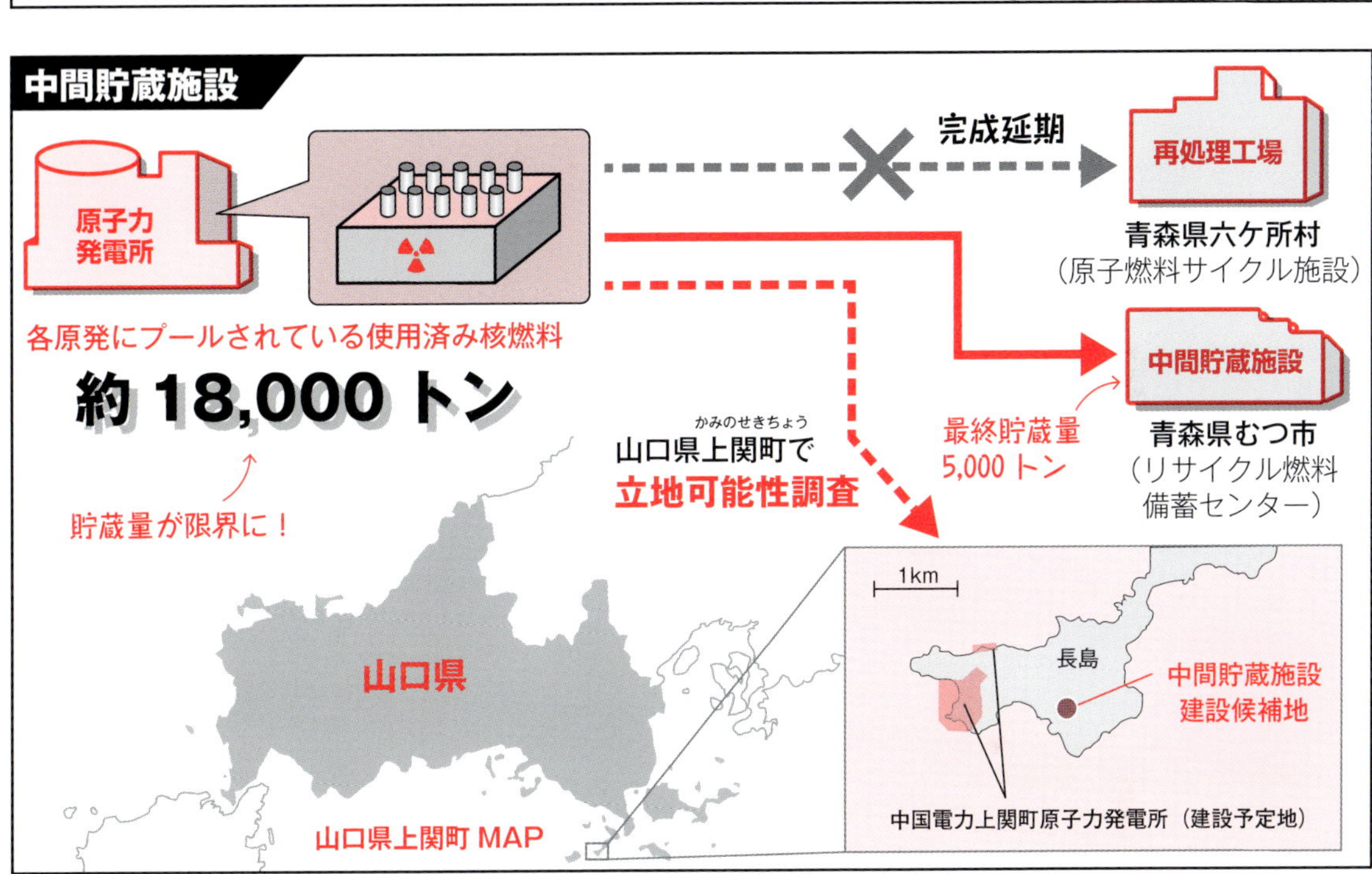

れている。結局、**地下深くに埋めるしかない**ということになった。日本では地下300メートル以上深くの安定した地層に、長さ200キロ以上のトンネルを掘って埋める計画だ。

最終処分場の候補地は、応募した自治体の中から約20年にわたる調査を行って適性を確認する。初期段階の**文献調査**に応募すると政府から20億円の交付金が出るとあって、北海道の**寿都町**と**神恵内村**で文献調査が行われた。さらに佐賀県の**玄海町**も文献調査に名乗りを上げた。ただし、第2段階の**概要調査**にすすむかどうかはまだ決まっていない。ちなみに海外では**フィンランド**で世界初の最終処分場が建設中だ。

青森県六ケ所村に建設中の再処理工場は完成が遅れているため、核のごみのもととなる使用済み核燃料は、現在のところ各原発内のプールで冷却保存されている。貯蔵量にも限界があるため、再処理までの間使用済み燃料を貯蔵しておく**中間貯蔵施設**が必要となった。2024年11月、全国初となる中間貯蔵施設が**青森県むつ市**で事業を開始した。このほかに、山口県**上関町**で現在建設に向けた調査が行われている。

参照 日本の原子力発電所 ››› P114　核燃料サイクル ››› P116

58

環境・健康

福島第一原発の処理水放出

福島第一原発では廃炉に向けた取り組みが続いている。燃料デブリに流れ込んで増え続ける汚染水の対策として、浄化処理した「処理水」を海に放出することになり、2023年8月から段階的な放出がはじまった。

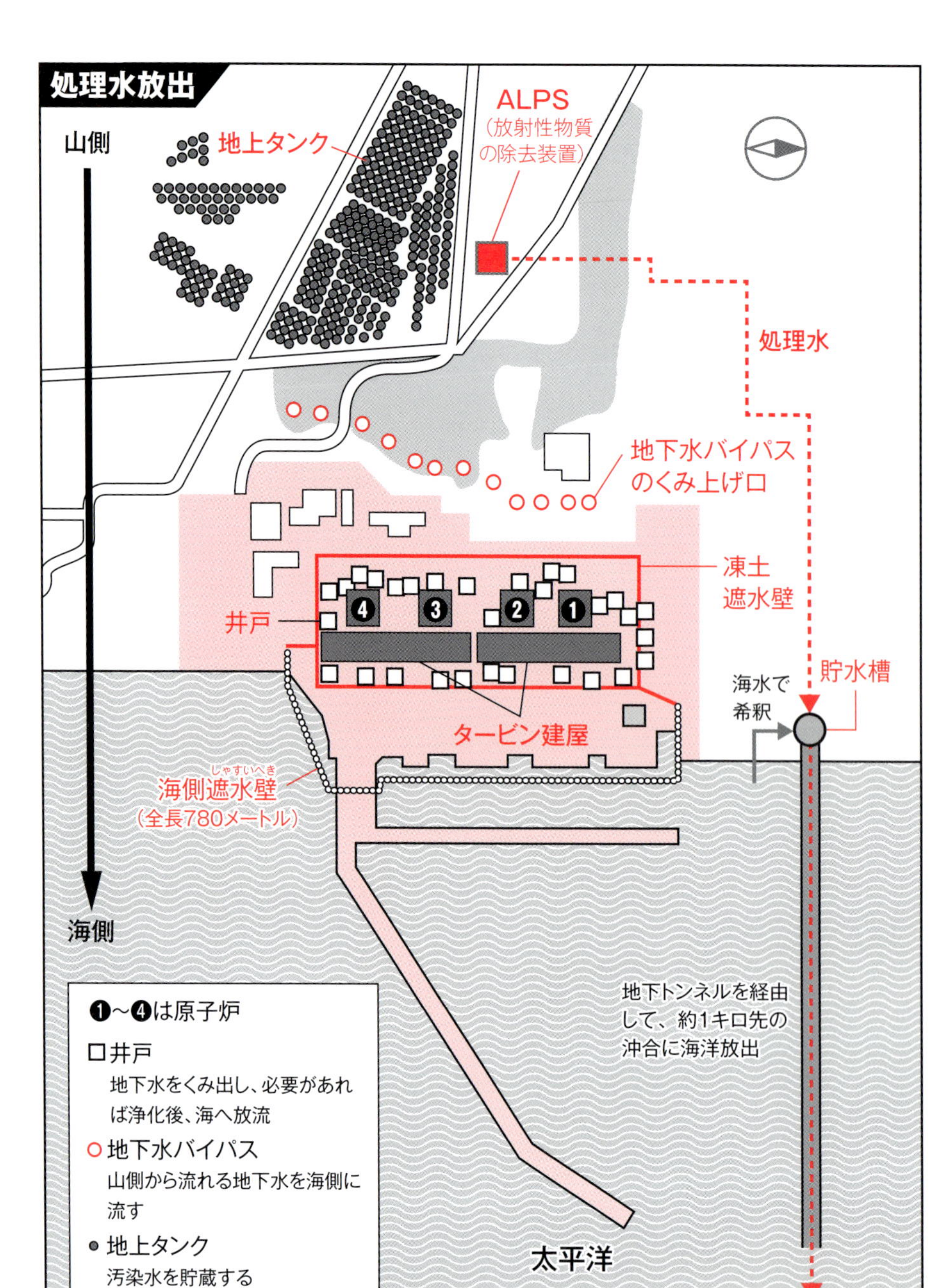

東日本大震災が発生した2011年3月11日当時、東京電力の**福島第一原発**では、6基ある原子炉のうち1〜3号機が運転中だった。地震発生により、運転中の原子炉は3基とも緊急停止したが、非常用の発電機が津波に飲まれて使えなくなり、原子炉内に冷却水を送るポンプが停止してしまった。これにより、原子炉内にあった核燃料は3基とも高熱によって溶け落ちたとみられている。さらに、発生した水素ガスが爆発し、点検中だった4号機を含む1〜4基の建屋（たてや）が吹き飛ばされた。

現在、原子炉建屋内には溶け落ちた核燃料（**燃料デブリ**）による高濃度の放射能汚染水が残っており、そこに雨や地下水が流れ込んで大量の**汚染水**ができる。くみ上げて地上タンクに貯蔵しているが、タンクの数は千本を超え、貯蔵量が限界に達している。この汚染水対策が事故処理の大きな課題となっている。

時事

東電、燃料デブリ回収に失敗 東電は2024年8月に溶け落ちた核燃料（燃料デブリ）の試験的な取り出しを行ったが、作業員の手順ミスで中止になった。同年9月に2度目の回収を試みたが、カメラの故障でふたたび作業は中止された。

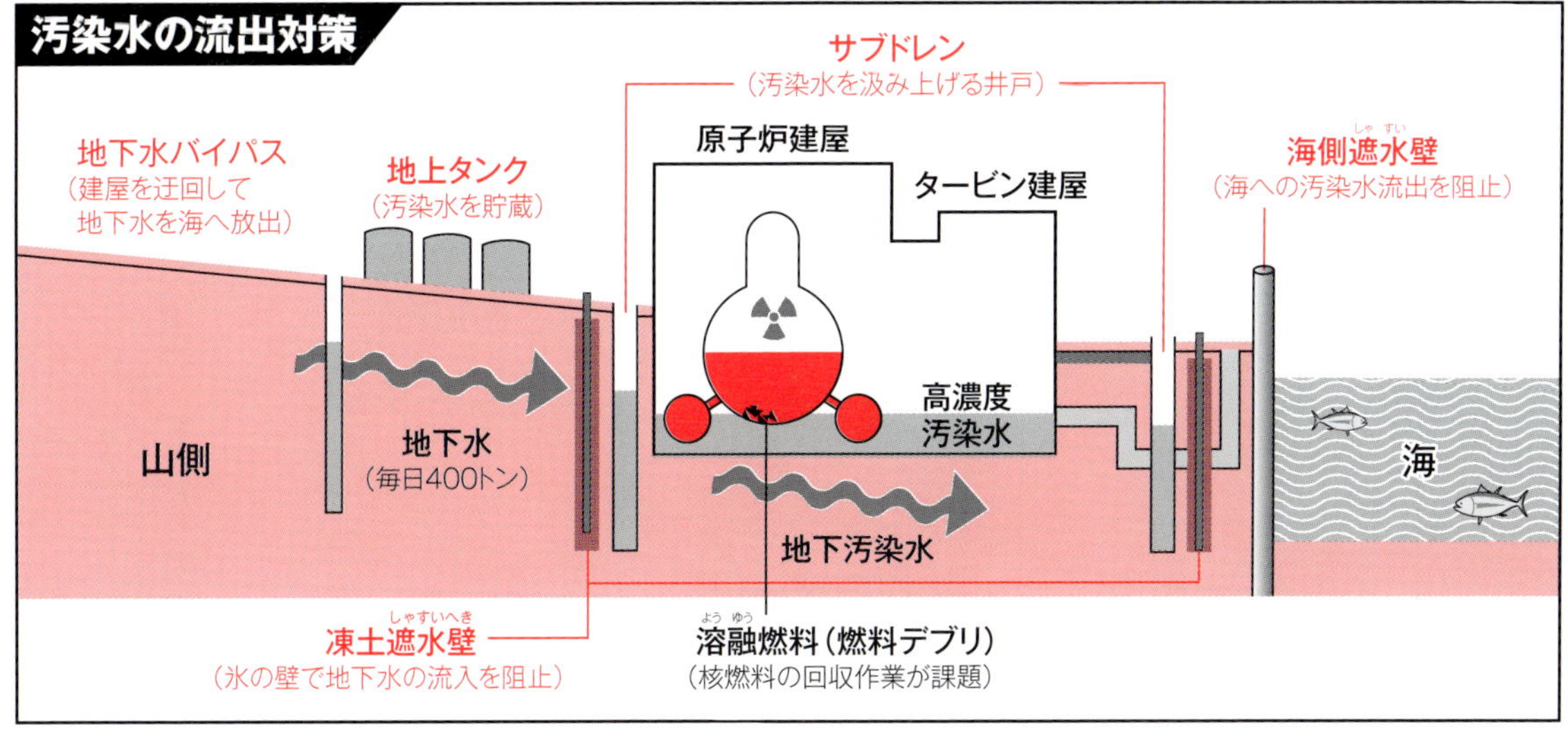

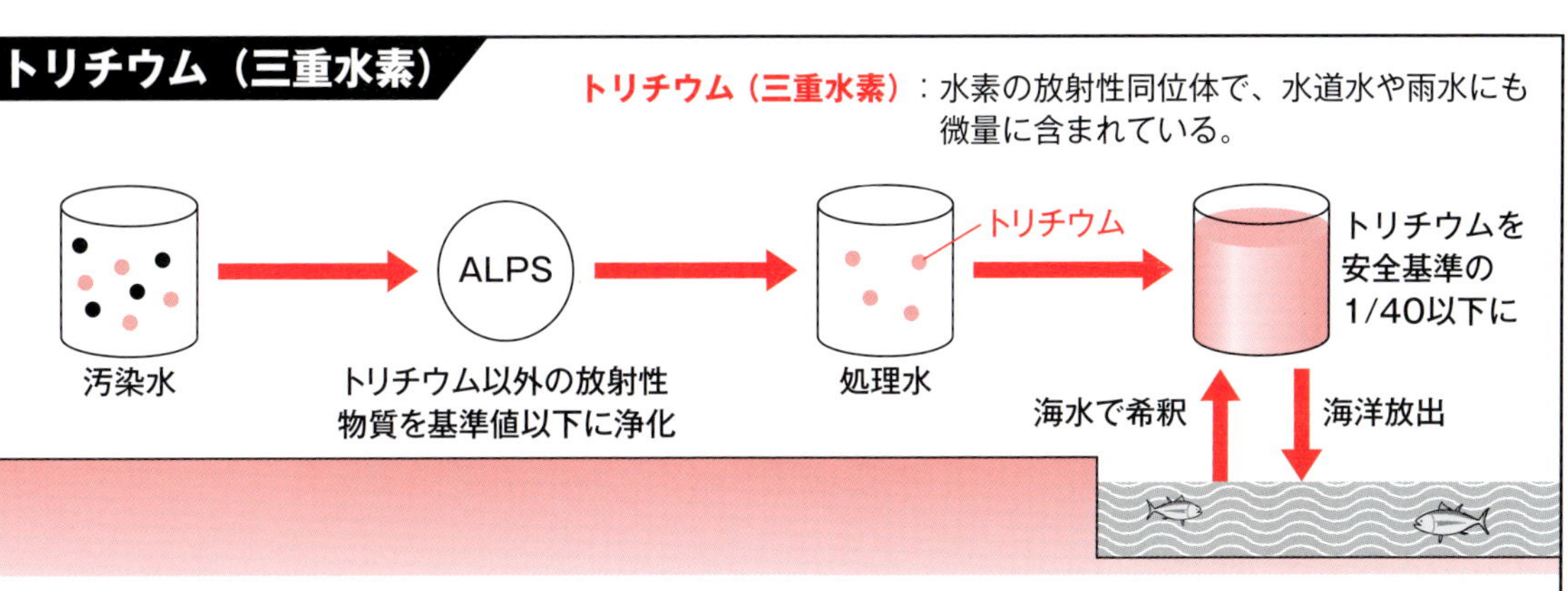

●海洋放出の安全性

- トリチウムのほとんどは水分子に含まれるため、水と一緒に体外に排出され、生物の体内に蓄積・濃縮されていく心配はない。
- トリチウムは世界各国の原発でも海洋に排出されている。
- 周辺の海水や魚などを測定・分析し、安全性を確認しながら放出する。

●海洋放出への批判

- 海洋放出以外の対策がほとんど検討されていない。
- 漁業関係者や周辺国などから十分な理解を得られていないのに放出を強行している。
- 長期にわたる放出では、トリチウム以外に微量に含まれる放射性物質による放射能汚染の心配がある。
- 風評被害で日本の水産物が売れなくなる（中国が2023年8月以降、日本の水産物を輸入停止に）。

くみ上げた汚染水を**ALPS**（多核種除去設備）という設備によって浄化すると、ほとんどの放射性物質は取り除かれる。浄化後の汚染水を「**処理水**」という。政府はこの**処理水を海に放出**することにした。

ただし、**トリチウム**（三重水素）という放射性物質はALPSを使っても取り除くことができない。そこで、放出前の処理水を海水で薄め、トリチウムの濃度を国の安全基準の**40分の1**未満に下げてから、原発の約1キロ沖合に海底トンネルを通して放出することになった。この計画に、**IAEA**（国際原子力機関）も「国際的な安全基準に合致する」とお墨付きを与えた。それでも地元の漁業関係者などからは風評被害や環境への影響を懸念する声が上がっていたが、政府は安全性が十分に検証されたとして、2023年8月から処理水の海洋放出を開始した。放出は周囲の海水などを測定・分析し、安全を確認しながら行っているという。

2024年9月までに処理水を約7万トン海に放出したが、処理途上水を含めて約130万トンがタンクに残っている。タンクがすべて空になるには、約30年かかる予定だ。

 参照 日本の原子力発電所 ››› P114

59 環境・健康

パリ協定

地球温暖化とは

地表で反射した太陽光線の熱が、温室効果ガスがあるために放出されない。

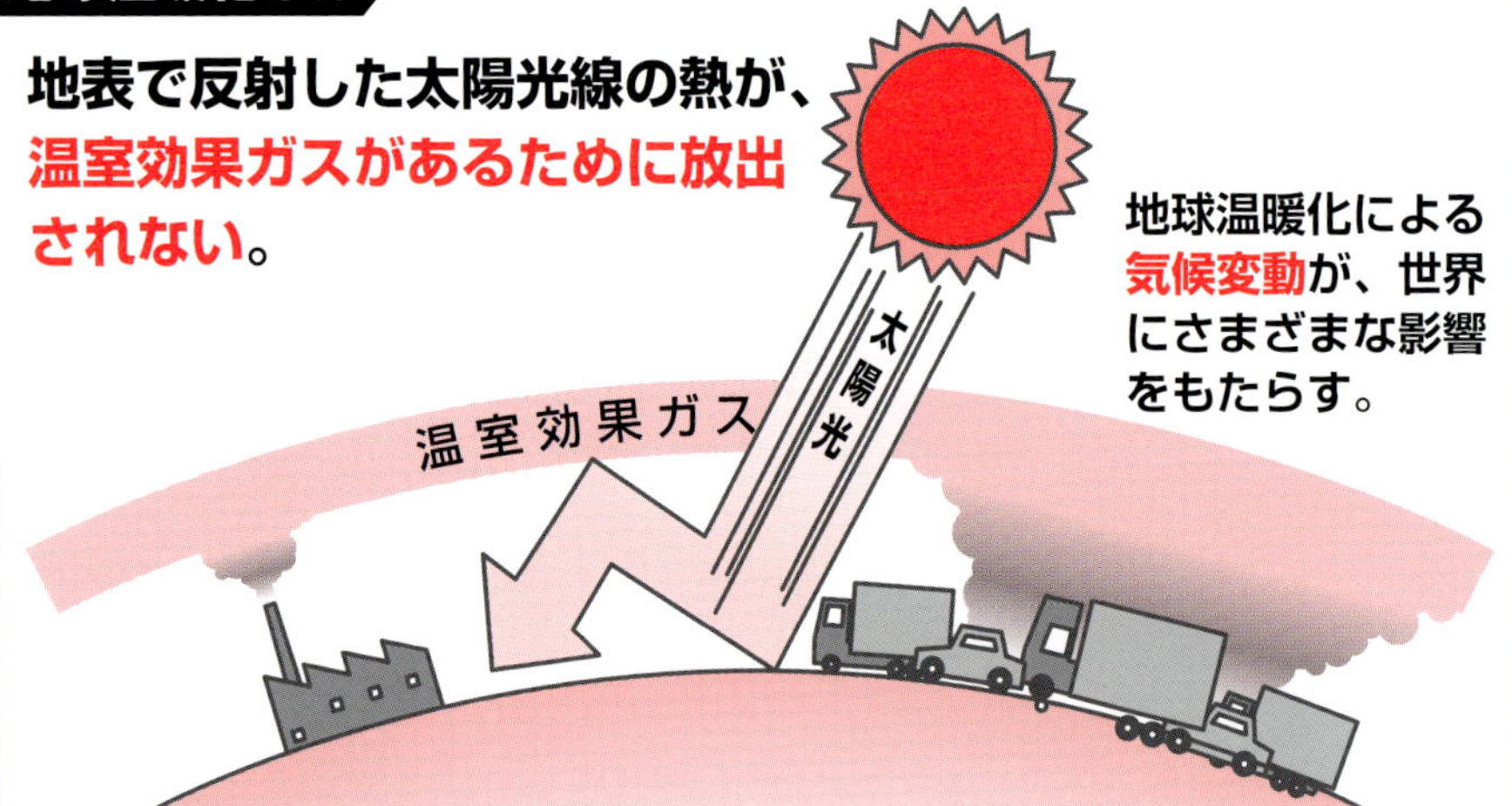

地球温暖化による**気候変動**が、世界にさまざまな影響をもたらす。

●地球温暖化の影響

- 寒い地方の氷が溶けて、海面が上昇する。
- 熱帯性低気圧が発生しやすく、しかも大型化する。洪水や高潮、台風などの水害が多くなる。
- 気温上昇が原因で、大規模な森林火災が発生する。

- 内陸部が乾燥化・砂漠化する。
- 天候不順や病害虫の増加により、農産物の収穫が減る。
- マラリア、デング熱などの熱帯性伝染病が増える。
- 生態系への影響により、生物多様性が失われる。

- 偏西風（へんせいふう）、潮流（ちょうりゅう）（黒潮など）の流れが変化し、異常気象が常態化（じょうたいか）する。

100字でナットク

地球温暖化対策には世界的な取組みが必要だ。2016年11月にパリ協定が発効し、2020年以降すべての国が温室効果ガス削減に取り組むことになった。しかし、目標の達成には各国の合意が不可欠だ。

2024年の日本の夏は、前年に引き続き過去最大の激しい酷暑になった。これは日本だけでなく、ヨーロッパや北米、アジアなども同じで、熱波による山火事、巨大台風による洪水などの異常気象に見舞われた。

地球は太陽からの熱によって常にあたためられている。その熱の一部は宇宙に逃げてしまうが、大気中の水蒸気や二酸化炭素（CO_2）などの気体は、地球から放射される赤外線を吸収し、熱を逃がさない温室のような役割を果たしている。このような気体を**温室効果ガス**（おんしつこうか）という。

温室効果ガスがあるおかげで、地球は生物にとって快適な環境になっているが、その量があまり多くなると、地球の温度が上がり過ぎてしまう。これが**地球温暖化**（おんだんか）と呼ばれる現象だ。地球温暖化がすすむと、海面上昇や異常気象などいろいろな**気候変動**（きこう）（へんどう）が起こり、農作物や生態系に影響が出る。

WEB 環境省：
地球環境・国際環境協力

パリ協定

1 目的と目標

- 産業革命以前に比べて世界の気温上を、少なくとも**2℃未満**に抑える（できれば1.5℃に抑える努力をする）。
- 温室効果ガスの排出量を、21世紀後半までに海や森林による吸収量と均衡（きんこう）させ、**実質ゼロ**にする。

2 各国の削減目標

- 参加国ごとに**削減目標**（NDC）を作成し、すすみ具合を国連に報告する。
- 削減目標を**5年ごと**に提出・評価する**グローバル・ストックテイク**※を実施し、さらなる対策の前進を示す。

※ストックテイクは「棚卸し」のこと。

3 長期戦略

- すべての国が長期のCO_2低排出の開発戦略を策定・提出する。

4 途上国の参加と支援

- **途上国**も排出削減に努力。先進国に途上国への支援を義務付ける。

●世界のエネルギー起源CO_2排出量（2021年）

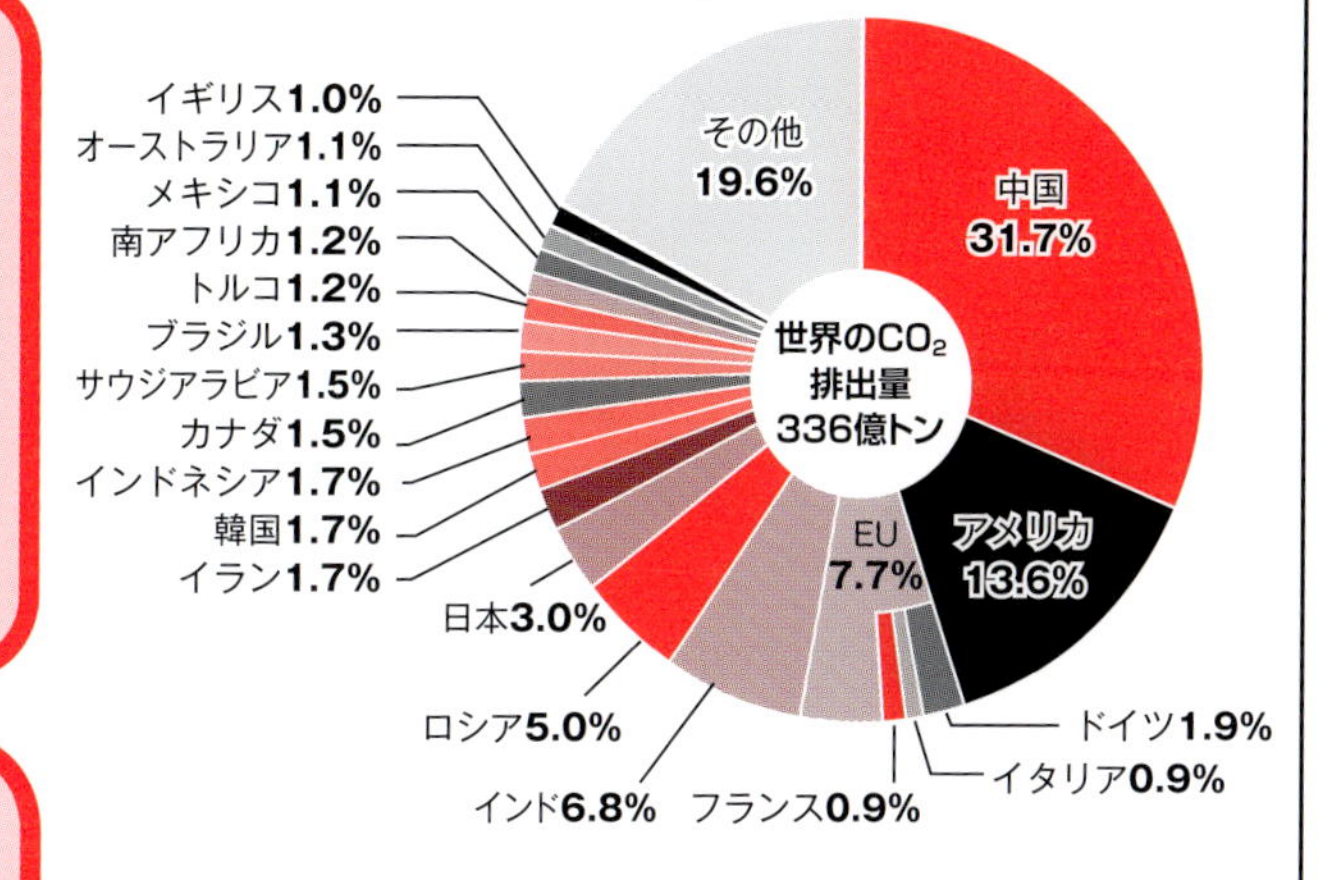

●主要国の温室効果ガス削減目標案（COP26）

	2020年以降の目標案	カーボンニュートラル※
日本	2030年度までに、2013年比で46%削減	2050年までに達成
EU	2030年までに、1990年比で55%削減	2050年までに達成
アメリカ	2030年までに、2005年比で50～52%削減	2050年までに達成
イギリス	2035年までに、1990年比比で78%削減	2050年までに達成
カナダ	2035年までに、2005年比で40～45%削減	2050年までに達成
ロシア	2050年までに、1990年比で60%削減	2060年までに達成
中国	2030年までに、2005年比で65%削減	2060年までに達成
インド	2030年までに、再生可能エネルギー割合を50%にする	2070年までに達成

※温室効果ガス排出量から「吸収量と除去量」を差し引いて、排出量を**実質ゼロ**にすること。「炭素中立」とも訳す。同様の用語に「ネットゼロ」がある。

国連**IPCC**が2023年に公表した**第6次評価報告書**によれば、2011年から2020年の10年間に、世界の地上気温は1.1℃上昇したという。その主な原因は、人間が石油や石炭を燃やしたときに出る二酸化炭素などの温室効果ガスだ。

地球温暖化対策については、毎年開かれる**COP**（国連気候変動枠組条約締約国会議）で話し合いが行われているが、2015年に採択されたのが**パリ協定**だ。パリ協定の目的は、世界の平均気温の上昇を**産業革命前から2℃未満**（できれば1.5℃未満）に抑えることだ。この目的のために、加盟国すべてが温室効果ガスの削減に取り組み、2050年を目標にCO_2排出量を実質的にゼロにする**カーボンニュートラル**を目指す。削減目標は各国が自主的に設定し、5年ごとに見直す。日本は2030年度までに46%の削減（2013年度比）が当面の目標だ。

2023年にドバイで開催された**COP28**では、目標達成に向けた世界全体の進捗を評価する**グローバル・ストックテイク**が実施されたが、パリ協定の目標から隔たりが大きく、さらなる努力が必要とされた。

ちょこっと時事

カーボン・プライシング　CO_2の排出に価格を付け、排出量に応じて金銭的なコストを負担する仕組み。排出量に応じて課税を行う「炭素税」や、国ごとに排出量の上限を設定し、上限を下回った分を超過した国に売ることができる「排出量取引」などがあり、CO_2排出量を市場メカニズムによって削減するねらいがある。

 参照 SDGs（持続可能な開発目標）››› P108　再生可能エネルギー ››› P124

60

環境・健康

再生可能エネルギー

100字でナットク

太陽光・風力・バイオマスなどの再生可能エネルギーは、枯渇する心配がなく、温室効果ガスを排出しないエネルギーだ。地球温暖化対策のため、政府は再生可能エネルギーによる発電の比率を大幅に高める方針だ。

再生可能エネルギーとは

再生可能エネルギー：自然現象から取り出すことができ、何度でも利用できる、枯渇(こかつ)する心配のないエネルギー（太陽光・風力・バイオマスなど）。

●**再生可能エネルギーの例**

太陽光発電	太陽電池で太陽光を電力に変換。
風力発電	風車で発電機を回転させて発電。
地熱発電	火山活動による地熱を利用した発電。
バイオマス	植物から精製したバイオエタノールなどの燃料。これらの燃料から排出される CO_2 は、光合成によって吸収される CO_2 と相殺されるため、全体として CO_2 を増加させないとされる。

再生可能エネルギー

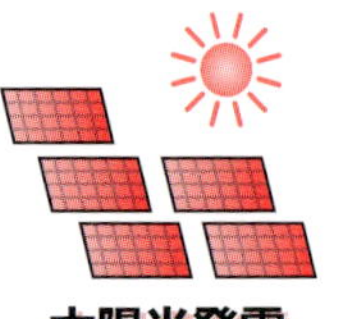
太陽光発電

風力発電

地熱発電

バイオマス

再生可能エネルギーの利点

①枯渇(こかつ)する心配がない

②地球温暖化対策

③新しい産業の開拓

枯渇するエネルギー

可採年数 資源が今後何年にわたって生産・採掘が可能かを示す。

石油

（あと53.5年）

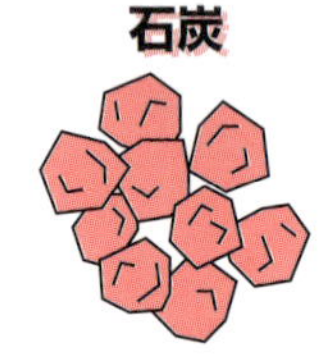
石炭

（あと139年）

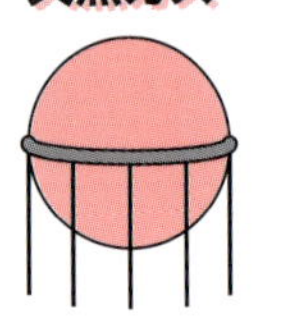
（あと48.8年）

ウラン

（あと128年）

※「BP統計2024」「Uranium 2022」より

原子力エネルギーには、石油や石炭、天然ガスにはない利点があると言われている。①石油や天然ガスに比べて可採(かさい)年数が長いこと、②地球温暖化の原因となるCO_2の排出量が少ないこと、③火力や水力に比べ、発電コストが安いことなどだ。

しかし、**福島第一原子力発電所**の事故をきっかけに、原子力にも重大事故の被害の大きさや使用済み核燃料の管理など、解決困難な問題があることがわかってきた。そこで、にわかに注目を集めはじめたのが再生可能エネルギーだ。

再生可能エネルギーは、石油や石炭のように枯渇(こかつ)する心配がなく、使っても使ってもまた再生できる。**水力**や**地熱**はむかしからあるものだが、そのほかにも**太陽光**、**風力**、**バイオマス**といった、様々な種類の再生可能エネルギーがある。

これらのエネルギーは、①地球温暖化の原因となるCO_2の排出が少

再生可能エネルギーの普及促進

FIT制度
Feed-in Tariff

再生可能エネルギーで発電した電力を、電力会社が決められた価格で買い取ることを義務づける制度。最初に適用された「固定価格」で一定期間にわたって買い取ることで、発電業者が建設コストを安定的に回収できるしくみ。

FIP制度
Feed-in Premium

再生可能エネルギーで発電した電力を、売電価格に加えて「プレミアム（補助金）」を上乗せした金額を支払う制度。電力市場における需要と供給のバランスにより、買取価格が変動するしくみ。

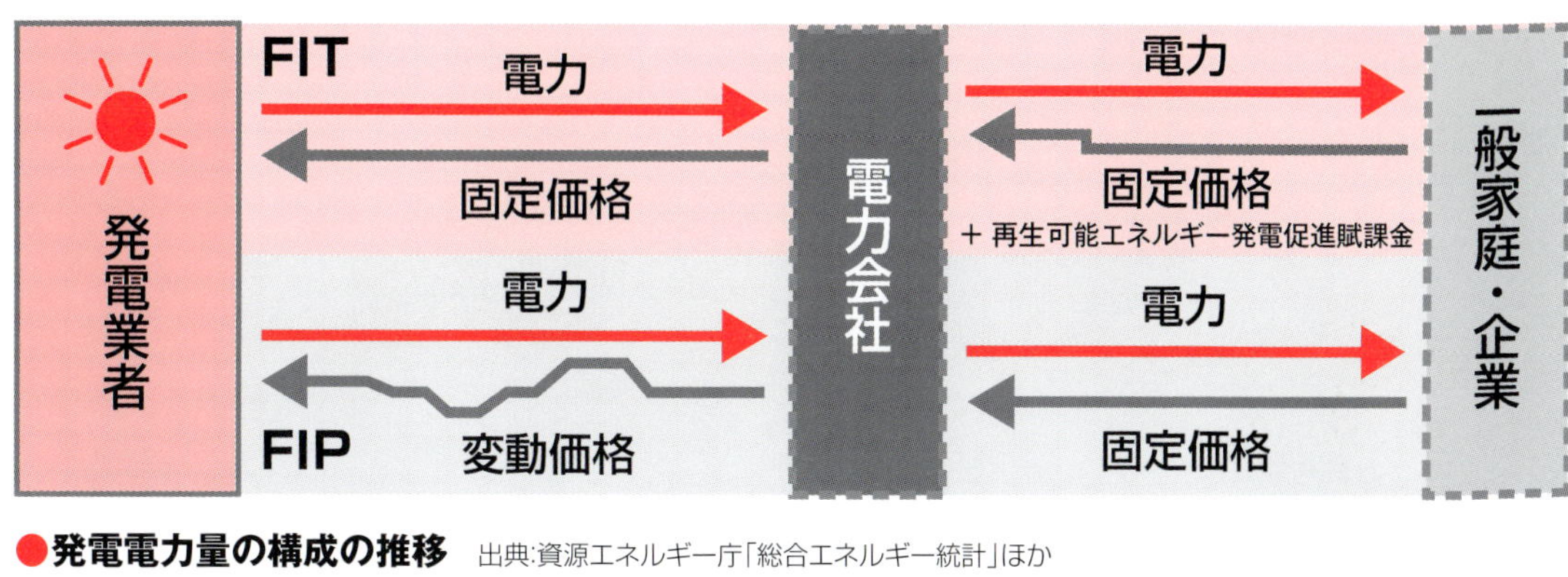

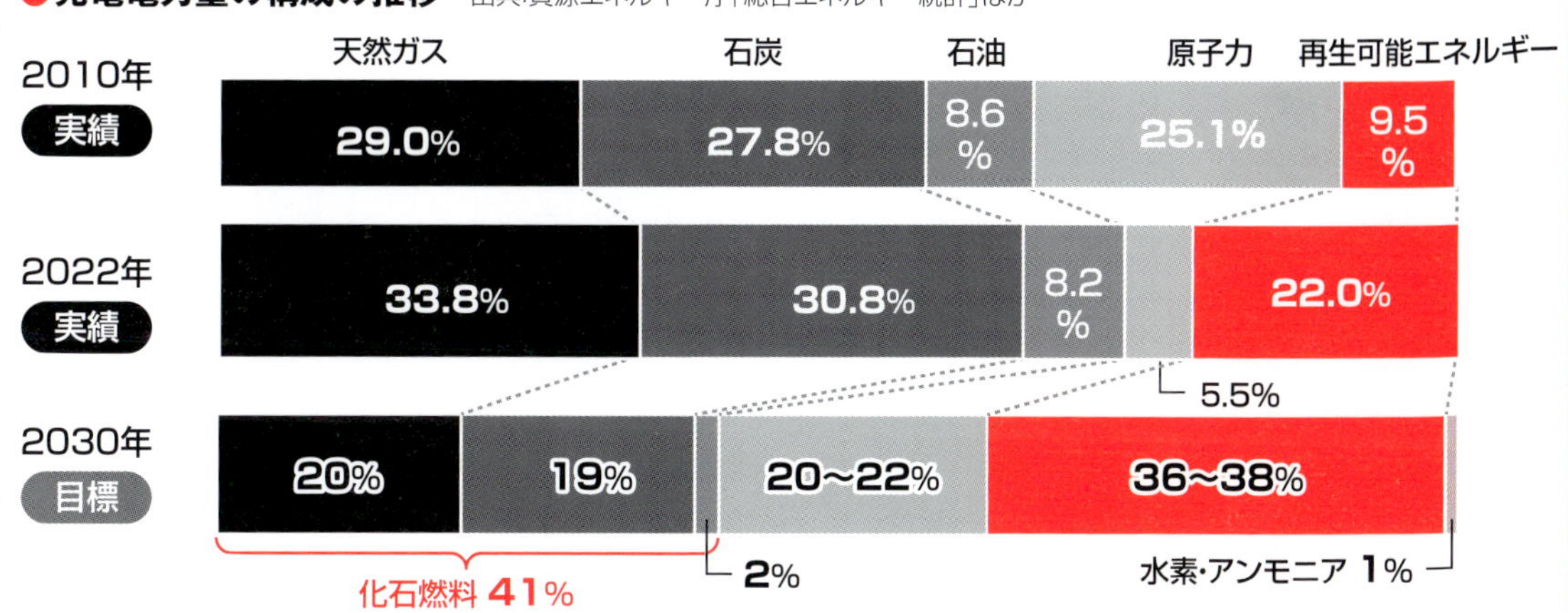

ない、②石油やウランのように輸入に頼る必要がない、③燃料費がかからないといった利点がある。

再生可能エネルギーの普及のため、2012年から大手電力会社が発電業者から電力を固定価格で買い取る**FIT制度**（**固定価格買取制度**）が導入された。これにより、日本の電力全体に占める再生可能エネルギーの割合は2020年には約20％にまで増加した。

FIT制度により、太陽光発電をはじめとする設備は拡充されたが、固定買取制度で電気の使用料金に上乗せされる「**再生可能エネルギー発電促進賦課金**」が増大し、国民負担が大きくなったことなどから、2022年4月からは、電力需要に応じて買い取り価格が変動する**FIP制度**も導入されている。

2021年、日本政府は**温室効果ガスの排出量を2050年までに実質ゼロにするという目標**を掲げた。当面の目標として、2030年度までに2013年度比で46％削減することを目指す。そのため発電電力に占める再生エネルギーの比率についても、2030年までに36～38％と、大幅に高める方針だ。

ちょこっと時事

SAF（持続可能な航空燃料）　料理に使われた廃油や木くず、サトウキビなどを原料とする航空燃料。植物は光合成によってCO_2を吸収するため、それらを原料とする燃料はCO_2排出量を相対的に削減できる。政府は2030年までに航空会社の燃料使用量の10％をSAFに置き換える目標を掲げている。

参照 パリ協定 ››› P122

61
環境・健康

新型コロナ感染症

100字でナットク

2023年5月、政府は新型コロナウイルス感染症の分類を、これまでの「2類相当」から5類に引き下げた。外出自粛などの厳しい措置はなくなり、平常の社会経済活動と両立していくウィズコロナが日常となる。

新型コロナウイルス感染症

コロナウイルス

ヒトにまん延している風邪のウイルス4種類と、動物から感染する重症肺炎ウイルス2種類が知られている。（国立感染症研究所より）

表面の突起が王冠（コロナ）のように見えることから、**コロナウイルス**という。

軽症化

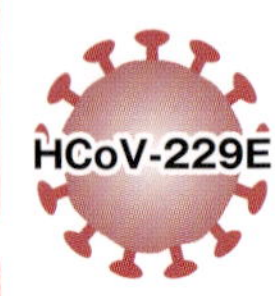

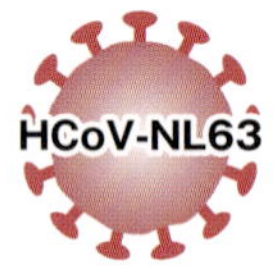

風邪の原因の10～15％はこの４種類のコロナウイルスによる。

重症化

重症急性呼吸器症候群コロナウイルス

中東呼吸器症候群コロナウイルス

新型コロナウイルス

●**感染症の分類（感染症法）**

類	主な感染症
1類	エボラ出血熱、天然痘、ペスト
2類	結核、ジフテリア、SARS、MERS
3類	コレラ、細菌性赤痢、腸チフス
4類	E型肝炎、A型肝炎、黄熱、狂犬病、マラリア
5類	季節性インフルエンザ、梅毒、麻疹、新型コロナウイルス
新型インフルエンザ等感染症	新型インフルエンザ

コロナとはラテン語で「王冠」という意味。ウイルスの表面の突起が王冠のように見えることから**コロナウイルス**という。2019年末に中国の武漢市で発見された新型コロナウイルスは世界各国に拡大し、またたく間に**パンデミック**（世界的な大流行）を引き起こした。日本では2020年1月に国内で初めての患者が確認され、4月には全国に緊急事態宣言が出された。

日本の感染症法は、感染症を**危険度の高い順に1～5類に分類**している。新型コロナウイルスは新しい感染症だったため、当初は類型外の「指定感染症」に位置付けられ、入院勧告や就業制限などの措置が可能な「**2類相当**」の対策がとられた。その後、特別措置法によって対策を定める「**新型インフルエンザ等感染症**」に位置付けが変更され、緊急事態宣言やまん延防止等重点措置といった2類より厳しい行動制限を

WEB 国立感染症研究所：新型コロナウイルス感染症（COVID-19）関連情報

厚生労働省：新型コロナウイルス感染症の5類感染症移行後の対応について

5類移行

	5類移行前	5類移行後
外出自粛	患者：発症翌日から**7日間**	患者：発症翌日から**5日間**（推奨）
	濃厚接触者：**5日間**	濃厚接触者：**なし**
診察	発熱外来のみ	幅広い医療機関に拡大
医療費	全額公費負担	一部を自己負担
ワクチン接種	全額公費負担	**全額自己負担**（定期接種を除く）
マスク	着用を推奨（屋内は原則着用）	個人の判断
患者数公表	全数を公表	定点医療機関からの報告を週1回集計

1医療機関当たりの平均患者数推移（全国）

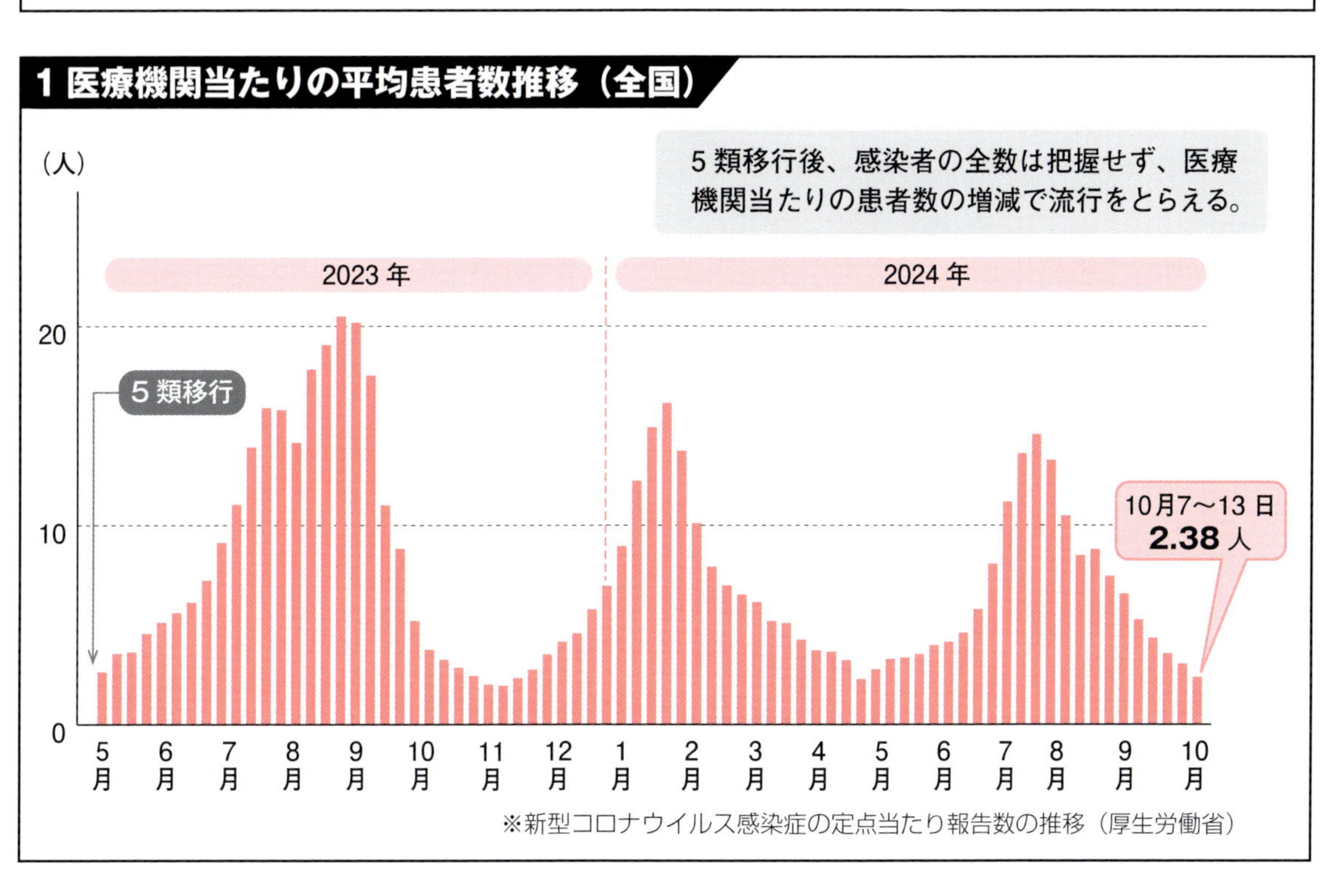

※新型コロナウイルス感染症の定点当たり報告数の推移（厚生労働省）

課すことが可能になった。しかし、2021年末頃から拡大した**オミクロン株**は従来株より重症化しにくい傾向にあり、平常の社会経済活動をしながら感染防止を図る**ウィズコロナ**を求める声も高くなったことから、2023年5月、政府は新型コロナの位置付けを**季節性インフルエンザなどと同じ「5類」に変更**した。

5類への移行により、感染者の外出自粛は強制ではなくなり、発症翌日から5日間外出を控えることが推奨される。濃厚接触者への外出自粛要請もなくなった。マスク着用は個人の判断にゆだねられる。医療費はこれまで全額公費負担だったが、5類移行後は一部が患者の**自己負担**となった（ワクチン接種は2024年4月から自己負担）。

2024年5月以降は、新たな変異株「**KP.3**」の感染者が増加した。感染力が強く、風邪（かぜ）や熱中症と見分けがつきにくいのが特徴。重症化する可能性は低いが後遺症のリスクもあるため、感染対策は依然として重要だ。2024年10月からは、65歳以上の高齢者と重症化リスクの高い人を対象にした定期接種がはじまっている。

ちょっと時事

レプリコンワクチン　新型コロナの既存のmRNAワクチンは、抗原となるタンパク質の遺伝情報（mRNA）を入れ、抗原を体内で合成する。レプリコンワクチンはこのmRNAを一時的に増殖させる酵素を組み込んだもので、従来より少量で効果が持続するとされる。世界に先駆けて日本で認可されたが、一部に安全性を懸念する声がある。

62

環境・健康

紅麹サプリによる健康被害

紅麹サプリによる健康被害の経緯

2021年2月	小林製薬「紅麹コレステヘルプ」発売
2024年1月15日～	医師から最初の症例が報告される（その後も健康被害の報告が相次ぐ）
3月16日	一部の製品ロットに想定されていない成分が含まれていることが判明
3月22日	小林製薬が健康被害を公表し、製品の自主回収を発表 同社の紅麹を使った他社の製品も相次いで自主回収を決定
3月29日	厚生労働省、原料からプベルル酸を検出
5月28日	厚生労働省、プベルル酸が腎臓機能に影響を及ぼしたことを確認

約2か月公表せず、被害が拡大（2024年1月15日～3月22日）

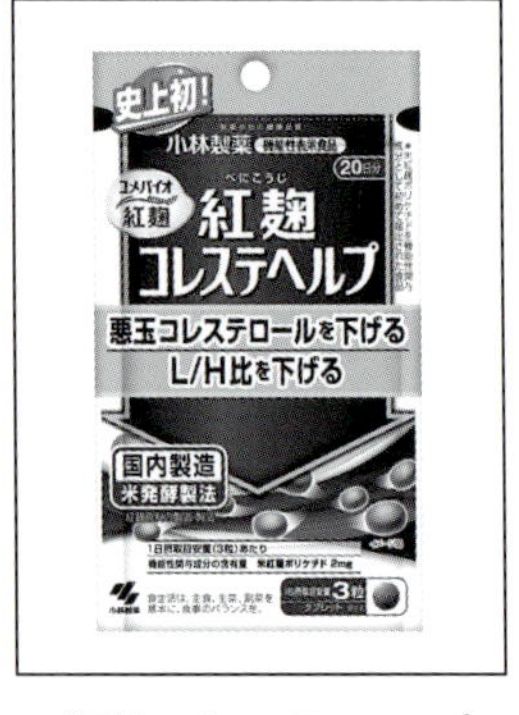

紅麹コレステヘルプ

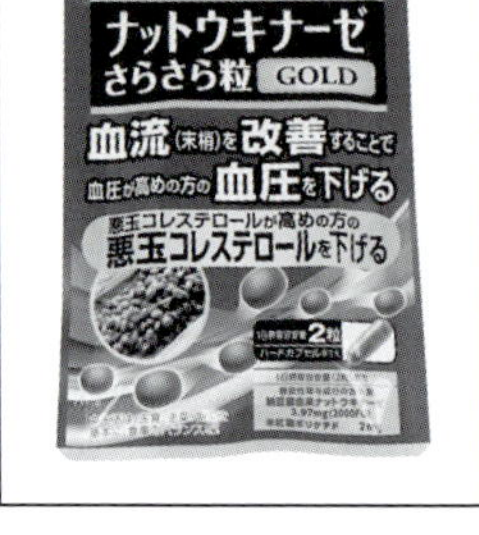

ナットウキナーゼ
さらさら粒GOLD

ナイシヘルプ+
コレステロール

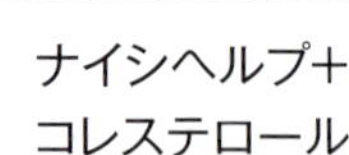

※消費者庁のサイトより

100字でナットク

紅麹を原料とするサプリメントを摂った人に腎疾患などの健康被害が多数出た問題で、消費者庁は機能性表示食品等に何らかの健康被害が疑われる場合、因果関係が不明でも報告を行うことを販売者に義務付けた。

紅麹（べにこうじ）とは、コメなどを発酵させてつくるカビの一種で、中国や台湾、沖縄では発酵食品として古くから利用されている。沖縄の「豆腐よう」という食材が有名だ。紅麹にはコレステロールを下げる効果があることでも知られており、効果をうたった紅麹サプリメントが各社から発売されている。

2024年3月、日本の製薬会社・**小林製薬**が製造する紅麹サプリメントの利用者に、腎疾患や浮腫（ふしゅ）、倦怠感などの**健康被害**が発生していることがわかった。同社は紅麹サプリメントの使用中止を呼びかけ、製品の自主回収を開始した。同社の紅麹は他社に供給されてパンや菓子などに使われており、問題が拡大した。正確な被害者数は不明だが、5人が死亡、289人が入院したほか、関連が疑われる死者が76人にのぼる。

成分を調査した結果、紅麹原料の一部から、本来含まれているはずの

WEB 消費者庁：機能性表示食品について
小林製薬株式会社：紅麹関連製品に関して

機能性表示食品

特定保険食品（トクホ）

表示されている効果について国が審査を行い、消費者庁が表示を許可。

効果や安全性について国がお墨付きを与える

機能性表示食品

事業者の責任において、科学的根拠に基づいた機能性を表示。消費者庁に届出を行えば表示できる。

国が安全性や機能性を確認したものではない

●機能性表示食品の表示例

パッケージの主要な面に「機能性表示食品」と表示する。

消費者庁長官から付与された届出番号を表示する。

一日に摂取する量の目安、摂取方法、注意事項を表示する。

パッケージ表

機能性表示食品
届出番号XXXX
クトゥルフの滴
〈届出表示〉
本品にはナルラトホテプが含まれるので、SAN値を減少させる機能があります。
本品は、事業者の責任において特定の保健の目的が期待できる旨を表示するものとして、消費者庁長官に届出されたものです。ただし、特定保健用食品と異なり、消費者庁長官による個別審査を受けたものではありません。

パッケージ裏

名称:クトゥルフの滴
原材料名:
内容量:38g
賞味期限:欄外に記載
保存方法:直射日光、高温・多湿の場所を避けて保存してください。
製造者:株式会社ネクロノミコン

栄養成分表示
（一日当たりの摂取目安量当たり）

エネルギー	1kcal
たんぱく質	0.1g
脂質	0g
炭水化物	0.2g
食塩相当量	0.1g

機能性関与成分ナルラトホテプ 5mg

●一日当たりの摂取目安量:2粒
●摂取の方法:水またはぬるま湯と一緒にお召し上がりください。
●摂取上の注意:本品は多量摂取により疾病が治癒したり、より健康が増進するものではありません。
●本品は、疾病の診断、治療、予防を目的としたものではありません。

●お問合せ先:株式会社ラヴクラフト
〒171-00XX 東京都豊島区池袋X-X-X
0120-XXXX-XXX

科学的根拠を基にした機能性について、消費者庁長官に届け出た内容を表示する。

一日当たりの摂取目安量を摂取した場合、どのくらいの機能性関与成分が摂取できるかを表示する。

医薬品ではなく「機能性表示食品」だということを表示する。

ない「**プベルル酸**」という物質がみつかった。青カビから発生することがある化合物で、動物実験で腎臓に対する毒性が確認された。工場内で原料に混入した青カビが、プベルル酸を産出した可能性が高い。

今回健康被害が出たサプリメントには、パッケージに大きく「悪玉コレステロールを下げる」とうたわれていた。このように、カラダにいいこと（＝機能性）を表示した食品を**機能性表示食品**という。機能性表示食品の表示は、科学的根拠にもとづいたものであることを販売者が消費者庁に届け出なければならない。

同様の食品に**特定保健用食品**（トクホ）があるが、トクホの表示は許可制で、安全性や効果について国の審査を受けなければならないのでハードルが高い。その点、機能性表示食品は届出制なので簡単に売り出すことができるが、安全性や機能性の根拠が少ない製品でも販売できてしまうという問題が指摘されている。

消費者庁は今回の問題を受け、機能性表示食品やトクホに健康被害が疑われる場合は、被害を減らすため因果関係が不明でもすぐ保健所などに報告することを義務付けた。

ちょこっと時事

エムポックス（サル痘） サル痘ウイルスによる感染症。感染すると5～21日の潜伏期間後、発熱や発疹、リンパ節の腫れなどの症状が出る。これまでアフリカ以外の感染はまれだったが、2022年5月以降、世界各地で感染が相次いだ。2024年にはアフリカで急拡大し、世界保健機構（WHO）は8月に緊急事態宣言を出した。

63

環境・健康

南海トラフ巨大地震

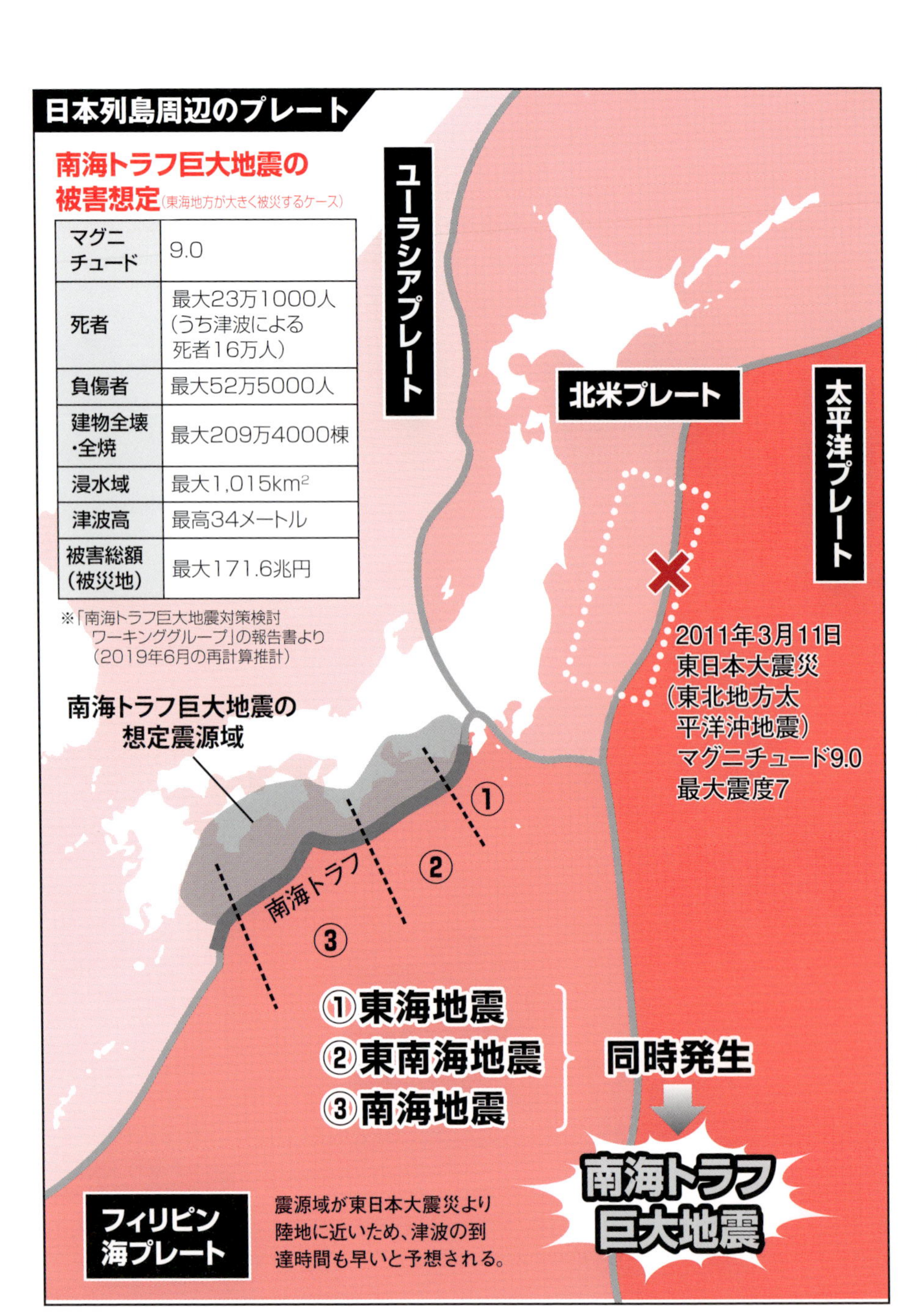

日本列島周辺のプレート

南海トラフ巨大地震の被害想定（東海地方が大きく被災するケース）

マグニチュード	9.0
死者	最大23万1000人（うち津波による死者16万人）
負傷者	最大52万5000人
建物全壊・全焼	最大209万4000棟
浸水域	最大1,015km²
津波高	最高34メートル
被害総額（被災地）	最大171.6兆円

※「南海トラフ巨大地震対策検討ワーキンググループ」の報告書より（2019年6月の再計算推計）

100字でナットク

駿河湾から四国沖を震源域とする東海地震、東南海地震、南海地震が同時発生するのが「南海トラフ巨大地震」だ。国の有識者会議の被害想定によれば、地震・津波等による死者数は最大で23万1000人にのぼるという。

地球の表面は、分厚い岩石の層でおおわれている。この層の一片を**プレート**という。プレートはどろどろのマントルの上に浮かんでいて少しずつ動いている。そのためプレート同士がぶつかっている場所にはものすごい力が加わり、ひずんだプレートがときどき跳ね上がる。これが「**プレート境界型地震**」のメカニズムだ。東日本大震災で発生したマグニチュード9・0の地震は、太平洋プレートが北米プレートの下に潜り込む場所で発生した。

日本列島付近には、ほかにもプレート同士が衝突している場所がある。駿河湾から四国沖にかけて、フィリピン海プレートがユーラシアプレートの下に潜り込んでいる部分で、**南海トラフ**と呼ばれている（「トラフ」とは、「海溝」よりは浅い、海底の溝のこと）。この付近では、マグニチュード8前後の巨大地震がおおよそ100年から200年周期で発生

WEB 内閣府：防災情報のページ「南海トラフ地震防災対策」

WEB 気象庁：南海トラフ地震関連解説情報

プレート境界型地震のメカニズム

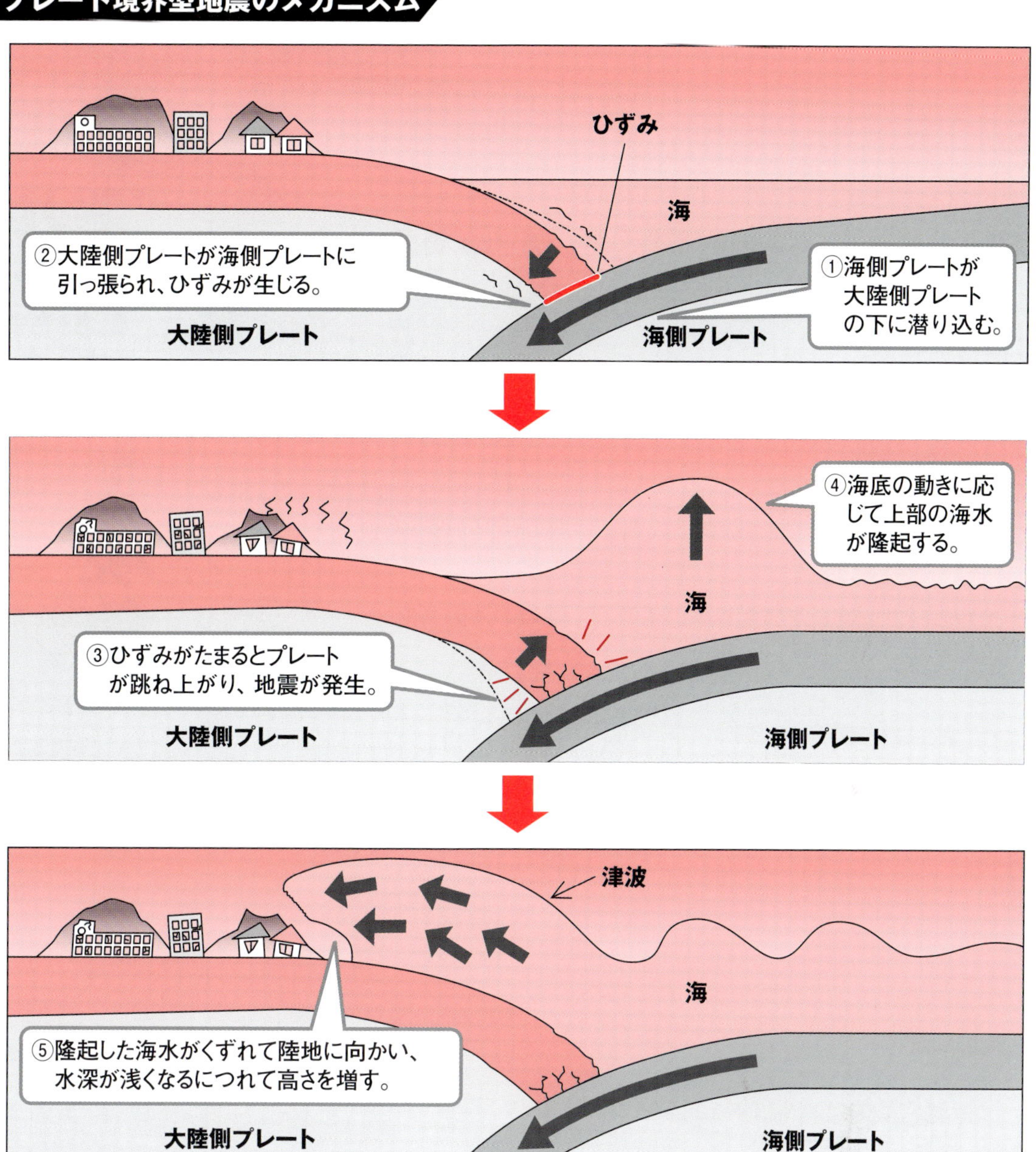

しており、震源域の場所によって**東海地震**、**東南海地震**、**南海地震**と呼ばれる。直近では、東海が1854年、東南海が1944年、南海が1946年に発生した。これら3つの地震が同時に発生する可能性もある。それが**南海トラフ巨大地震**だ。

政府は、今後30年以内に南海トラフ地震が発生する確率を70～80％としている。有識者会議による被害想定（2019年6月再計算）によれば、死者数は最悪の場合23万1000人に達するという。東日本大震災の死者・行方不明者数のおよそ12倍だ。このうち、津波による死者は16万人。効果的な呼びかけで迅速に避難することができれば、死者数は約7割減らすことができるという。

建物の被害は火の気が多い冬の夕方に地震が発生した場合に大きくなり、全焼・全壊する建物は最大209万4000棟、経済的な被害は171・6兆円に及ぶ。

気象庁は、想定震源域で大規模地震が発生する可能性が高まると「**南海トラフ地震臨時情報**（巨大地震注意）」を発表して注意を促している。最近では2024年9月に発表された。

ちょこっと時事

医師の偏在　医師が特定の地域や診療科にかたよってしまい、医師の絶対数は足りているのに医師不足が生じる問題。厚生労働省が公表する医師偏在指標（人口10万人当たりの医師数に医療需要などの要素を加味した数値）によると、1位の東京都（329・0）と最下位の岩手県（169・3）とで約2倍の開きがある。

参照 能登半島地震 ››› P28

64

環境・健康

エルニーニョ／ラニーニャ現象

100字でナットク

太平洋東部の赤道近くの海面温度が上昇する現象を「エルニーニョ現象」、低下する現象を「ラニーニャ現象」という。いずれも世界各地で異常気象を起こす。２０２４年春まで前年からのエルニーニョ現象が続いていた。

エルニーニョ／ラニーニャ現象とは

エルニーニョ現象　東太平洋赤道上で海面温度が長期にわたって上昇する現象。逆に海面温度が低下する場合をラニーニャ現象という。

●エルニーニョ現象監視海域の海面水温値（月平均）の基準値との差

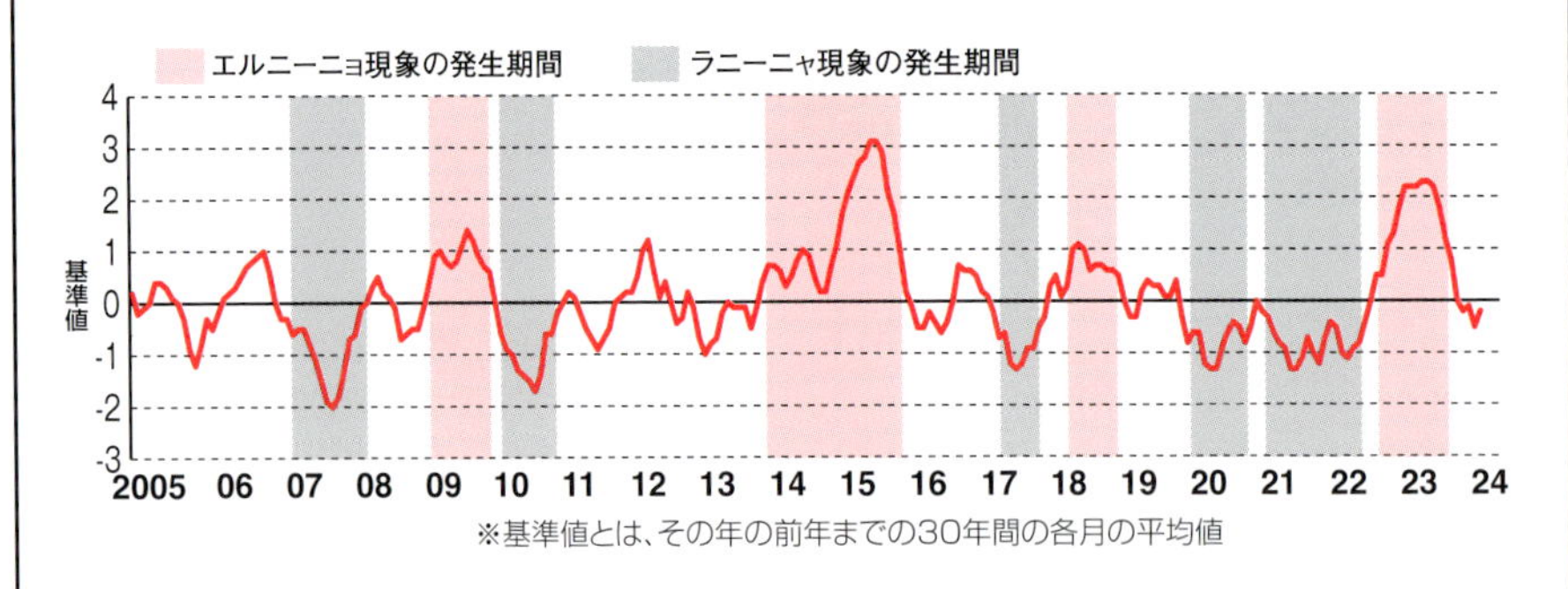

※基準値とは、その年の前年までの30年間の各月の平均値

●エルニーニョ現象が発生しているときの海域の海面温度

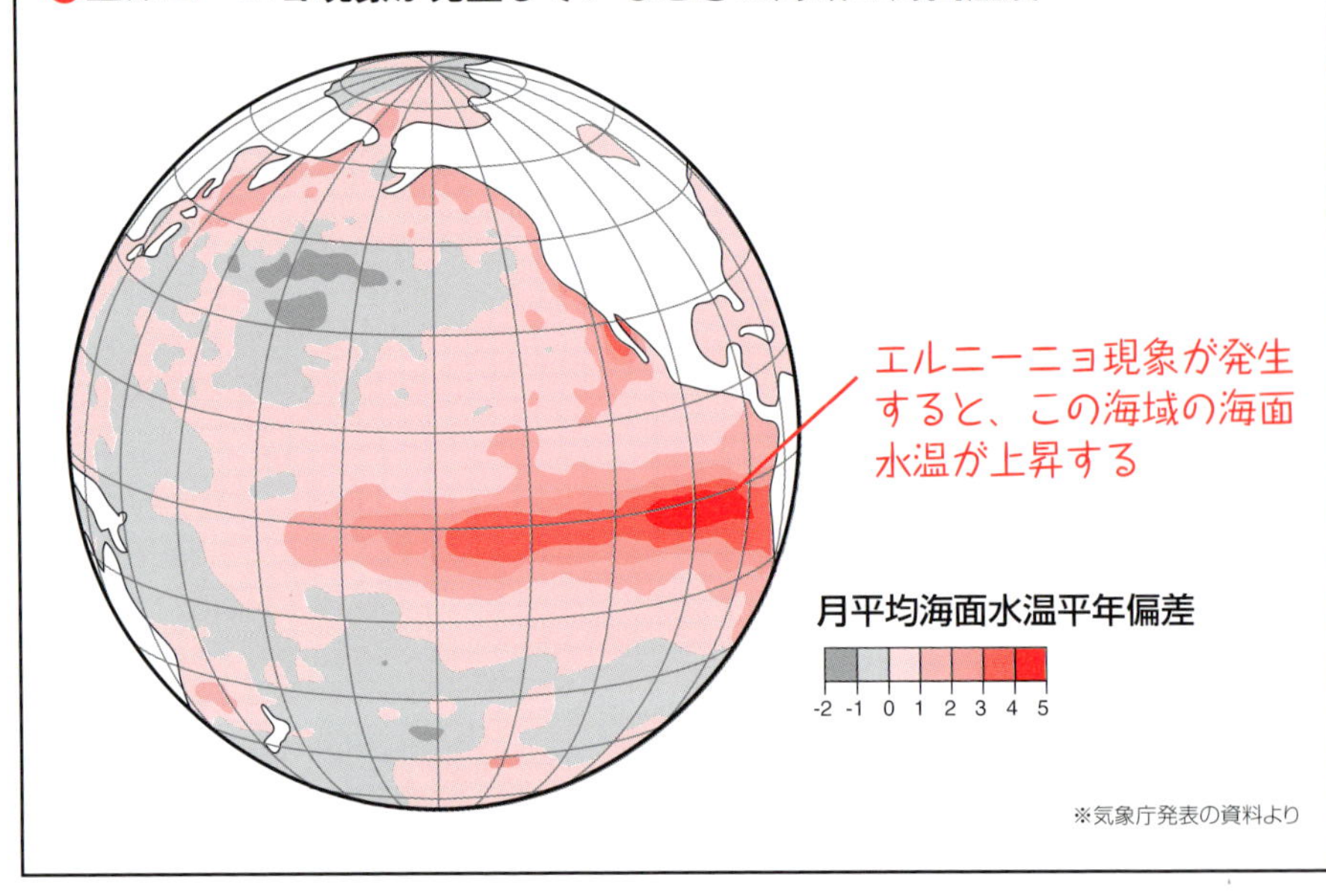

※気象庁発表の資料より

エルニーニョ現象とは、太平洋東部の赤道付近の海面温度が上昇し、その状態が一年くらい続くという現象だ。

太平洋の赤道付近には、東から西に向かって、貿易風という風が吹いている。海面に近い暖かい海水は、この貿易風によって西側に吹き寄せられるので、通常はインドネシア近海に暖かい海水がたまる。これが水蒸気となって上空に上がると、積乱雲が生まれる。

ところが、エルニーニョ現象が発生しているときは、貿易風が通常より弱くなってしまう。このため、暖かい海水が東側にとどまり、積乱雲もふだんより東寄りに発生することになる。

また、エルニーニョ現象とは逆に、太平洋東部の赤道付近の海面温度が低くなる場合もある。この現象を**ラニーニャ現象**という。ラニーニャ現象の場合は、赤道付近に通常より強

WEB 気象庁：
エルニーニョ／ラニーニャ現象

エルニーニョ／ラニーニャ現象のしくみ

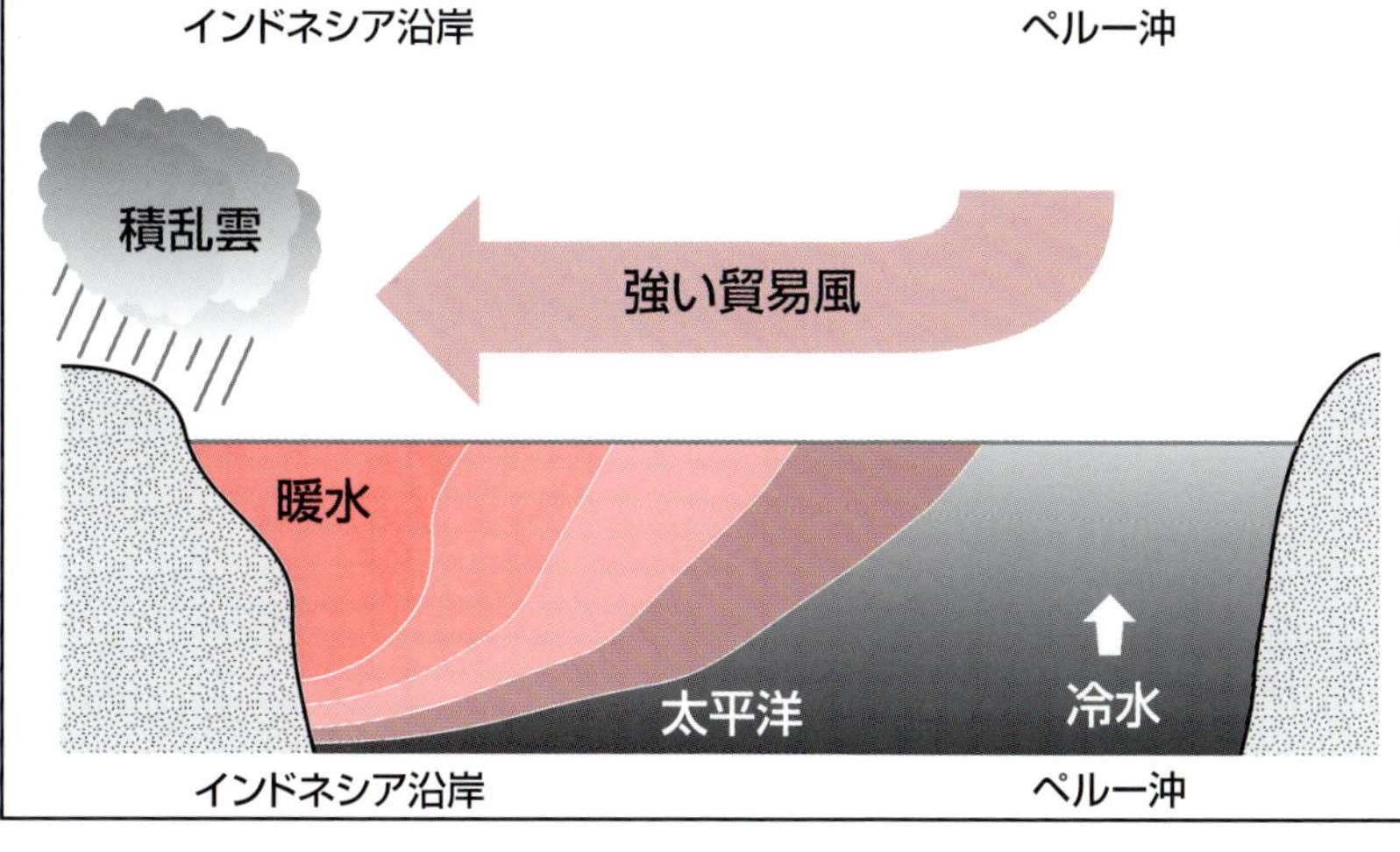

通常

東から吹く貿易風によって、暖かい海水がインドネシア沿岸に吹き寄せられ、上空に積乱雲が発生する。

エルニーニョ現象

通常より貿易風が弱く、暖かい海水があまり西にかたよらない。そのため、積乱雲も通常より東側に発生する。

エルニーニョとは、スペイン語で「男の子（＝神の子＝イエス・キリスト）」という意味。

ラニーニャ現象

通常より強い貿易風が吹き、暖かい海水がより多くインドネシア沿岸に吹き寄せられる。積乱雲も通常より多く発生する。

ラニーニャは「女の子」という意味。エルニーニョ（男の子）の逆の現象だから。

い貿易風が吹く。そのため、インドネシア近海にふだんよりたくさんの暖かい海水が吹き寄せられ、太平洋の東側には冷たい海水が湧きあがってくるのだ。

　エルニーニョ現象やラニーニャ現象は、世界の天候にさまざまな影響を与える。日本では、エルニーニョ現象が発生すると、夏場はとくに西日本で平均気温が低くなり、冷夏になる傾向がある。また、冬場はとくに東日本で平均気温が高くなり、暖冬になる傾向がある。

　気象庁の観測によれば、最近ではエルニーニョ現象が2023年春から発生し、2024年春に終息した。2023年の猛暑は2021年から続いていたラニーニャ現象の影響で、2024年の猛暑はエルニーニョ現象が終息したからだといわれている。また、**インド洋ダイポールモード現象**など、日本の気候にも大きな影響を与える海洋変動がある。

　エルニーニョ現象が起きた年は、大雨や洪水、干ばつといった**異常気象**が世界各地で発生している。農作物や漁業にも影響が出た。過去のエルニーニョ現象では、世界で数兆ドル規模の経済的損失が発生した。

ちょこっと時事

インド洋ダイポールモード現象　インド洋の海面水温が、大気の温度と連動して変化する気候変動現象。西部の温度が高く、南東部が低くなる場合を「正のインド洋ダイポールモード現象」、逆の場合を「負のインド洋ダイポールモード現象」という。正のインド洋ダイポールモード現象になると、日本では高気圧が発生しやすく暑くなる。

参照 海の温暖化 ››› P134

65
環境・健康

海の温暖化

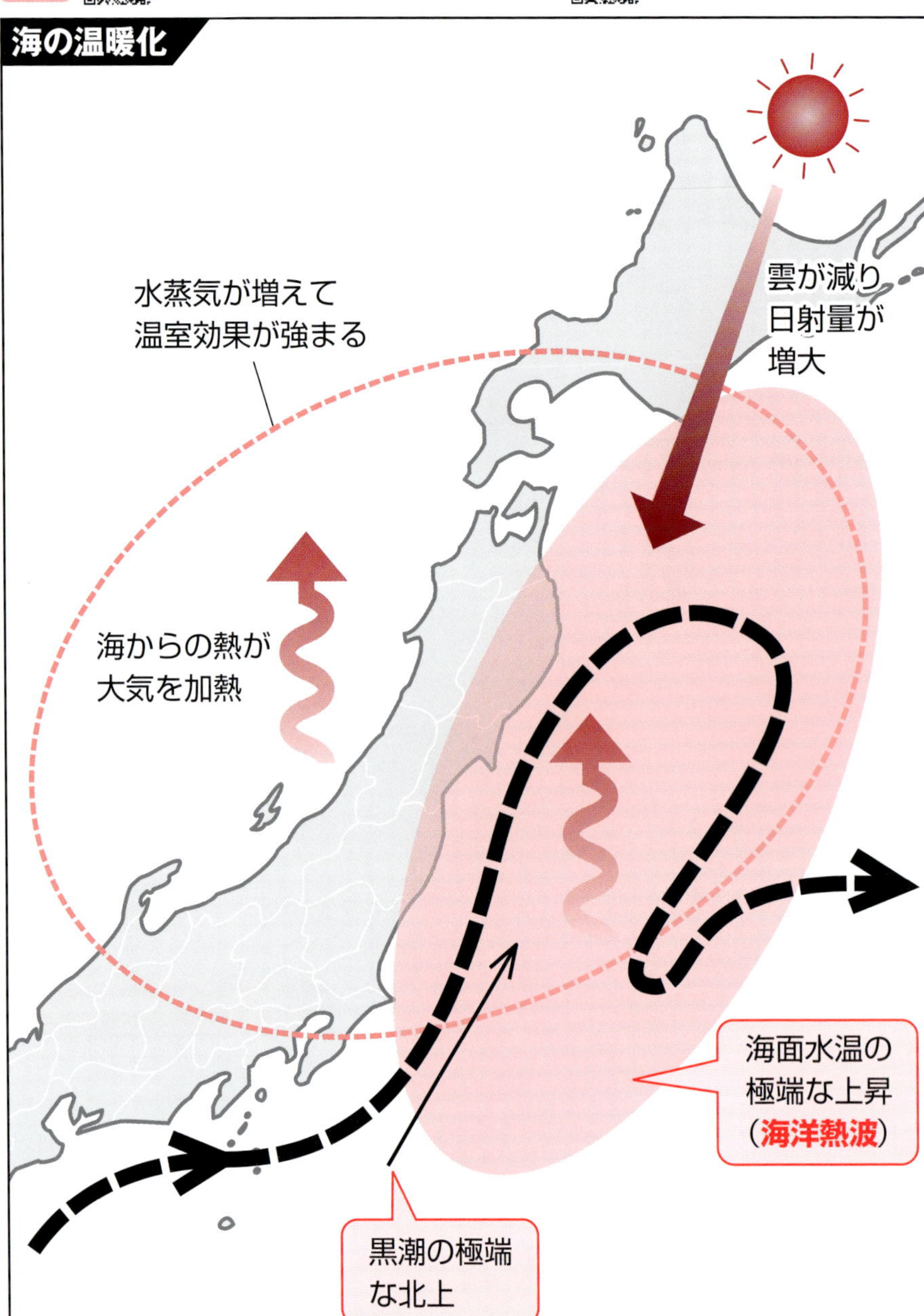

100字でナットク

最近の日本の夏の記録的な暑さの原因のひとつと考えられているのが、海洋熱波という現象だ。日本近海の海面水温は過去100年で平均1.28℃上昇しており、漁業や海の生態系に大きな影響を与えている。

2024年夏の日本は、前年に続いて記録的な暑さとなった。その原因として注目されているのが**海洋熱波**だ。海面の水温が一定期間、極端に高くなる現象で、北日本の近海で2023年から発生するようになった。海洋熱波により海水温と大気の温度差が縮まると、雲ができにくくなって日射量が増える。また、大気中の水蒸気が増えて温室効果が強まるなど、複数の作用が重なって気温が上昇した可能性があるという。

気象庁によると、日本近海の海面水温は過去100年で1.28℃上昇している。この上昇率は、世界全体の海面水温の上昇率（0.61℃）の約2倍で、日本の気温上昇率（1.35℃）と同程度だ。

海水温の上昇は、サンマやサケの不漁、サンゴの白化など、漁業や生態系に深刻な影響を与えている。また、豪雨などによる災害も発生しやすくなる。

参照 エルニーニョ／ラニーニャ現象 ››› P132

WEB 気象庁：
線状降水帯に関する各種情報

66 環境・健康
線状降水帯

100字でナットク

最近、天気予報などでもよく耳にするようになった線状降水帯。気象庁は2024年から発生予測情報の発表を開始した。局地的な集中豪雨の原因となる現象の発生メカニズムは、どのようなものなのだろうか。

線状降水帯とは

予報用語における線状降水帯の定義（気象庁）

線状降水帯　次々と発生する発達した雨雲（積乱雲）が列をなした、組織化した積乱雲群によって、数時間にわたってほぼ同じ場所を通過または停滞することで作り出される、線状に伸びる長さ50～300km程度、幅20～50km程度の強い降水をともなう雨域。

●「線状降水帯」発生のしくみ

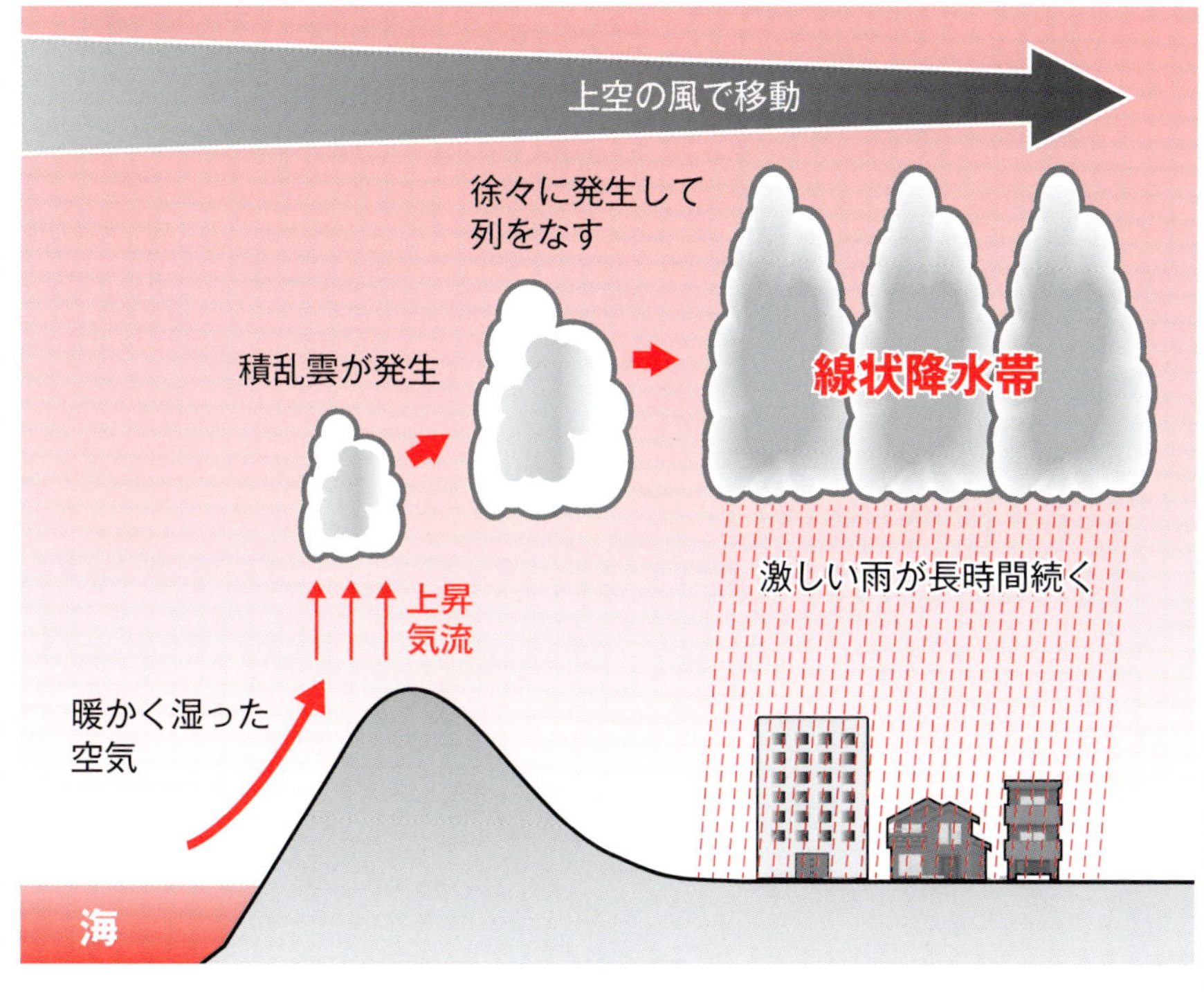

●線状降水帯による大雨の半日程度前からの呼びかけ例

〇〇県、〇〇では県、〇日夜には、線状降水帯が発生して大雨災害発生の危険度が急激に高まる可能性があります。
…（以下略）

ここ数年、集中豪雨の原因として注目されているのが**線状降水帯**だ。複数の雨雲（積乱雲）が次々に発生し、風に乗って一方向に流されていく。通過する地域には、バケツリレーのように次々に雨雲がやってくるため、非常に強い雨が長時間にわたって降り続くことになる。

バックビルディング型と呼ばれる線状降水帯の発生メカニズムは次のとおり。①暖かい湿った空気が山や冷たい前線とぶつかって上昇し、積乱雲が発生する、②積乱雲が上空の風に押されて移動する、③①と②の繰り返しにより、複数の積乱雲の列ができる。

2024年には東北の日本海側・北陸地方で線状降水帯が発生し、大きな被害をもたらした。

線状降水帯の発生は予測が難しい。気象庁は、線状降水帯が発生する可能性が高い場合、半日程度前から警戒を呼びかけている。

ちょこっと時事

令和の米騒動　2024年8月、スーパーなどでコメが品薄になった。前年の猛暑の影響で収穫量が少なかったことに加え、新米の出荷直前の時期で在庫が少なかったこと、南海トラフ地震の情報が出て買いだめをする人が相次いだことなどが原因といわれる。品薄解消後もコメの値段は大きく上昇した。

 参照 海の温暖化 ››› P134

67 情報・科学

AI(人工知能)

100字でナットク

AI(人工知能)は、コンピュータに人間と同じような認識能力をもたせる技術。近年、ディープラーニングという手法で精度が飛躍的に向上し、画像認識や音声認識など、様々な分野で実用化がすすんでいる。

AI(人工知能)

AI(人工知能)= コンピュータに人間と同じような判断や推論の能力を持たせる技術。

Artificial Intelligence の略

●これまでの「AIブーム」

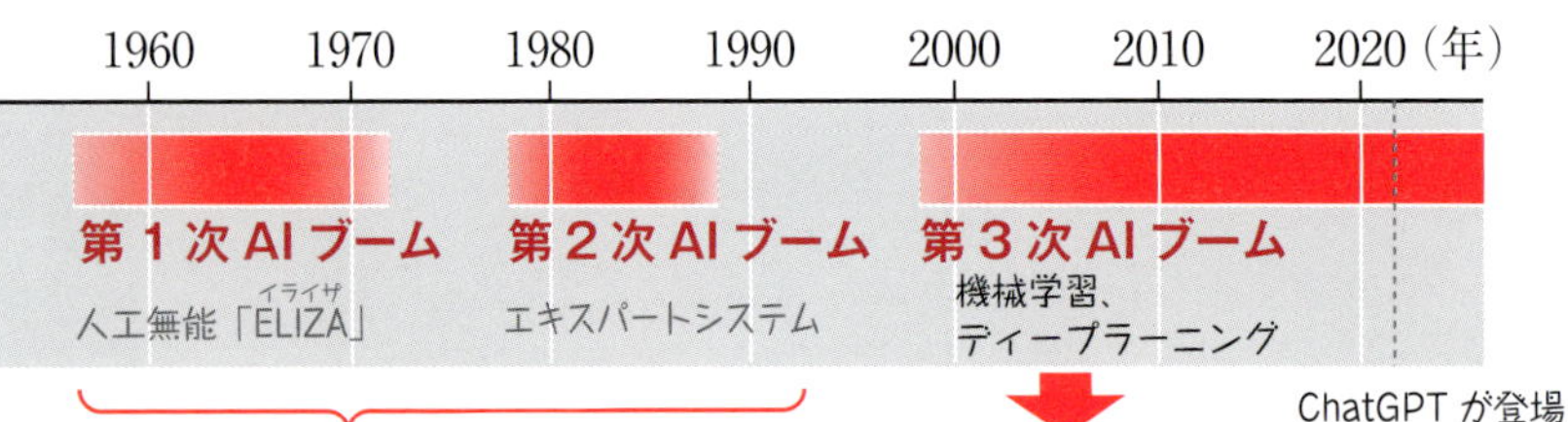

ChatGPTが登場

この時代はコンピュータ性能が低く、ほとんどが研究段階で、実用化にはいま一歩……

コンピュータとインターネットの発展と「**機械学習**」の利用により様々なAIが実用化!

●機械学習とは(例:犬と猫の区別を付ける)

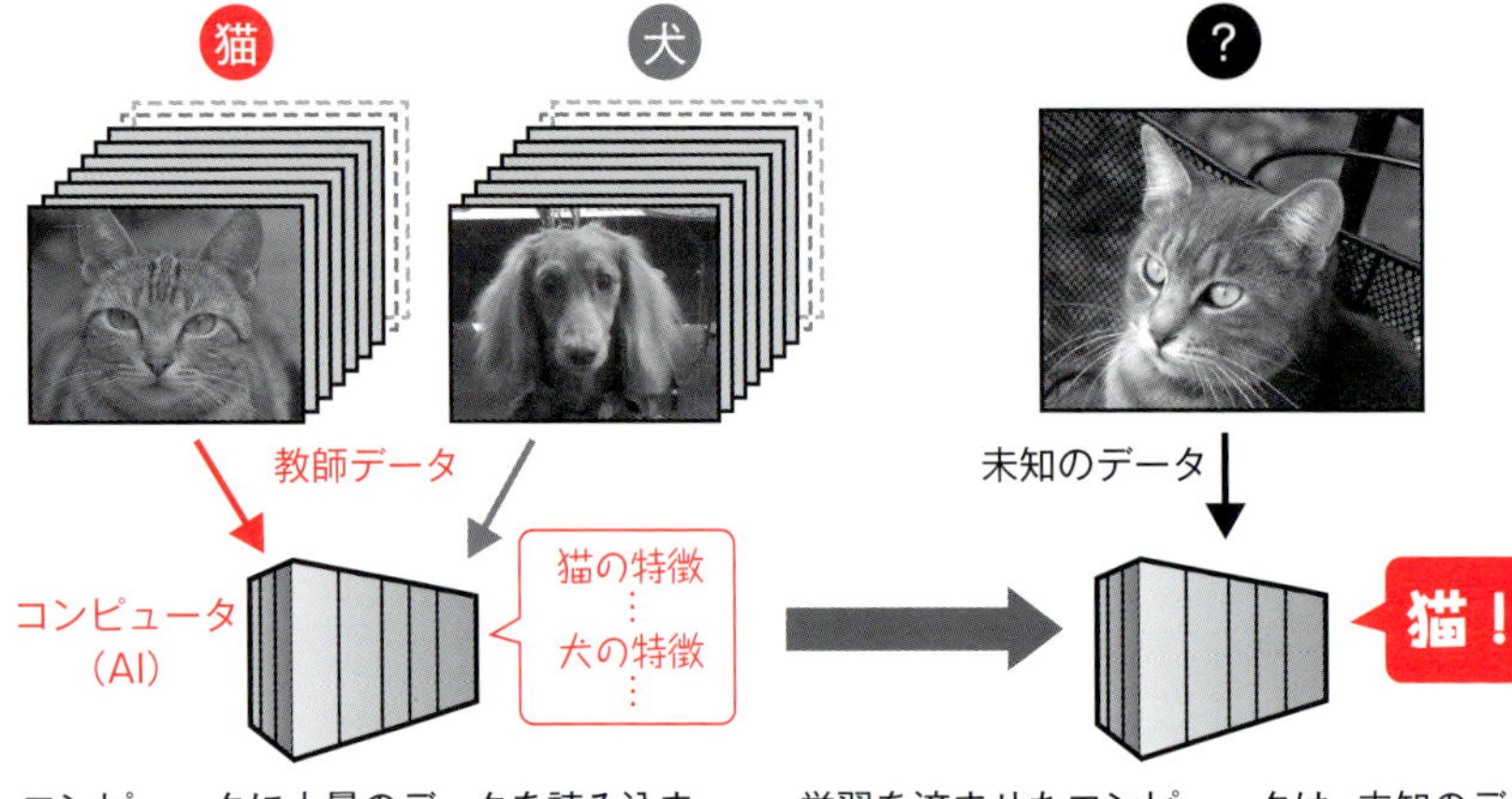

コンピュータに大量のデータを読み込ませ、認識させたいもののパターンや判別ルールを学習させる。

学習を済ませたコンピュータは、未知のデータについても、学習したパターンやルールにもとづいて判断できるようになる。

たとえば、猫か犬を撮影(さつえい)した写真があるとする。写っているのが猫か犬かは、人間ならたいてい写真を一目見れば見分けられるはずだ。でも、コンピュータが同じことをするには、どうすればよいだろうか?

その答えのひとつが、**機械学習**という手法だ。

まず、猫と犬の画像を大量に用意して、1枚1枚に「これは猫」「これは犬」という正解を付けておく。この画像(教師データという)をコンピュータに読み込ませると、コンピュータは多くの画像から猫の特徴と犬の特徴を見つけ出し、判別するためのルールを自分で構築する。この作業が済むと、コンピュータはこれまで見たことのない猫や犬の画像を見ても、判別ルールにしたがって「これは猫」「これは犬」と判別できるようになる。

このように、人間が行うような判断や推論をコンピュータに行わせる

WEB 一般社団法人 人工知能学会　一般社団法人 日本ディープラーニング協会

ディープラーニング

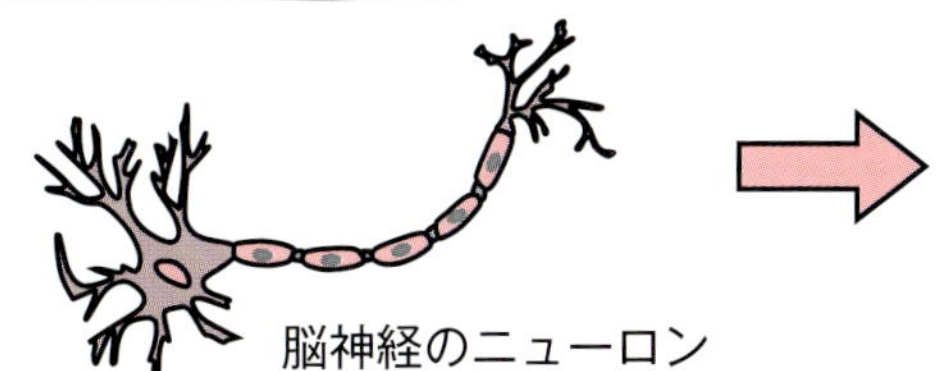

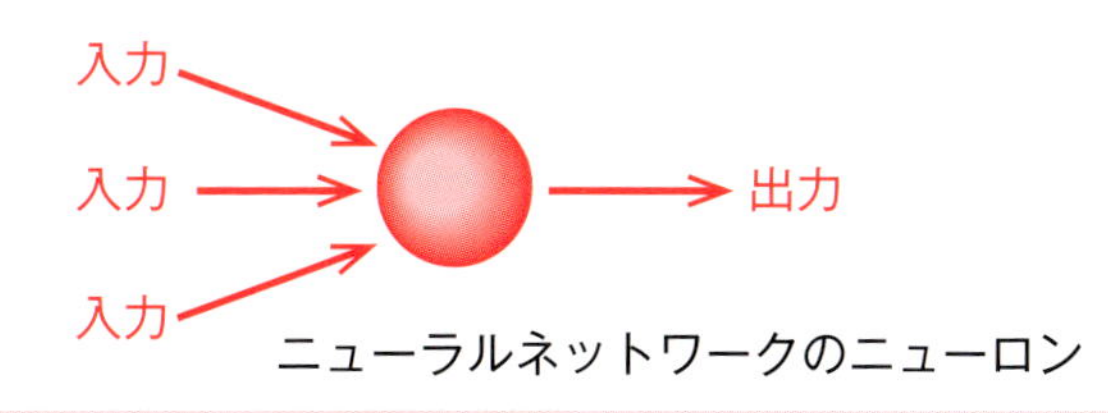

ニューラルネットワークは、人間の神経回路を模したコンピュータの思考回路。複数の神経細胞（ニューロン）を組み合わせて、複雑な判断を処理する。

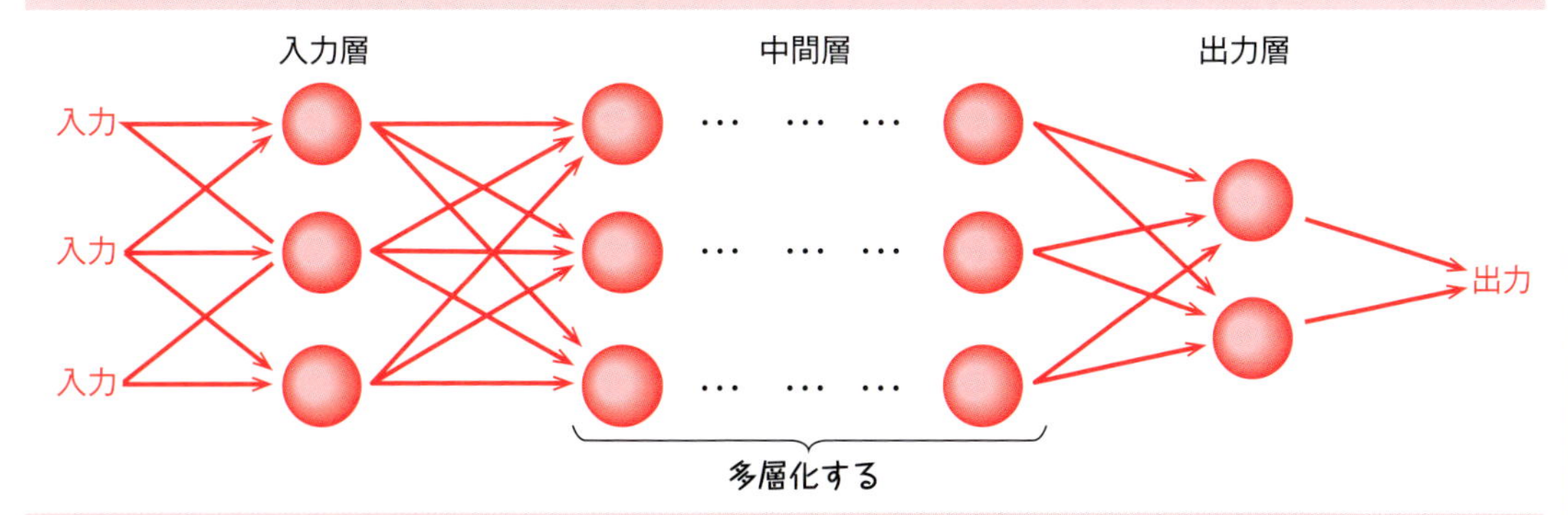

ディープラーニング（深層学習）は、ニューラルネットワークの中間層を多層化し、より複雑な分析を可能にしたもの。機械学習のように、特徴を見分けるポイントを人間が指定しなくても、みずから特徴を見つけることができる。

AI の用途（例）

画像認識

顔検出

顔認証

画像生成

自然言語処理

▷DHMO の組成を教えて
DHMO とは、水のことで…

チャットボット

バーチャル・アシスタント

機械制御

掃除ロボット

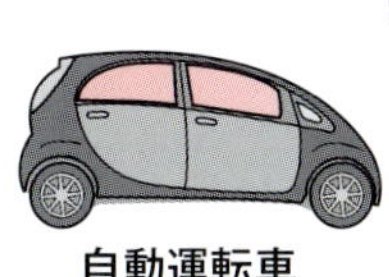
自動運転車

予測分析

需要・販売・売上予測

地球環境シミュレーション

技術をAI（人工知能）という。AI研究にはこれまで1950後半の第1次ブーム、1980年代の第2次ブームがあったが、いずれも実用的な成果に乏しく、普及には至らなかった。現在のAIは**第3次ブーム**といわれる。機械学習の技術を利用することで、実用的なAIがようやく登場した。

とくに**ディープラーニング**（深層学習）と呼ばれる機械学習の手法が開発されたことで、判別の精度が飛躍的に向上した。ディープラーニングでは、入力した情報を**ニューラルネットワーク**（人間の神経回路を模した思考回路）によって分析する。通常のニューラルネットワークは3階層だが、ディープラーニングはこれを何重にも多層化し、人間にも識別できない微細な特徴まで判別できるようになった。その反面、AIがなぜそう判断したのか人間に説明がつかないAIのブラックボックス化が懸念されている。

2024年のノーベル物理学賞は、ニューラルネットワークやディープラーニングの発展に貢献したジョン・ホップフィールドとジェフリー・ヒントンに贈られた。

ちょこっと時事

次世代半導体　回路線幅が数ナノメートルの高密度な半導体（1ナノは10億分の1メートル）。半導体各社が量産技術の開発を進めている。日本企業は2000年代に開発競争から脱落していたが、2022年に設立されたラピダスは米IBMの技術供与を受けて、2027年からの量産を目指し、政府も支援の姿勢を示している。

参照 生成AI ››› P138　ノーベル賞2024 ››› P144

68

情報・科学

生成AI

100字でナットク

生成AIとは、人間の指示にしたがって画像や文章などを生成するAI（人工知能）のこと。米オープンAIが開発したChatGPTのほか、各社が新たな生成AIを開発し、アプリなどに組み込まれて利用されている。

生成 AI

生成AI（ジェネレーティブAI）	既存のデータから学習した内容にもとづき、新たなデータや情報を作り出す人工知能。

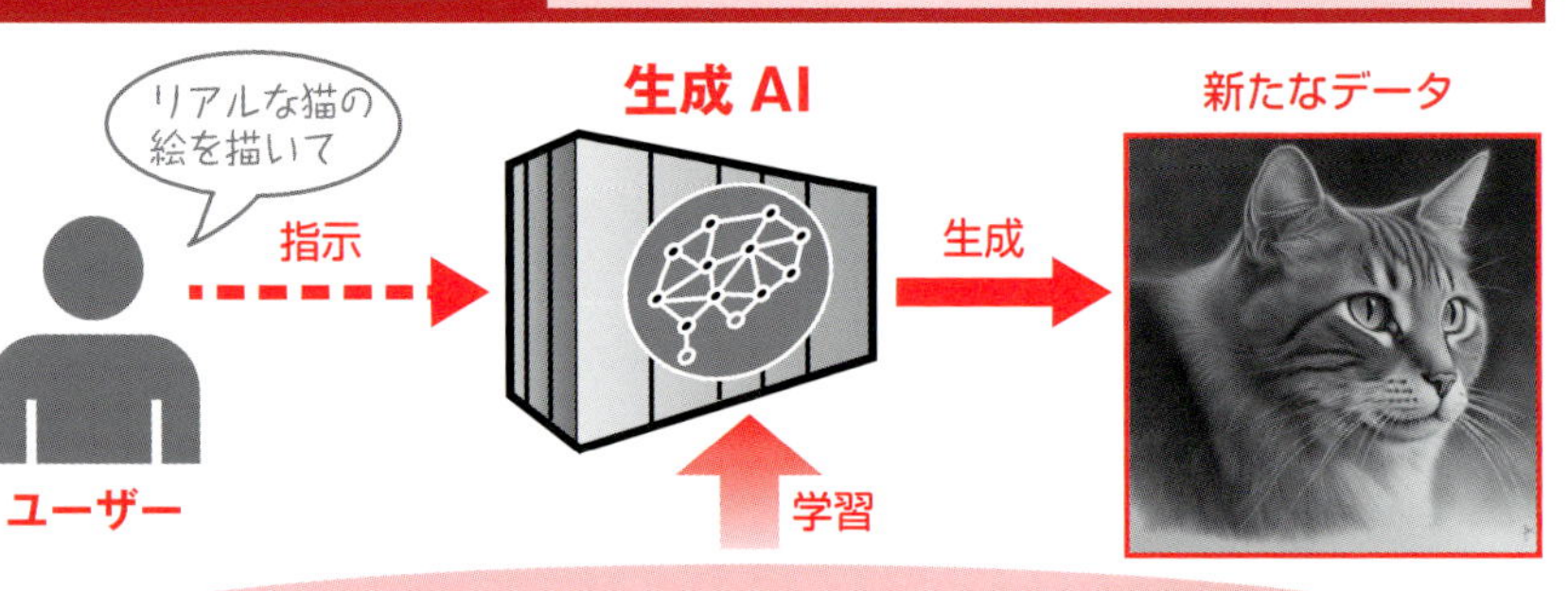

インターネット上にある大量の情報を収集

●生成 AI の種類

画像生成 AI	テキストで入力した指示（プロンプト）にもとづいて高度な画像を生成。
例	Midjourney（ミッドジャーニー）, Stable Diffusion（ステーブル ディフュージョン）, MyEdit（マイエディット）など
大規模言語モデル（LLM）	質問やリクエストに応じて、自然な文章を出力。
例	ChatGPT（チャット ジーピーティー）, Google Gemini（グーグル ジェミニ）, Apple Intelligence（アップル インテリジェンス）, Microsoft Copilot（マイクロソフト コパイロット）など
動画生成 AI	短編アニメ、説明動画など、動画形式のコンテンツを生成。
例	Runway（ランウェイ）, Pika Labs（ピカ ラボ）, Sora（ソラ）など
音楽生成 AI	楽曲やサウンド効果など、音楽形式のコンテンツを生成。
例	MuseNet（ミューズネット）, Stable Audio（ステーブル オーディオ）, Soundraw（サウンドロー）など

生成AIとは、学習した膨大な量の情報をもとに、文章や画像、音声、動画、音楽などの新しいコンテンツを生成する**AI**（人工知能）だ。従来のAIは、画像認識や未来予測など、すでにあるデータに対して何らかの判断を行うものだった。これに対し、生成AIは新しいデータをイチからつくり出すことができる。例えば画像認識のAIでは、猫が映っている画像を見せると、「これは猫」と判断する。これに対し生成AIは、人間が「猫を描いて」という指示を出すと、猫の画像を何もない状態から文字通り「生成」してくれる。

米オープンAIが2022年11月に公開した**ChatGPT**（チャット ジーピーティー）は、質問やリクエストを入力すると、対応する答えが自然な文章で返ってくる生成AIだ。AIとは思えない質の高い文章に注目が集まった。ChatGPTのような生成AIを**大規模言語モデル**（LLM）といい、グーグ

生成AIの活用例

文書作成
企画書　レジュメ（要約）
レポート　スピーチ原稿
Eメール　文書の校正・添削

プログラム作成
Excelの関数やマクロ作成
プログラム・コードの生成
バグのチェック

ソリューション（問題解決）
新商品案　数学問題の解法
新サービス案　データ分析
新メニュー案　画像の解析

情報収集
データの集計・整理　料理の献立・レシピ
投資情報の収集　旅行先の観光名所

アイディアの創生
キャッチコピーの作成
小説やゲームの設定作り

相談
恋愛相談
人生相談

翻訳
多言語の翻訳

画像作成
広告デザイン　建築デザイン
ゲームのキャラクター・背景作成

音楽作成
BGM作成　ゲーム音楽作成
楽器の練習曲の作成

動画作成
ミュージック・ビデオ制作
アニメ制作の補助

●ChatGPTの利用例

NW　恋愛小説のタイトルを3つ考えて
（ChatGPTに質問）

もちろんです。以下は恋愛小説のための3つのタイトルの提案です。

1. 『星降る夜の約束』
2. 『桜色の初恋』
3. 『運命の糸、君と繋ぐ』

（ChatGPTの回答）

NW　3番目のストーリーを教えて
（ChatGPTに追加の質問）

もちろんです。『運命の糸、君と繋ぐ』は、異なる時代に生きる二人の主人公が、運命に導かれて出会い、愛を育んでいく物語です。

物語は、現代の都会で暮らす若手デザイナーの女性と、明治時代の医者として生きる男性の二人の登場人物に焦点を当てています。ある日、女性主人公は古びた手紙を見つけ、そこに綴られた言葉が彼女の心を引き寄せます。手紙の差出人は、明治時代の医者であり、手紙は時間を超えて彼女に届いたものだと気づきます。　……

（ChatGPTの追加の回答）

追加の質問を繰り返すことで、より最適な回答が！

ルのジェミニ、アップルのアップルインテリジェンスなど、各社が競ってサービスを公開し、アプリなどに組み込まれて利用されている。メールやブログの文面作成、企画のアイデア出し、プログラムの作成など、様々な活用法が提案されている。

生成AIの利用には注意すべき点もある。ChatGPTはネットから収集・解析した膨大な量のデータから確率にもとづいて単語を並べ、「それらしい」文章をつくっているだけで、回答が事実かどうかは判断しない。そのためまるっきり誤った回答を堂々と生成してしまうことがある。このように、生成AIが意図せず虚偽の情報を生成する現象を**ハルシネーション**という。

また、動画生成AIの技術を利用すると、政治家や著名人の本物そっくりの偽動画をつくることもできる。こうした偽動画を**ディープフェイク**といい、デマの拡散などに悪用されて問題視されている。

生成AIの学習には、原則として既存の著作物を自由に利用することができる。ただし、出力したものが既存の作品と酷似している場合には**著作権侵害**になる可能性がある。

ちょこっと時事

声の肖像権　生成AIなどで勝手に自分の声を利用されない権利。アーティストの声を無断で利用し、好きな曲を生成AIに歌わせる「AIカバー」の流行により、声の肖像権の保護を求める声が高まった。2024年7月には米テネシー州で個人の声や肖像を無断で利用することを禁じる「エルビス法」が制定された。

参照　いまさら聞けない最新IT・ビジネス用語 ››› P12　AI（人工知能）››› P136

69

情報・科学

SLIM月面着陸に成功

100字でナットク

2024年2月20日、JAXAの無人探査機SLIMが日本初の月面着陸に成功した。「ピンポイント着陸」で狙った地点ピッタリに着陸することから「ムーンスナイパー」の異名をもつ。月面着陸成功は世界5か国目。

小型月着陸実証機「SLIM」

2023.09.07	種子島宇宙センターから**H2A ロケット**で打ち上げ成功。
10.01	メイン・エンジンを噴射して、月の**遷移軌道**に投入。
10.04	月の重力で**スイングバイ**（軌道変換）。
12.25	月の**周回軌道**に投入。
2024.01.20	着陸降下を開始。機体は直立ができず、「横倒し」ながらも**着陸成功**。
01.28	太陽が西に傾き、太陽電池パネルに日光が当たり、**月面観測運用**を開始。
01.31	太陽電池に日光が当たらなくなり、**休眠状態**に。
02.25	1 回目の越夜で通信を再開。**月面観測運用**。
03.01	太陽電池パネルに日光が当たらなくなり、**休眠状態**に。
03.27	2 回目の越夜で**月面観測運用**を再開。
03.30	太陽電池パネルに日光が当たらなくなり、**休眠状態**に。
04.23	3 回目の越夜で**月面観測運用**を再開。
04.29	太陽電池パネルに日光が当たらなくなり、**休眠状態**に。
05.24	4 回目の越夜で**信号受信不可**。
06.21	5 回目の越夜でも**信号受信不可**。太陽フレアの影響も？
08.23	SLIM との通信の復旧が不可能として、**運用終了**。

SLIM に搭載された小型ロボット「LEV-2」（愛称「SORA-Q」）が撮影した月面に着陸した SLIM。太陽電池が上ではなく西（右）に向けて静止している。
（JAXA、タカラトミー、ソニーグループ、同志社大学）

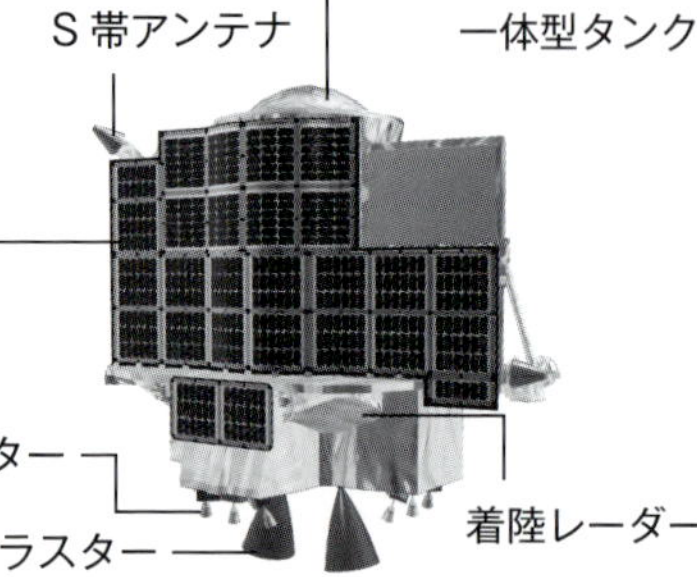

SLIM（スリム）は、日本の宇宙航空研究開発機構（JAXA）が開発した無人月面探査機だ。2023年9月に種子島宇宙センターからH2Aロケットで打ち上げられた。

SLIMの大きな特徴は、狙った場所に誤差100メートル以内の精度で着陸する「**ピンポイント着陸**」だ。搭載カメラの画像を月面の地図と照合し、自身の位置を推定すると同時に、着陸地点に向かう軌道を再計算する。

JAXAの発表によると、SLIMは2024年1月20日、2基あるメインエンジンの1基が失われるトラブルに遭遇したものの、逆さまの姿勢で着陸に成功した。目標地点からのずれは約55メートルだった。

SLIMは着陸直前に2機の小型ロボット「LEV-1」「LEV-2」を切り離し、搭載されたカメラで撮影した月面の画像データを地球に送信した。

70 情報・科学

太陽フレア

WEB 国立研究開発法人 情報通信研究機構：宇宙天気予報

太陽フレア

約1億5,000万km
（約8分で地球に地球に到達）

太陽※

フレアX線照射
高エネルギー粒子線
コロナ質量放出（プラズマ）

地球

電波障害、通信障害、GPSのトラブル、送電網のトラブル、人工衛星のトラブル、宇宙飛行士・航空機搭乗者の被爆…など

※実際の大きさは、地球の直径の約109倍

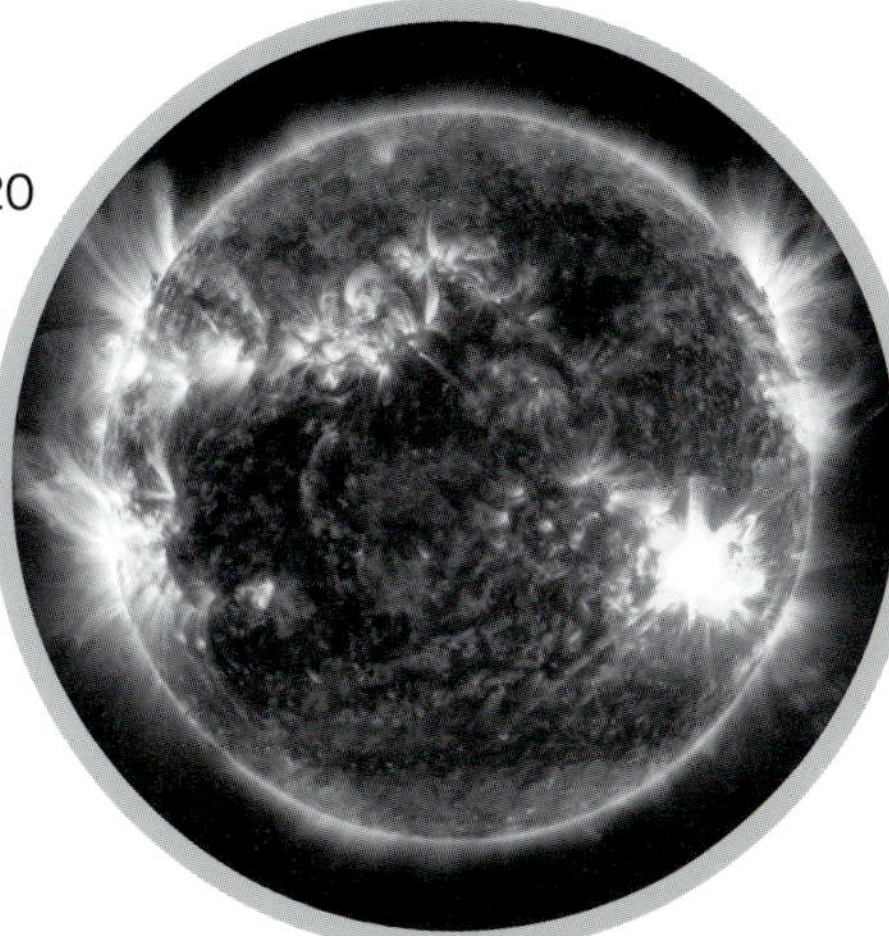

NASAの太陽観測衛星（SDO）が2024年5月10日21時23分（米国東部時間）にピークを迎えた「X5.8フレア」。
太陽フレアはX線強度の最大値によって、低い方から「A, B, C, M, X」の5つの等級に分類されており、Xがもっとも強い。
（NASA/SDO）

高緯度でしか見られないオーロラだが、太陽フレアの影響で低緯度でも観測できることがある。
2024年5月10日、カナダのブリティッシュ・コロンビア州南西部に現れたオーロラ。
（NASA/Mara Johnson-Groh）

100字でナットク

２０２５年は太陽の活動が活発になるピークにあたっており、大規模な太陽フレアが地球に様々な被害をもたらす可能性が指摘されている。低緯度の地域でオーロラが出現するのも太陽フレアの影響だ。

太陽フレアとは、太陽の表面で起こる巨大な爆発だ。小さいものでも地球をひと飲みにしてしまうほどの大きさがあり、大規模なものでは10万キロメートルにも達する。

　太陽の活動には約11年の周期があり、活動が活発な時期には強力な太陽フレアが発生する。２０２５年はそのピークとみられており、様々な被害をもたらす可能性が指摘されている。とくに心配されているのが、**停電**、**通信障害**、そして**人工衛星への影響**だ。

　太陽フレアは、爆発によって大量の粒子（プラズマ）を放出する。この粒子によって地球の磁場が乱れると、送電線に異常な電流が流れ、停電が発生するおそれがある。また、地球の電離層が乱れて無線の電波が届かなくなる可能性や、太陽フレアによって加熱された大気が膨張し、人工衛星が受ける抵抗が増え、軌道をはずれて墜落する場合がある。

ちょこっと時事

アルテミス計画　アメリカがすすめている月面探査計画。２０２５年９月に打ち上げが予定されているアルテミス２号は、４人の乗員を乗せて月を周回して帰還するミッション。２０２６年に打ち上げ予定のアルテミス３号は、女性と有色人種を含む宇宙飛行士による月面着陸を目指す。

WEB 内閣サイバーセキュリティセンター（NISC）

71

情報・科学

ランサムウェア

100字でナットク

ランサムウェアの被害が拡大している。2024年には、出版大手KADOKAWAのサーバがランサムウェアを含む大規模なサイバー攻撃を受け、情報漏洩やウェブサービスの停止など、多大な被害を受けた。

ランサムウェアによる攻撃例

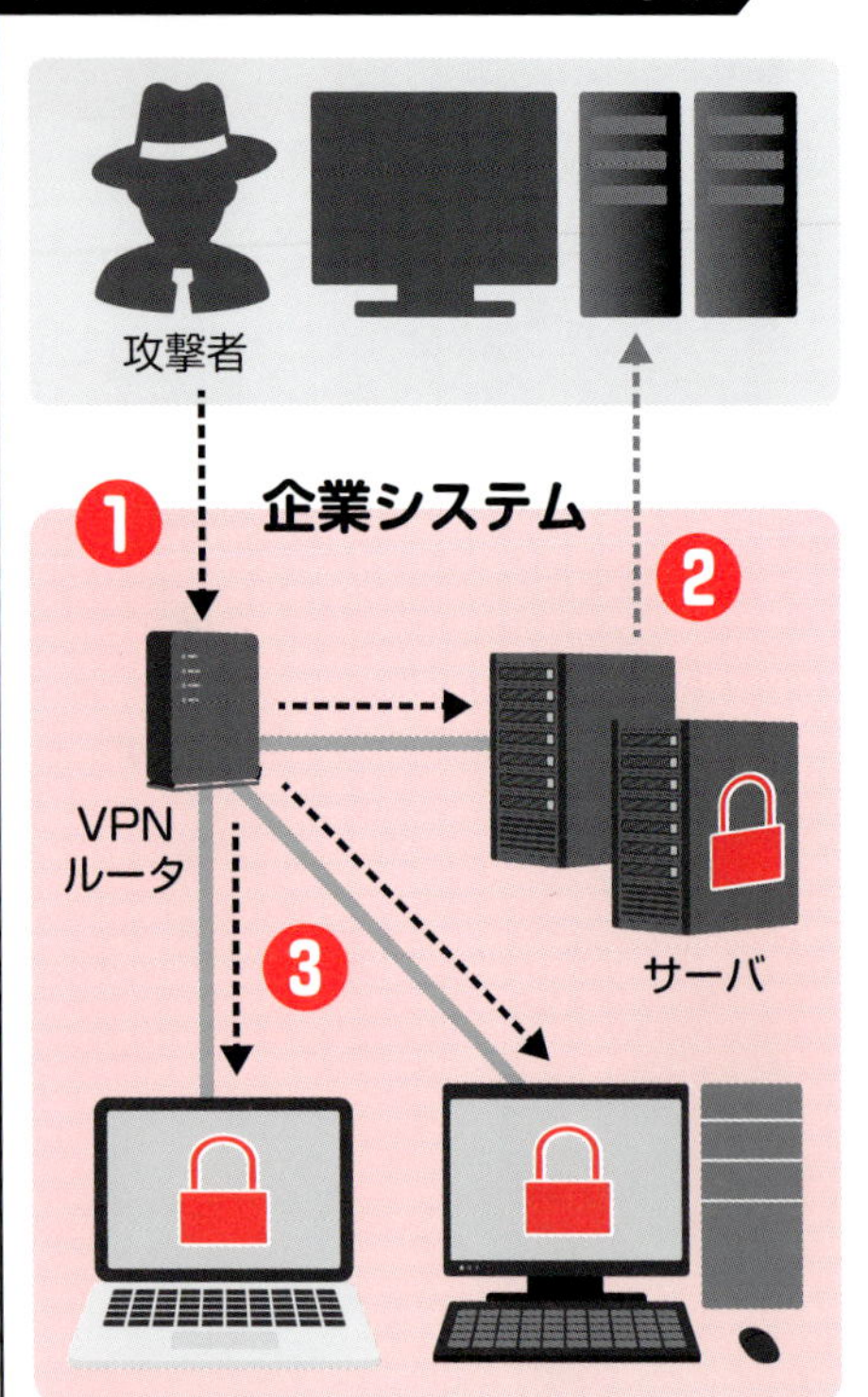

❶ 侵入
テレワークなどでよく使われている「VPN」（仮想専用線）用ルータの欠陥を悪用して、インターネットから標的の企業システムに侵入。

❷ 占領
企業システムの上位権限アカウントを乗っ取り、重要情報にアクセス。データを攻撃者のサーバにコピー。

❸ 人質
「ランサムウェア」を実行。社内ネットワークを通じて、企業内のコンピュータのデータを「暗号化」。情報が利用不可能になり、業務が停止。

❹ 脅迫
企業システムのデータの復旧、またはデータを「ダークウェブ」などで暴露しない代わりに、多額の身代金を「仮想資産」で要求。

●ランサムウェアの被害件数

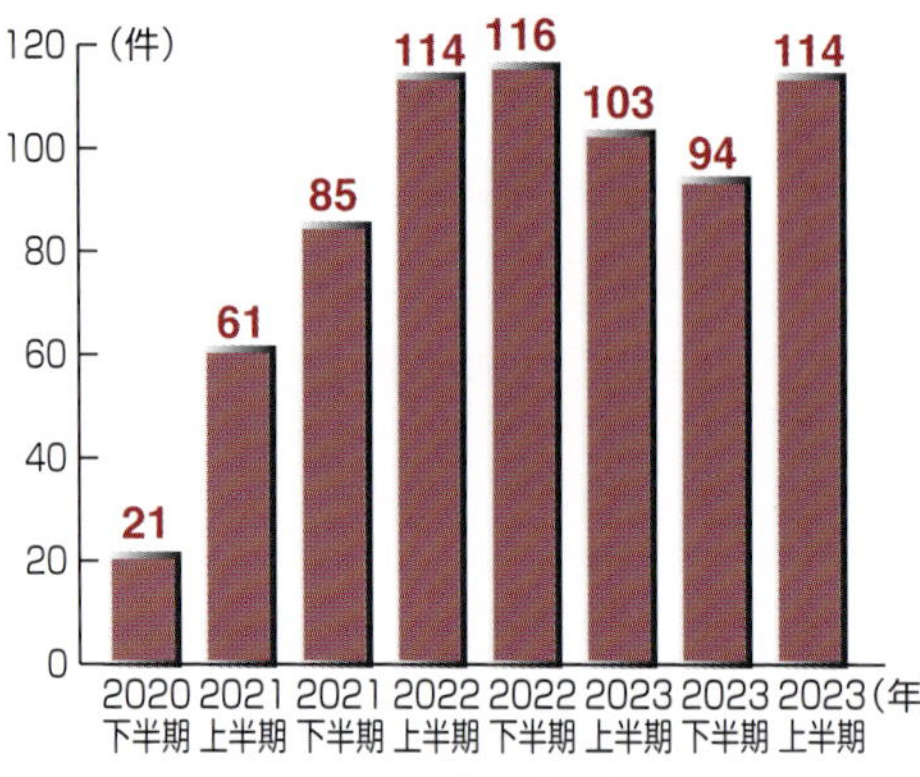

※警視庁公表のデータより作成

ランサムウェアとは、感染したコンピュータのデータを暗号化するなどの方法で使用不能にし、元に戻すのと引き換えに「**身代金**（ランサム）」を要求する悪質なプログラム（マルウェア）だ。

当初はばらまきメールや悪質なウェブサイトから感染するケースが多かったが、最近では企業のネットワークに不正侵入してするなど、特定の個人や企業を標的にするケースが増加している。また、データを暗号化するだけでなく、「身代金を支払わなければ入手したデータを公開する」などと脅迫する**二重脅迫**（ダブルエクストーション）という手口が多くなっている。

最近では、開発者が実行犯にランサムウェアを販売するなど、ランサムウェアの「ビジネス化」がすすんでいる。被害を防ぐには、ネットワークのセキュリティ対策や定期的なバックアップが重要だ。

参照 いまさら聞けない最新IT・ビジネス用語 ››› P12

iPS細胞

WEB 京都大学
iPS細胞研究所CiRA（サイラ）

iPS細胞は万能細胞

iPS細胞
(induced Pluripotent Stem)

人工多能性幹細胞。皮膚細胞などに、複数の遺伝子を組み込んで培養した万能細胞。

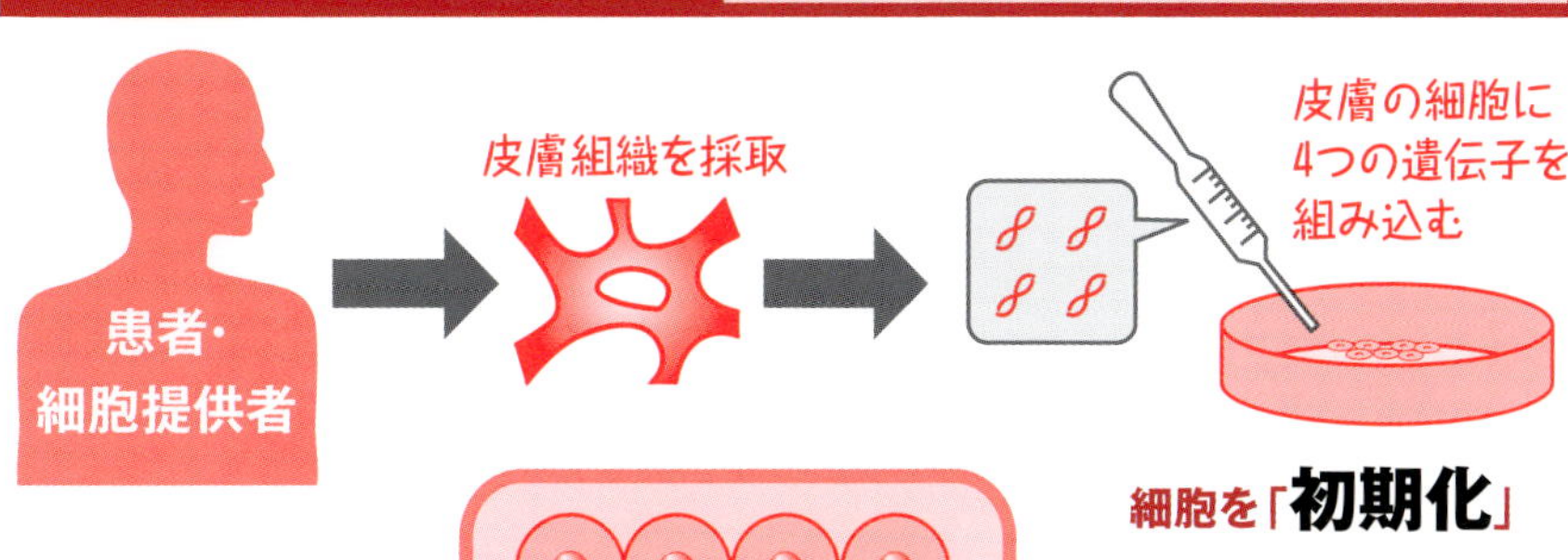

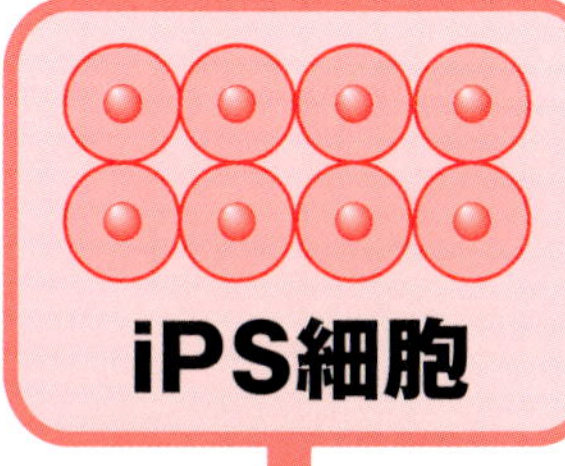

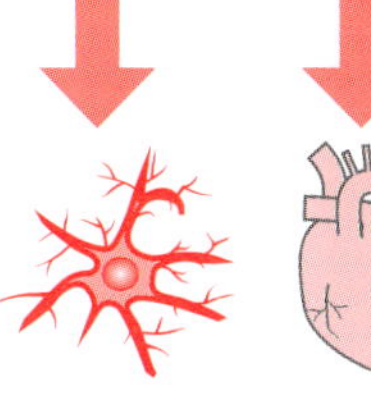

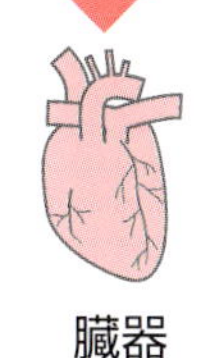

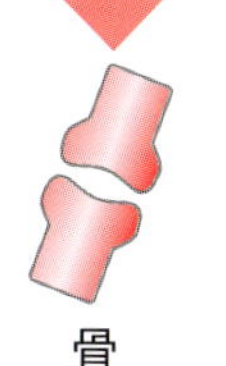

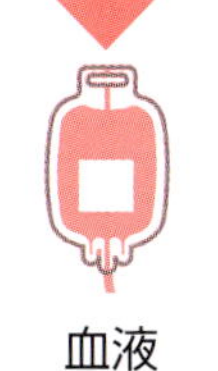

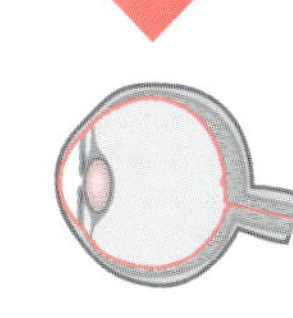

iPS細胞の利用が期待される分野

再生医療
病気やケガで失われた身体機能を、iPS細胞を移植して回復させる。

新薬の開発
培養したiPS細胞を使い、人体ではできない薬剤の有効性や副作用を評価。

治療法の解明
患者の培養したiPS細胞の遺伝子を解析し、病気の原因や治療法を探る。

100字でナットク

iPS細胞は、どんな細胞にもなる万能細胞だ。皮膚などの細胞に複数の遺伝子を組み込んでつくる。病気の原因となる遺伝子の解明や新薬の開発、再生医療や治療法への応用が期待されており、臨床研究もすすんでいる。

ヒトの体をつくっている細胞は、皮膚なら皮膚の細胞、骨なら骨の細胞というように、どの部分になる細胞かがあらかじめ決まっている。ただし、皮膚にも骨にも神経にもなる細胞がひとつだけある。それが受精卵だ。受精卵のようにどんな組織にもなる細胞を**万能細胞**という。

京都大学の山中伸弥教授は、皮膚などの細胞にいくつかの遺伝子を組み込むと、ふつうの細胞が受精卵と同じような万能細胞に変わることを発見した。これが**iPS細胞**だ。これにより、山中教授は2012年のノーベル生理学・医学賞を受賞した。

iPS細胞は**再生医療**への活用が期待されている。病気やケガで損傷した組織や臓器を、人工的に再生させて修復する医療技術だ。また、患者の細胞からつくったiPS細胞を培養して新薬を試したり、患者の遺伝子を解析して効果的な薬を開発する**iPS創薬**が注目されている。

ちょこっと時事

能動的サイバー防御 通信、交通、電力などの国の重要インフラに対するサイバー攻撃を阻止するため、攻撃を事前に察知して攻撃元のサーバーに侵入し、攻撃を未然に防ぐセキュリティ対策。政府が導入を検討しているが、平時からネットを監視して情報を収集する必要があるため、国家による市民の監視につながることを懸念する声がある。

 参照 ノーベル賞2024 ››› P144

ノーベル賞2024

100字でナットク

ノーベル賞は、ダイナマイトの発明者アルフレッド・ノーベルの遺言ではじまった世界的な賞だ。２０２４年のノーベル平和賞には、広島・長崎で被爆した人たちで結成された日本被団協が受賞した。

2024年のノーベル賞受賞者

	受賞者	受賞内容
①物理学賞	ジョン・ホップフィールド（米） ジェフリー・ヒントン（カナダ）	現在の人工知能（AI）の代表的な手法である人工ニューラルネットワークによる機械学習を可能にした基礎的発見と発明
②化学賞	デイビッド・ベイカー（米） デミス・ハサビス（英） ジョン・ジャンパー（米）	コンピュータによる新たなたんぱく質の設計と、AIによるたんぱく質の構造予測
③生理学・医学賞	ビクター・アンブロス（米） ゲイリー・ラブカン（米）	遺伝子の働きを制御する「マイクロRNA」分子の発見
④文学賞	ハン・ガン（韓国）	韓国の小説家（韓国人のノーベル賞受賞は金大中氏の平和賞に続いて２人目） ※代表作『菜食主義者』『別れを告げない』など
⑤平和賞	日本被団協※（日本） ※日本原水爆被害者団体協議会	被爆者の立場から核兵器廃絶を世界に訴える活動を続ける
⑥経済学賞	ダロン・アセモグル（米） サイモン・ジョンソン（米） ジェームズ・ロビンソン（米）	国の経済成長と政治・経済などの社会制度との因果関係を分析し、国家間で格差が生じる原因を研究

ノーベル賞は、ダイナマイトの発明者として知られる**アルフレッド・ノーベル**（１８３３〜９６）の遺志によってはじまった世界的な賞だ。スウェーデンの大富豪だったノーベルは、独身で子供もいなかったため、莫大な遺産を基金として、そこから生じる利子を「人類のため最も大きな貢献をした人々」に提供するよう指示した。この遺言にしたがって、ノーベル財団が設立され、１９０１年から賞の授与がはじまった。

現在のノーベル賞は、**①物理学賞**、**②化学賞**、**③生理学・医学賞**、**④文学賞**、**⑤平和賞**、**⑥経済学賞**の６部門からなる。このうち物理学賞、化学賞、生理学・医学賞、文学賞はスウェーデン側が決めるが、平和賞だけはノルウェーのノーベル委員会が決めている（これもノーベルの遺言による）。また、経済学賞は最初からあったわけではなく、１９６９年にスウェーデン銀行がノーベルを記念

トクリュウ　匿名・流動型犯罪グループの略称。匿名性の高いアプリやSNSを通じて犯罪の実行役が集められ、指示役の指示にしたがって犯行を行う。2024年には首都圏を中心に一戸建ての住宅に押し入り現金を奪う強盗事件が相次いだ。

日本人のノーベル賞受賞者

米国籍

名前	受賞年	賞	理由
湯川秀樹	1949	物理学賞	中間子の存在を予言
朝永振一郎	1965	物理学賞	量子電気力学の基礎的研究
川端康成	1968	文学賞	『伊豆の踊子』『雪国』など
江崎玲於奈	1973	物理学賞	半導体におけるトンネル効果の発見
佐藤栄作	1974	平和賞	非核三原則の提唱
福井謙一	1981	化学賞	フロンティア電子理論の提唱
利根川 進	1987	生理学・医学賞	多様な抗体を生成する遺伝子原理の発見
大江健三郎	1994	文学賞	『万延元年のフットボール』など
白川英樹	2000	化学賞	導電性高分子の発見
野依良治	2001	化学賞	キラル触媒による不斉合成の研究
小柴昌俊	2002	物理学賞	宇宙ニュートリノの検出
田中耕一	2002	化学賞	生体高分子の質量分析法の開発
南部陽一郎	2008	物理学賞	自発的対称性の破れ
小林 誠 益川敏英	2008	物理学賞	小林・益川理論とCP対称性の破れの起源の発見
下村 脩	2008	化学賞	緑色蛍光タンパク質の発見
根岸英一 鈴木 章	2010	化学賞	クロスカップリングの開発
山中伸弥	2012	生理学・医学賞	iPS細胞の作製
赤崎 勇 天野 浩 中村修二	2014	物理学賞	白色光源を可能にした高輝度で省電力の青色発光ダイオードの発明
梶田隆章	2015	物理学賞	ニュートリノ振動の発見
大村 智	2015	生理学・医学賞	寄生虫による感染症の治療法を発見
大隅良典	2016	生理学・医学賞	オートファジーのしくみの解明
本庶 佑	2018	生理学・医学賞	免疫システムを用いたがん治療薬開発
吉野 彰	2019	化学賞	リチウムイオン二次電池の開発
真鍋淑郎	2021	物理学賞	地球温暖化の気候モデルを開発
日本被団協	2024	平和賞	核兵器廃絶を世界に訴え

※ 南部陽一郎氏、中村修二氏、真鍋淑郎氏は研究者として渡米後、アメリカ国籍を取得（日本出身のノーベル賞受賞者は28人）

●国籍別受賞者数上位10か国

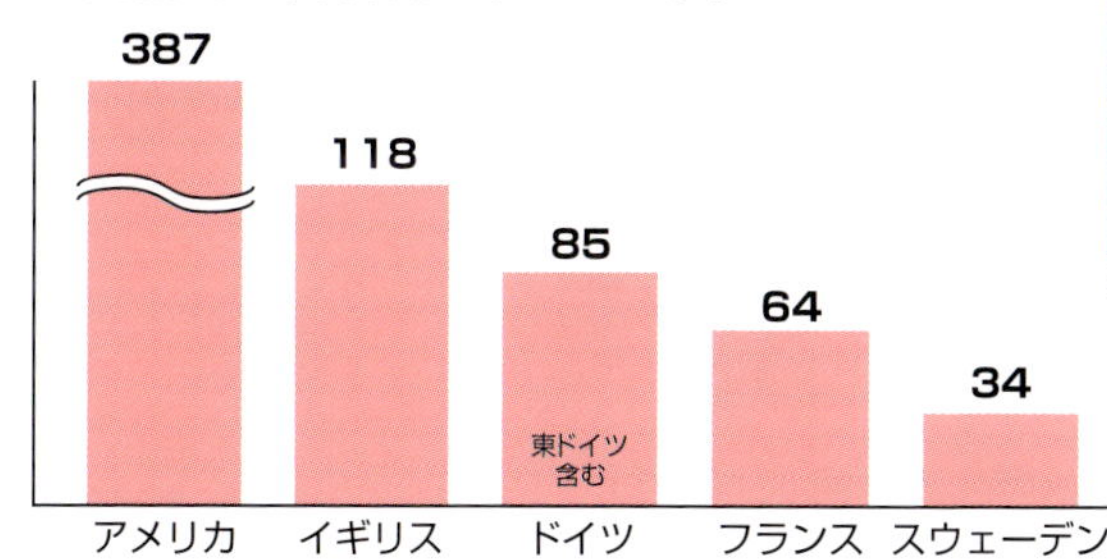

してはじめたものだ。

受賞者は、毎年10月初旬ごろから発表される。授賞式は毎年、ノーベルの命日である12月10日にスウェーデンのストックホルム（平和賞のみノルウェーのオスロ市庁舎）で行われる。賞金は各部門ごとに1100万クローナ（約1億5600万円）。アルフレッド・ノーベルの遺産を財団が運用して得た利益によってまかなわれている。1部門に複数の受賞者がいる場合は、各受賞者に分割される。

2024年の**ノーベル平和賞**は、**日本被団協**（日本原水爆被害者団体協議会）に贈られた。被団協は広島や長崎で被爆した人たちの全国組織だ。1956年の結成以来、被爆者救済を国に求める運動や、被爆者の立場から**核兵器の廃絶**を世界に訴える活動を続けてきた。核兵器禁止条約の成立にも大きな役割を果たした。被爆者の高齢化がすすむなかで、その唯一無二の証言はますます貴重なものとなっている。

また、**ノーベル文学賞**は韓国の小説家**ハン・ガン**氏が受賞した。韓国では金大中氏の平和賞に続いて2人目の受賞、アジア人女性としては初の受賞だ。

参照 核兵器禁止条約 ››› P42

世界遺産2024

100字でナットク

ユネスコの世界遺産は、後世に残すべき人類共通の財産だ。2024年にはインドのデリーで世界遺産委員会が開催され、日本の「佐渡島の金山」を含む24件が新たに登録された。国内の世界遺産は合計で26件となった。

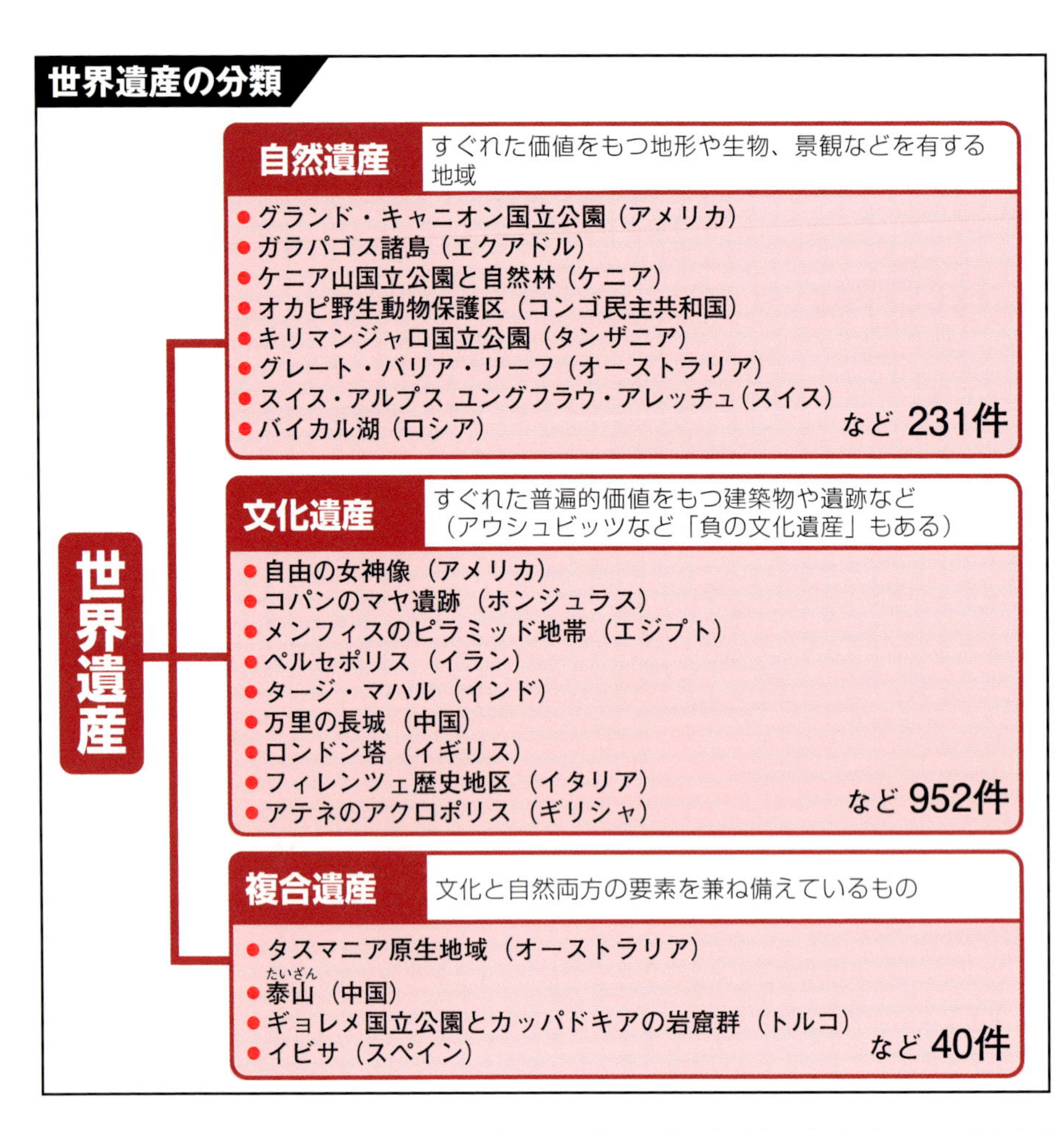

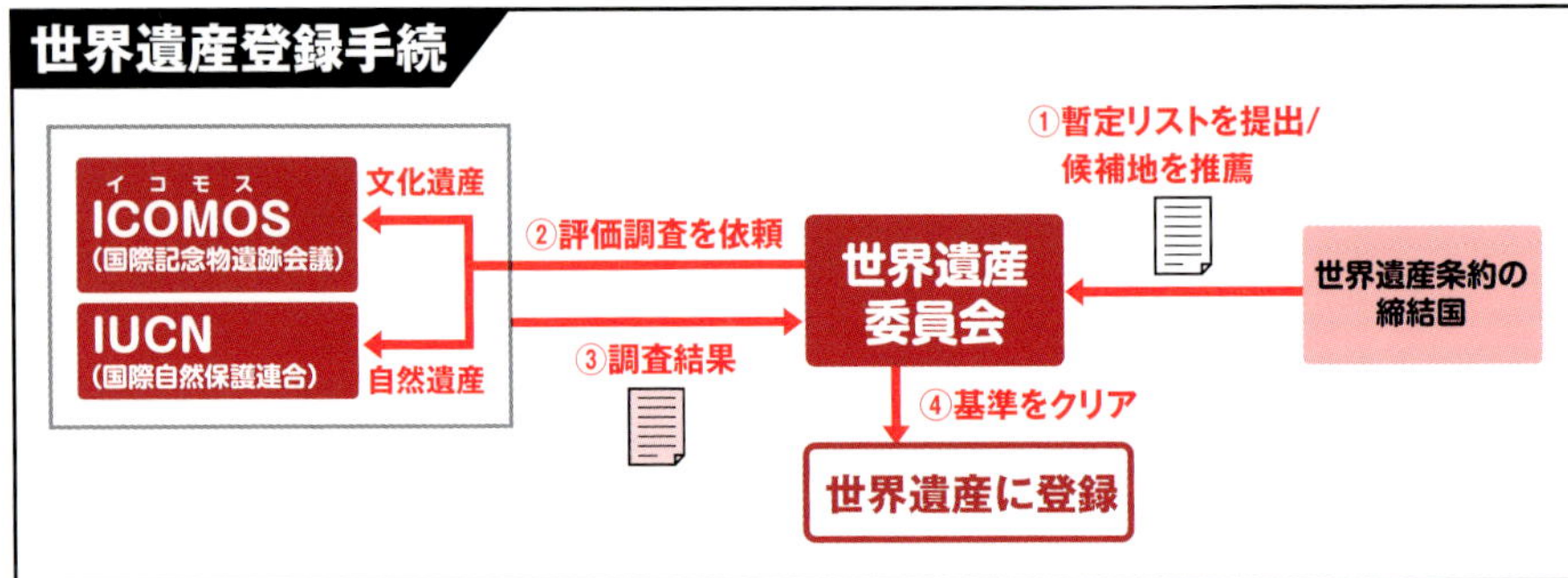

世界遺産とは、1972年のユネスコ（国連教育科学文化機関）総会で採択された「世界遺産条約」にもとづき、人類共通の財産として「世界遺産リスト」に登録された自然や文化財をいう。消滅や崩壊の危機に瀕している自然や文化財を、「条約」という国際的な枠組みによって保護し、後世に伝え残していくのがその目的だ。

世界遺産への登録までの流れは次のとおり。各国は、世界遺産に登録してほしい自国の候補地を「**暫定リスト**」に登録しておき、その中から次に世界遺産にしたい候補地を推薦する。推薦された候補地は、文化遺産候補の場合はイコモス、自然遺産候補の場合はIUCNという国際機関によって、世界遺産にふさわしいかどうかが審査される。世界遺産への正式な登録は、年1回開かれる「**世界遺産委員会**」の最終審議で決まる。2024年の世界遺産委員会は7

WEB  公益社団法人 日本ユネスコ協会連盟 世界遺産活動・未来遺産運動

新潟県観光文化スポーツ部文化課：佐渡島（さど）の金山（きんざん）

月にインドのニューデリーで開催され、日本の「佐渡島の金山」を含む24件が新たに世界遺産に登録された（文化遺産19件、自然遺産4件、複合遺産1件）。これにより、世界遺産の総数は1223件となった。また、存続が危ぶまれる世界遺産として、ガザ地区にある聖ヒラリオン修道院／テル・ウンム・アメール遺跡が危機遺産に指定された。危機遺産は現在56件ある。

「佐渡島（さど）の金山」は、16世紀末から400年間にわたって金を産出した日本最大の金山の遺跡群だ。世界遺産登録をめぐっては「朝鮮半島から連行された労働者が強制労働させられていた現場だ」として、韓国が強く反発していた。日本は「強制労働に当たらない」と主張していたが、朝鮮人が苛酷な労働環境のもとで働かされていたことを示す歴史資料を展示することで、最終的に合意にこぎつけた。

佐渡島の金山の文化遺産登録により、日本国内にある世界遺産は文化遺産21、自然遺産5の計26件となった。このほか「古都鎌倉の寺院・神社ほか」「彦根城」など、4件が暫定リストに登録されている。

ちょこっと時事

都庁プロジェクションマッピング　東京都が2024年2月から開始した都庁舎へのプロジェクションマッピング。世界最大規模の常設プロジェクトマッピングとしてギネス世界記録に認定された。東京の新たな観光資源として評価される一方、予算が高すぎるなど批判の声も上がっている。

大阪・関西万博

「2025年日本国際博覧会」の概要

正式名称		2025年日本国際博覧会（Expo 2025 Osaka, Kansai, Japan）
開催期間		2025年4月13日～10月13日
会場		夢洲（大阪府大阪市此花区）
テーマ		いのち輝く未来社会のデザイン
参加国・地域		161か国・地域、9国際機関
開催目的		・SDGs達成への貢献 ・日本の国家戦略Society5.0の実現
イメージキャラクター		ミャクミャク
入場料（当日券）	1日券	大人7,500円　中高生4,200円　子ども1,800円
	平日券	大人6,000円　中高生3,500円　子ども1,500円
	夜間券	大人3,700円　中高生2,000円　子ども1,000円

●万博会場の完成予想図

提供：2025年日本国際博覧会協会

100字でナットク

「いのち輝く未来社会のデザイン」をテーマに、2025年に大阪の「夢洲」で開催が予定されている国際博覧会。建築資材高騰などの影響で建築費がふくらみ、「万博の華」のパビリオン建設も着工が遅れている。

多数の国が様々な展示品を公開する**国際博覧会**（**万博**）は、5年ごとに大規模に開催されており、次回は2025年に大阪で開催される。**大阪・関西万博**は略称で、正式名称は「**2025年日本国際博覧会**」だ。日本で万博が開かれるのは2005年の愛知万博以来、大阪では1970年以来となる。会場は大阪湾に浮かぶ人工島の「**夢洲**」で、開催期間は2025年4月13日から半年間。入場料は大人7500円で、来場者2820万人を見込んでいる。

万博の会場は、建築家の藤本壮介氏がデザインした木造の**リング**（大屋根）で囲まれる。リングの屋根の下は会場のメインストリートとなり、屋上はリングスカウォークとして、周囲を見渡せる遊歩道になっている。

2024年9月現在、万博に参加を予定している国・地域は161。国際機関も8つが参加する。

ちょこっと時事

万博会場でメタンガス爆発 ２０２４年３月、大阪・関西万博会場の建設現場で、メタンガスによる爆発事故が発生した。会場の夢洲は浚渫土砂や廃棄物などによる埋立地で、廃棄物から発生したメタンガスが地下に滞留している。万博協会はガスを排出するファンや検知器の設置などの安全対策を新たに実施することを決めた。

万博のパビリオンのタイプ

タイプ	特　徴	国・地域
A	参加国が自前で建設（注文建設タイプ）	47
B	万博協会が建設（一棟貸しタイプ）	17
C	万博協会が建設（共同館タイプ）	92
X	万博協会が建設を代行（建売タイプ）	5

万博の会場建設費用

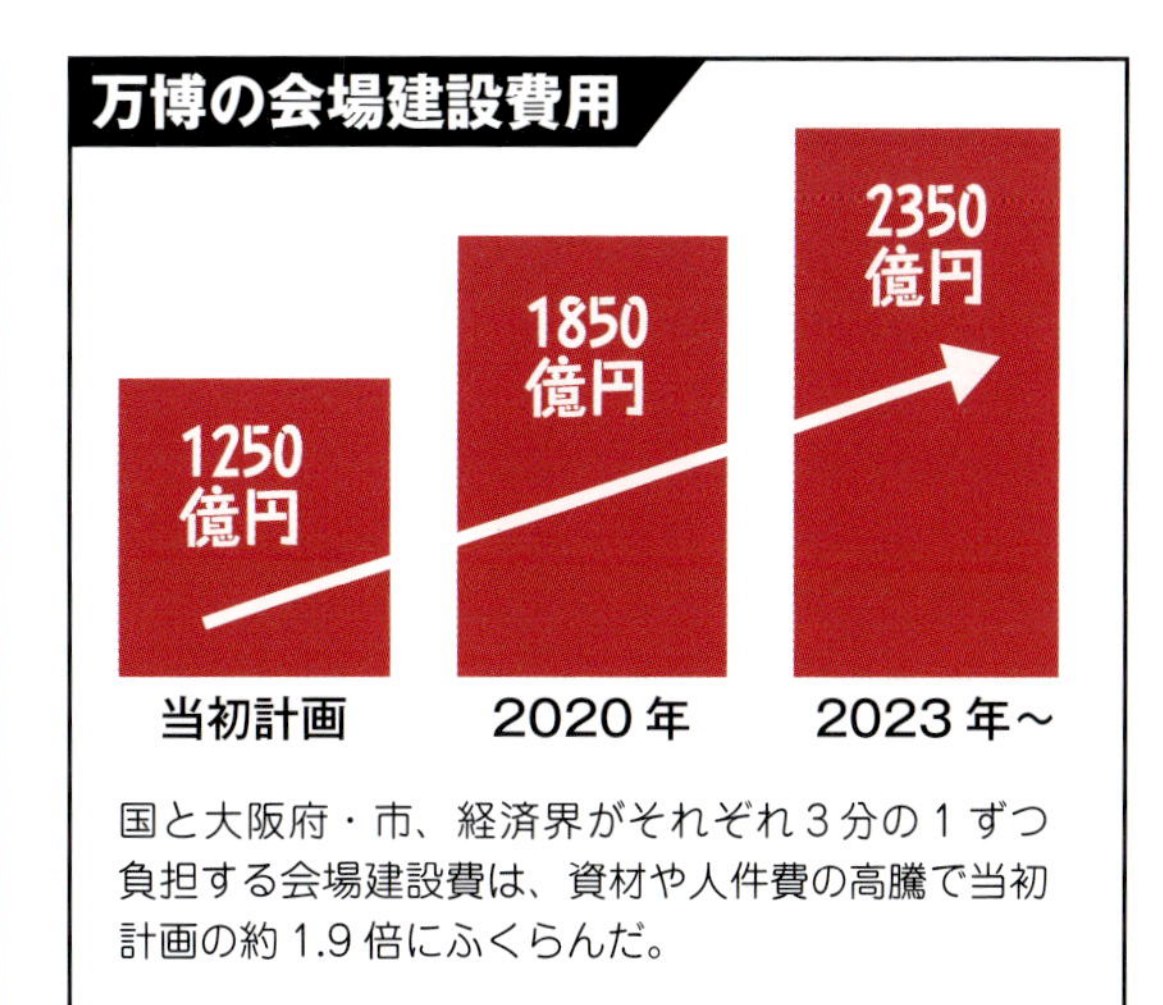

国と大阪府・市、経済界がそれぞれ３分の１ずつ負担する会場建設費は、資材や人件費の高騰で当初計画の約 1.9 倍にふくらんだ。

万博のパビリオンMAP

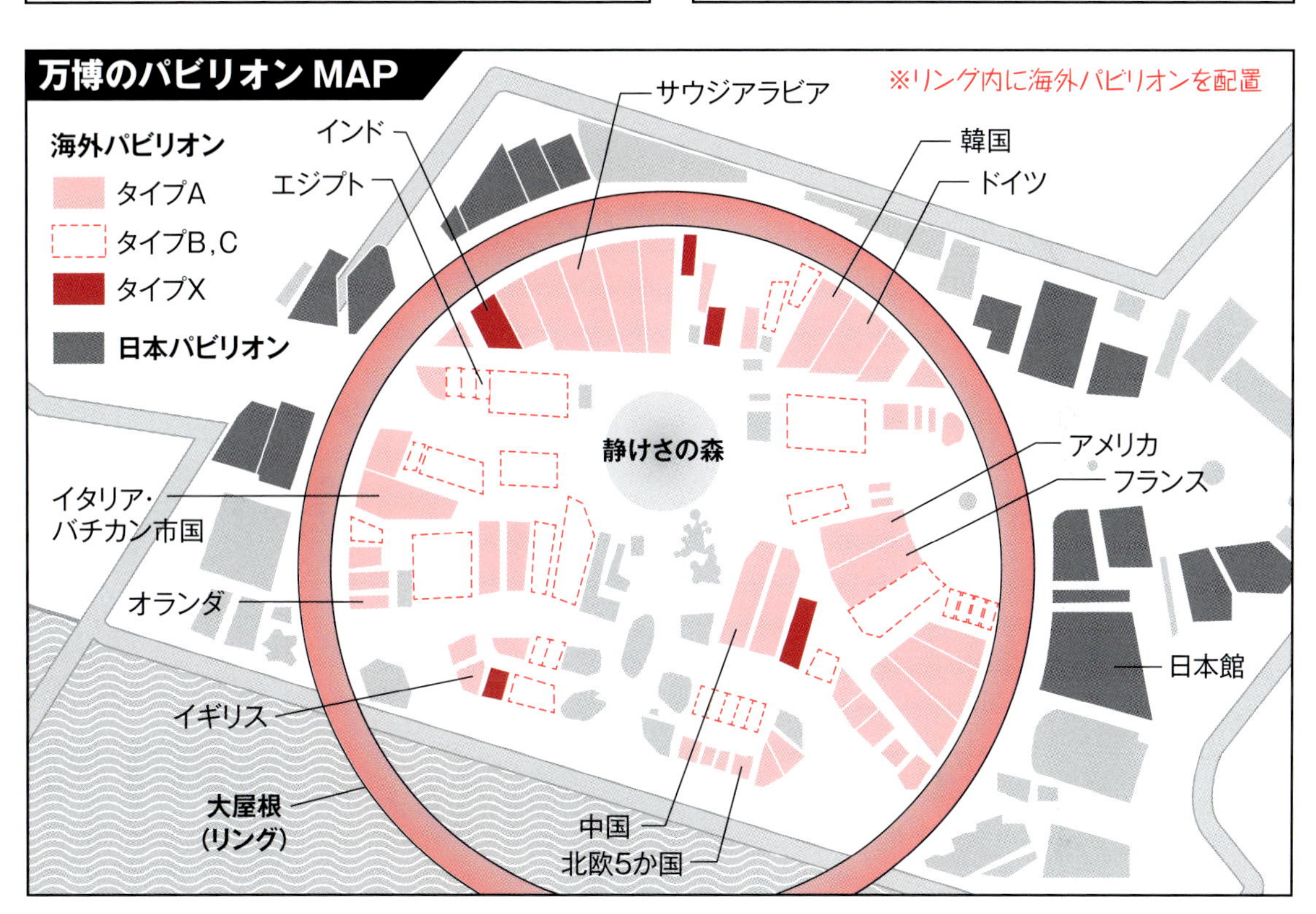

海外パビリオンのうち、参加国が自前で建設する「**タイプA**」は47か国で、42棟が建設される。建物のデザインもその国の文化や歴史を表現する展示の一部で、「**万博の華**」ともいわれるパビリオンだが、着工が遅れたため、開催に間に合うかどうかが懸念されている。

準備の遅れた参加国が多かったため、協会側が代理で建てて参加国に引き渡す「**タイプX**」も９棟建設された。インド、トルコ、ブラジルなど５か国が利用し、残り４棟は休憩場などに転用される予定だ。

このほか、万博協会が建物を建てて参加国が賃料を支払う「**タイプB**」と、複数国が共同利用する「**タイプC**」があわせて９棟あり、タイプＢは17か国、タイプＣは92か国が利用する。国内からは日本館、ウーマンズパビリオン、大阪ヘルスケアパビリオン、関西パビリオンのほか、13の民間パビリオンが出展する予定だ。

万博の会場建設費は国と大阪府・市、経済界が３分の１ずつ負担する。当初は１２５０億円を想定していたが、資材価格の高騰やリング建設の追加費用などのため、約１・９倍の**２３５０億円**にふくらんだ。

 参照 大阪IR ››› P84

パリ2024パラリンピック

パリパラリンピックの日本選手の獲得メダル

金メダル

競技	種目	選手名
車いすテニス	男子シングルス	小田凱人
車いすテニス	女子シングルス	上地結衣
車いすテニス	女子ダブルス	上地結衣・田中愛美
車いすラグビー	混合	日本代表
ゴールボール	男子	日本代表
自転車競技	女子個人ロードレース（運動機能障害 C1-3）	杉浦佳子
柔道	男子 73kg 級（弱視 J2）	瀬戸勇次郎
柔道	女子 57kg 級（弱視 J2）	廣瀬順子
水泳	男子 100m バタフライ（視覚障害 S11）	木村敬一
水泳	男子 50m 自由形（視覚障害 S11）	木村敬一
水泳	男子 50m 平泳ぎ（知的障害 SB3）	鈴木孝幸
卓球	女子シングルス（クラス 11）	和田なつき
バドミントン	男子シングルス（車いす WH2）	梶原大暉
バドミントン	女子シングルス（車いす WH1）	里見紗李奈

銀メダル

車いすテニス　1（小田凱人・三木拓也）
柔道　1（半谷静香）
水泳　3（窪田幸太／鈴木孝幸／鈴木孝幸）
バドミントン　1（里見紗李奈・山崎悠麻）
陸上競技　4（鬼谷慶子／唐澤剣也／佐藤友祈／福永凌太）

銅メダル

射撃　1（水田光夏）
柔道　1（小川和紗）
水泳　6（木下あいら／鈴木孝幸／辻内彩野／富田宇宙／富田宇宙／山口尚秀）
卓球　1（古川佳奈美）
バドミントン　1（梶原大暉・村山浩）
ボッチャ　2（遠藤裕美・杉村英孝・廣瀬隆喜／遠藤裕美）
陸上競技　5（伊東智也／川上秀太／佐藤友祈／鈴木朋樹／道下美里）

100字でナットク

パラリンピックは4年に1度、オリンピックと同じ年・同じ場所で開催される障害者選手のための国際スポーツ大会だ。2024年にパリで開催された第17回パラリンピックで、日本人選手は41個のメダルを獲得した。

パラリンピックは、障害者を対象とした国際スポーツ大会だ。4年に1度、オリンピックと同じ年・同じ場所で開催されている。2024年の夏季大会は**パリ**で開催された。

パラリンピックの起源は第二次世界大戦後の1948年にさかのぼる。その年、イギリスのストーク・マンデビル病院で、車いす患者のためのアーチェリー大会が開催された。戦争で負傷した傷痍（しょうい）軍人のリハビリが目的だった。当初は入院患者のための大会だったが、1952年にオランダが参加し、国際大会となった。

この国際大会が毎年開催されるようになり、1960年にはオリンピックと同じローマで開催された。現在では、このローマ大会が第1回のパラリンピックに位置づけられている（ちなみに、第2回は1964年の東京大会）。1988年のソウル大会から正式名称が「パラリンピック」となった。パラは英語の「パラレル

夏季パラリンピックの競技一覧

競技種目	障害の種類
アーチェリー	肢体不自由
陸上競技	肢体不自由、視覚障害、知的障害
ボッチャ	重度脳性まひや同程度の四肢重度機能障害 ※ジャックボールと呼ばれる白いボールに、赤、青それぞれ6球ずつのボールを投げたり、転がしたりして近づけるゲーム。
カヌー	肢体不自由（下肢障害） ※リオパラリンピックで初採用
自転車競技	肢体不自由、視覚障害
馬術	肢体不自由、視覚障害
ブラインドサッカー	視覚障害 ※鈴の入ったボールを使った5人制サッカー
ゴールボール	視覚障害 ※攻撃側が相手ゴールに向かって鈴の入ったボールを投げ、守備側は全身でボールをセービングする。
柔道	視覚障害 ※相手と組んだ状態から試合開始
パワーリフティング	肢体不自由（下肢障害）
ローイング	肢体不自由、視覚障害 ※オールを使ってボートをこぎスピードを競う。
射撃	肢体不自由
シッティングバレーボール	肢体不自由（下肢障害など） ※座った状態でプレーするバレーボール
水泳	肢体不自由、視覚障害、知的障害 ※飛び込み困難な選手は水中からスタート
卓球	肢体不自由、知的障害
トライアスロン	肢体不自由、視覚障害 ※リオパラリンピックで初採用
車いすバスケットボール	肢体不自由（下肢障害） ※ボールを持ったまま3回続けて車いすをこぐとトラベリング
車いすフェンシング	肢体不自由（下肢障害など）
車いすラグビー	四肢障害（四肢麻痺、四肢欠損など）
車いすテニス	肢体不自由（下肢障害、クァードクラスは三肢以上の障害） ※2バウンドで返球OK
バドミントン	肢体不自由
テコンドー	肢体不自由（上肢障害など）

（並行する、類似の）」の略とされ、「もうひとつのオリンピック」という意味に解釈されている。なお、出場選手の障害は肢体不自由、脳性まひ、視覚障害、知的障害で、聴覚障害は含まれていない（聴覚障害者の大会としては、デフリンピックがある）。

競技のルールは基本的にオリンピックと同じだが、パラリンピックでは選手が同じレベルで公平に競い合えるように、**障害の種類や程度によって細かいクラス分けが行われている**。そのため種目数も22競技549種目と多くなっている。障害によっては、競技の特性に応じた高性能な車いすや義手、義足が使われる。

車いすバスケットや車いすラグビーでは、選手ごとに障害の程度によって持ち点があり、1チームの合計が上限を超えてはならないルールになっている。

2024年のパリ大会は、世界168の国と地域から約4400人の選手が参加して開催された。日本からは175人の選手が参加し、41個のメダルを獲得した（金14、銀10、銅17）。次回の夏季パラリンピックは2028年にアメリカの**ロサンゼルス**で開催される予定だ。

ちょこっと時事

祝賀資本主義　オリンピックなどの祝賀的なイベントに公費が大規模に投入され、それによって一部の民間企業が利益を得る仕組みのこと。国民も祝賀ムードに影響され厳しい追及をしないが、税金の支払いなどの形で負担を強いられる。元オリンピック選手のジュールズ・ボイコフが提示した概念。

参照 パリ2024大会日本人選手の活躍は？ ››› P6

将棋のタイトル

100字でナットク

将棋の8大タイトルは竜王・名人・叡王・王位・王座・棋王・王将・棋聖の8つ。史上初の8大タイトル独占を果たした藤井聡太七冠は、その後叡王を失い七冠となったが、棋聖と王位では永世称号を獲得した。

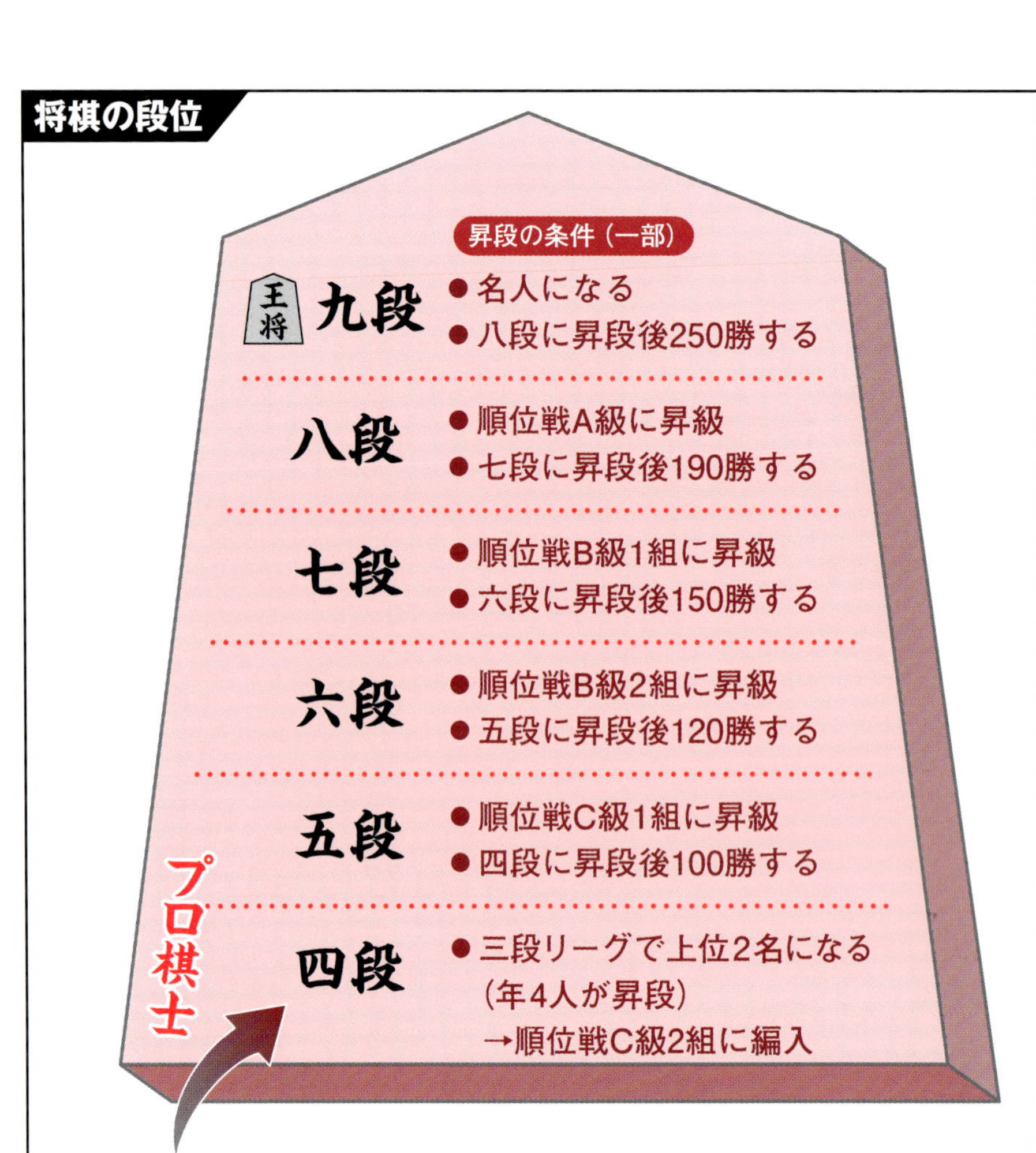

職業として将棋を指す人を「**棋士**」という。棋士をめざすには、まず**奨励会**という養成機関に入る。そこで6級からはじめ、規定の対戦成績を挙げて5級→4級→3級→2級→1級→初段→二段→三段と昇進していく。三段でリーグ戦を勝ち抜き、**四段に上がれば晴れてプロ棋士**となる。ちなみにアマチュアの将棋にも段位はあるが基準が異なり、アマチュアの四段は奨励会の6級程度とされる（奨励会には年齢制限があるが、奨励会退会後に編入試験を受けてプロになる道もある）。

四段から先の段位は、順位戦や竜王戦のクラス分けで昇級したり、公式戦で規定の勝数を挙げると昇段する。また、タイトル戦で優勝したり、タイトルの挑戦者になった場合にも昇段する。最高は**九段**で、いちど段位が上がれば下がることはない。

順位戦というのは、ほぼすべての棋士が1年にわたって順位を争う

将棋の8大タイトル

※2024年10月現在

タイトル戦	タイトル保持者	詳細	主催
棋聖（きせい）戦	藤井聡太（ふじいそうた）（第95期）	全棋士と女流2名で一次予選、二次予選トーナメントを行い、予選通過者とシード棋士の16名による決勝トーナメントで挑戦者を決める。最後は棋聖と挑戦者による5番勝負。	産業経済新聞社
王位（おうい）戦	藤井聡太（ふじいそうた）（第65期）	全棋士と女流2名による予選トーナメントを通過した本戦出場者にシード棋士を加え、紅白2ブロックに分かれてリーグ戦を行う。紅白の優勝者で挑戦者決定戦を行い、王位と挑戦者による7番勝負で次期王位を決める。	新聞三社連合 神戸新聞社 徳島新聞社
叡王（えいおう）戦	伊藤匠（いとうたくみ）（第9期）	全棋士と女流1名、アマ1名による段位別予選トーナメントと本戦トーナメントを行い、決勝進出者2名による3番勝負で挑戦者を決める。さらに叡王と挑戦者による7番勝負で次期叡王を決める。2017年にタイトル戦に昇格。	不二家 （第6期より）
竜王（りゅうおう）戦	藤井聡太（ふじいそうた）（第36期）	全棋士と女流4名、奨励会員1名、アマ5名が1組から6組に分かれて予選トーナメント（竜王ランキング戦）を行い、各組の上位者による決勝トーナメントで挑戦者を決める。竜王と挑戦者による7番勝負の勝者が次期竜王となる。	読売新聞社
王将（おうしょう）戦	藤井聡太（ふじいそうた）（第73期）	全棋士で一次予選、二次予選トーナメントを行い、予選通過者とシード棋士の4名によるリーグ戦で挑戦者を決める。最後は王将と挑戦者による7番勝負。	スポーツニッポン新聞社 毎日新聞社
棋王（きおう）戦	藤井聡太（ふじいそうた）（第49期）	全棋士と女流名人、アマ名人で予選トーナメントを行い、予選通過者とシード棋士により本戦トーナメントを行う。準決勝以上は2敗失格制で、トーナメント優勝者と敗者復活戦勝者との変則2番勝負で挑戦者を決める。最後は棋王と挑戦者による5番勝負。	共同通信社
名人（めいじん）戦	藤井聡太（ふじいそうた）（第82期）	順位戦A級の優勝者が名人に挑戦し、7番勝負により次期名人を決める。	毎日新聞社 朝日新聞社
王座（おうざ）戦	藤井聡太（ふじいそうた）（第72期）	全棋士と女流4名で一次予選、二次予選のトーナメントを行い、二次予選通過者にシード棋士を加えた挑戦者決定トーナメントで挑戦者を決める。最後は王座と挑戦者による5番勝負。	日本経済新聞社

リーグ戦だ。ランクの高い順にA級、B級1組、B級2組、C級1組、C級2組の5クラスがあり、成績上位者は昇級、下位者は降級となる。順位戦A級の優勝者は名人戦に挑戦でき、現名人との七番勝負に臨（のぞ）む。これに勝利すると「**名人**」の称号を獲得し、挑戦者に敗れてその座を奪われるまで「〇〇名人」と呼ばれる。

このように、優勝者に称号を授与するのが**タイトル戦**だ。タイトルは全部で8つあり、**8大タイトル**と呼ばれる（**竜王（りゅうおう）・名人・叡王（えいおう）・王位・王座・棋王（きおう）・王将・棋聖（きせい）**）。

藤井聡太（ふじいそうた）さんは2016年に史上最年少の14歳2か月でプロ棋士となり、その後は順調に昇段を重ねた。タイトル戦では2020年に棋聖、王位、2021年に叡王、竜王、2022年に王将を獲得。獲得したタイトルはすべて防衛している。2023年には3月に棋王、6月に名人、10月に王座を獲得し、史上初の**8大タイトル独占**を達成した。

2024年6月の第9期叡王戦で、同じ2002年生まれの**伊藤匠（いとうたくみ）**七段に敗れ、七冠に。しかしその後棋聖戦と王位戦で5連覇を果たし、2つの「**永世称号（えいせいしょうごう）**」を獲得した。

ちょこっと時事

NHKネット配信の必須化 2024年5月、NHKがインターネットを通じて番組などを提供することを「必須業務」とする改正放送法が可決・成立した。全放送番組の同時配信、見逃し・聞き逃し配信が必須業務となる。すでに受信料を支払っている人は追加の負担なく利用できる。

78 文化・スポーツ

大谷翔平選手の活躍2024

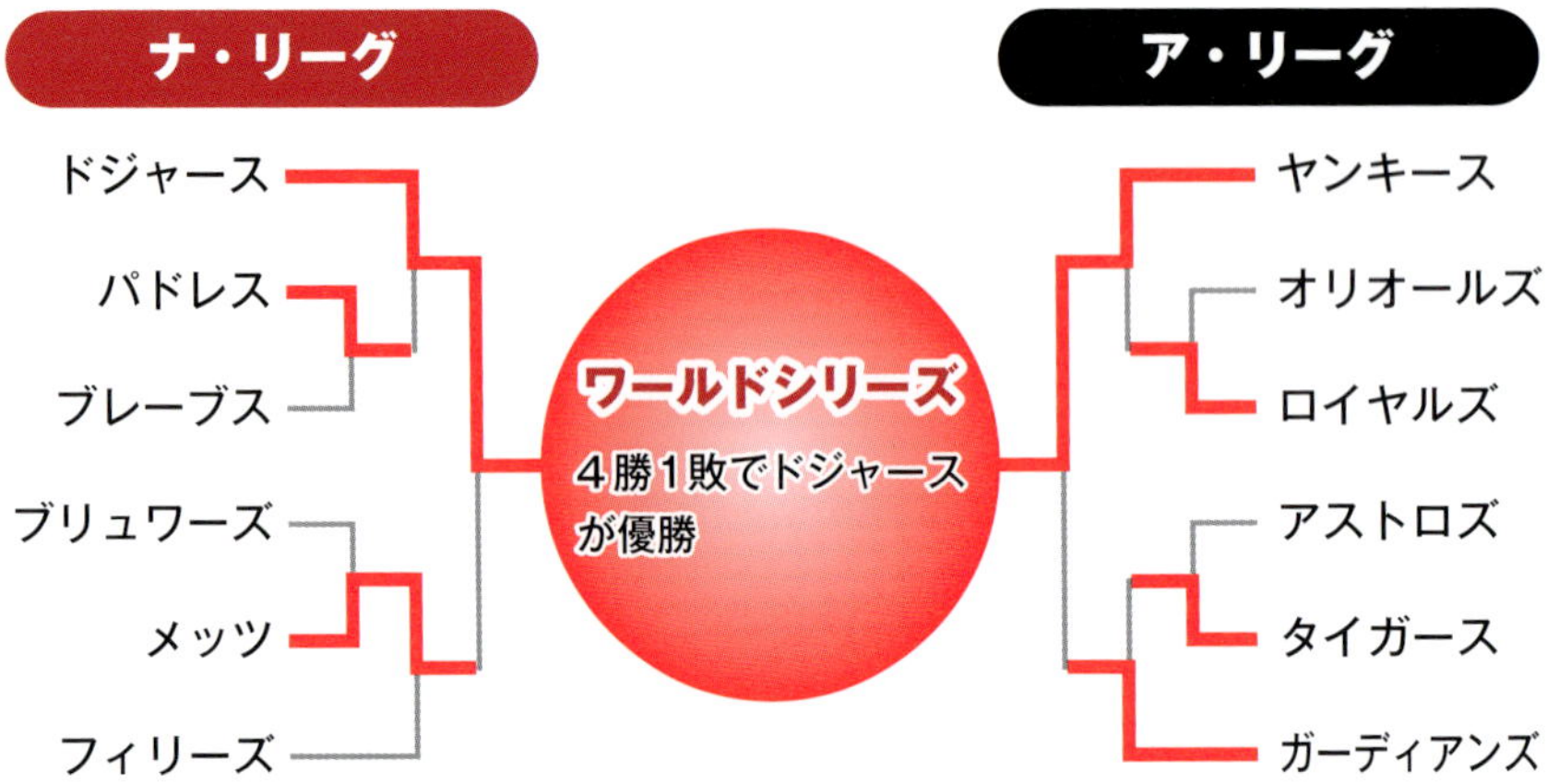

100字でナットク

ロサンゼルス・ドジャースの大谷選手（背番号17）は、打者に専念した2024年のシーズンで史上初の「50本塁打・50盗塁」を達成。2年連続本塁打王など活躍し、チームのワールドシリーズ進出に貢献した。

メジャーリーグの**大谷翔平**選手は、ロサンゼルス・ドジャース移籍1年目となる2024年もめざましい活躍をみせた。

大谷選手は昨年秋に受けた右肘手術のリハビリのため、今季は投打の「**二刀流**」を封印し、指名打者（DH）として打者に専念。159試合に出場し、打率3割1分、54本塁打、130打点、59盗塁を記録した。パワーとスピードを兼ね備えたプレイで、前人未到の「**50本塁打、50盗塁**」を達成し、2年連続でナ・リーグ本塁打王に輝いた。

ドジャースはナ・リーグ西地区1位でプレーオフに進出し、パドレスとメッツに勝ってナ・リーグ優勝を果たした。全米優勝を決める**ワールドシリーズ**では、ア・リーグ優勝のニューヨーク・ヤンキースと対戦。4勝1敗でヤンキースに勝利したドジャースが、4年ぶりの全米優勝を果たした。

大谷翔平選手の活躍

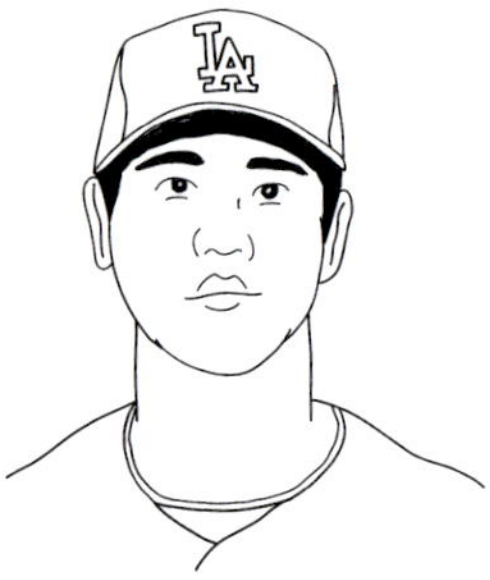

大谷翔平（おおたにしょうへい）

1994年生まれ。岩手県奥州（おうしゅう）市出身。花巻（はなまき）東高校から2013年ドラフト1位で北海道日本ハムファイターズに入団。右投左打の二刀流選手として活躍する。2017年オフにポスティングシステムによりロサンゼルス・エンゼルスに入団、2023年ロサンゼルス・ドジャースに移籍した。

今シーズンの成績

試合数	159	
打率	3割1分	（リーグ2位）
本塁打	54本	（リーグ1位）
打点	130	（リーグ1位）
OPS※	1.036	（リーグ1位）
盗塁	59	（リーグ2位）
三振	162	
四球	91	

※出塁率＋長打率

ナ・リーグ：ドジャース、パドレス、ブレーブス、ブリュワーズ、メッツ、フィリーズ

ア・リーグ：ヤンキース、オリオールズ、ロイヤルズ、アストロズ、タイガース、ガーディアンズ

ワールドシリーズ
4勝1敗でドジャースが優勝

79 文化・スポーツ
映画賞・文学賞2024

WEB 公益財団法人 日本文学振興会　本屋大賞

映画賞・文学賞 2024

●三大国際映画祭

カンヌ（仏）、ベネチア（伊）、ベルリン（独）の３つの映画祭。コンペティション部門の最高賞は、カンヌが「**パルムドール**」、ベネチアが「**金獅子賞**」、ベルリンが「**金熊賞**」。

受賞作		
	2024年 カンヌ国際映画祭	**パルムドール：ショーン・ベイカー監督** 『アノーラ』（アメリカ） ※山中瑶子監督『ナミビアの砂漠』が国際映画批評家連盟賞を受賞
	2024年 ベネチア国際映画祭	**金獅子賞：ペドロ・アルモドバル監督** 『The Room Next Door（原題）』（スペイン）
	2024年 ベルリン国際映画祭	**金熊賞：マティ・ディオップ監督** 『ダホメ』（フランス・セネガル・ベナン合作）

●アカデミー賞

アメリカ最大の映画賞。

受賞作		
	2024年 アカデミー賞	**作品賞：クリストファー・ノーラン監督** 『オッペンハイマー』 **監督賞：クリストファー・ノーラン監督** 『オッペンハイマー』 **主演男優賞：キリアン・マーフィー** 『オッペンハイマー』 **主演女優賞：エマ・ストーン** 『哀れなるものたち』 **長編アニメ映画賞：『君たちはどう生きるか』**（宮崎 駿 監督） **視覚効果賞：『ゴジラ −1.0』**（山崎 貴 監督）

●芥川賞・直木賞

芥川賞と直木賞は、（株）文藝春秋の社内にある日本文学振興会が運営する文学賞。受賞作は年２回（上半期・下半期）発表される。芥川賞は新人作家が書いた純文学の短編・中編、直木賞は中堅作家が書いた大衆小説が対象。

受賞作		
	2023年下半期（第170回）	**芥川賞：九段理江**『東京都同情塔』 **直木賞：河﨑秋子**『ともぐい』 **万城目学**『八月の御所グラウンド』
	2024年上半期（第171回）	**芥川賞：朝比奈秋**『サンショウウオの四十九日』 **松永K三蔵**『バリ山行』 **直木賞：一穂ミチ**『ツミデミック』

●本屋大賞

全国の書店員が「売りたい本」を投票で選ぶ賞。

受賞作		
	2024年（第21回）	**宮島未奈**『成瀬は天下を取りにいく』

100字でナットク

２０２４年の米アカデミー賞はクリストファー・ノーラン監督『オッペンハイマー』が７部門を受賞。日本からは『君たちはどう生きるか』が長編アニメーション賞、『ゴジラ マイナス1.0』が視覚効果賞を受賞した。

ちょこっと時事

エミー賞　アメリカで放送された優れたテレビドラマや番組に与えられる賞。映画におけるアカデミー賞に相当する。２０２４年のエミー賞は真田広之さんが主演・プロデュースを務めるドラマシリーズ『ＳＨＯＧＵＮ 将軍』が作品賞・主演男優賞・主演女優賞・監督賞など史上最多となる18部門での受賞を果たした。

や行

ら行

わ行

数字・英字

な行

は行

ま行

さ行

た行